илья авраменко

НИНА

евгений костюченко

GELEOS
2003

УДК 821.161.1
ББК 84(2Рос=Рус)6
А 21

Подписано в печать 18.08.03. Формат 84x108 1/32.
Тираж 100 000 экз. Первый завод. Зак. № 8105.

А́враменко И., Костюченко Е.

А 21 Нина: Роман / И. Авраменко, Е. Костюченко. — М.: ЗАО «Издательский дом ГЕЛЕОС», 2003, — 379 [5] с.

ISBN 5-8189-0262-5

Роскошная внешность манекенщицы и фотомодели Нины вызывает зависть женщин и восхищение мужчин. Розы, шампанское, поклонники и муж... безжалостный наемный убийца.

В жизни Нины все смешалось в тугой клубок. Искренняя любовь и предательство, надежды и разочарования, череда убийств и обретение новых друзей. И со всем этим один на один красивая и сильная НИНА!

Эта книга – правдивая и в то же время романтическая история современной молодой женщины – мадонны и воина!

На основе талантливого сценария Ильи Авраменко блистательный петербургский писатель Евгений Костюченко написал захватывающий роман, рассказывающий истинную историю Нины.

1

Манекенщица и фотомодель Нина Силакова настолько любила свою работу, что иногда ей было даже как-то неловко еще и получать за нее деньги. Дефилировать по сцене в нарядном платье и видеть восторженные лица зрителей было так же приятно, как выбирать подарки сыну. Впрочем, в каждом деле есть и теневые стороны.

Подиум, яркий свет, музыка и аплодисменты — все это чудесно, но рано или поздно с Олимпа моды приходилось спускаться. Здесь, внизу, начиналась совсем другая жизнь. И Нина понимала, что именно из-за этой другой жизни она может с чистой совестью получать немалые деньги. В качестве моральной компенсации.

Стоило Нине зайти за кулисы, как очередной назойливый поклонник с букетом преградил ей путь:

— Мечтаю пригласить вас на ужин. Мечтаю пить шампанское из вашей туфельки. Мечтаю...

Сохраняя на лице ту же улыбку, с какой она только что парила над подиумом, Нина мгновенно оглядела респектабельного господина. Ей хватило одного взгляда, чтобы увидеть все — от дорогого галстука до золотого «Ролекса» и ужасных носков с рисунком в виде куриных лапок. Такой и в самом деле способен пить из туфли.

Когда так приставали к ней на улице, Нина делала вид, что ничего не слышит и не видит. При случае она могла бы и ответить на том языке, который только и понимали эти озабоченные самцы. Но здесь, за кулисами, не бывает случайных людей. Если этот кандидат в ухажеры попал сюда, значит, не стоит обходиться с ним слишком грубо. И Нина сказала, не останавливаясь ни на миг:

— Чудесный букет! Но я ужинаю только с мужем.

И упорхнула в раздевалку.

Снимая последнее за этот вечер платье, Нина немного расстроилась из-за того, что ей пришлось хоть немного, но солгать. Сегодня она будет ужинать одна, без мужа, потому что Саша опять укатил в командировку.

Он уехал сегодня ночью, да так, что она и не заметила. Заснула, обнимая мужа, а проснулась одна. И сразу же звонок. «Проснулась, Нинульчик-нежнульчик? А я уже в Питере. За пять часов долетели, прикинь. Не волнуйся, быстро провернем все дела, и пулей — обратно!»

Другая бы обиделась или начала что-то подозревать, но только не Нина. Как можно жить с человеком, которому не доверяешь?

Ее задело не то, что он уехал так внезапно и скрытно. Ей было обидно за него: Саша был не последним человеком в своем фонде ветеранов, а в поездки его гоняли, как юного курьера. Неужели нельзя было предупредить заранее? Неужели нельзя было отправиться в Петербург в уютном вагоне СВ, а не на бешеном «мерседесе»? Это ж надо, за пять часов промчаться от Москвы до Питера! Надо будет обязательно поговорить с Сашей, чтобы он потребовал более почтительного к себе отношения, решила Нина.

Уложив сына спать, она еще долго сидела с книгой, то поглядывая на экран телевизора, то снова пытаясь читать. Но мысли ее были далеки отсюда. Она вспоминала, каким был Саша семь лет назад, когда они встретились. А был он таким же, как сейчас, покладистым и исполнительным, и никогда не лез на первые роли. «Нет, — вздохнула Нина, — никогда он не сможет постоять за себя. Так и будет носиться по командировкам до глубокой старости».

Семь лет назад... Неужели прошло уже семь лет? Они познакомились на конно-спортивной базе в Знаменке. Нина выводила из конюшни своего Брегета, а пятиборцы из московского «Динамо» как раз пришли подбирать себе лошадей для тренировок. И Саша встал как вкопанный перед Брегетом, а потом увидел Нину и расцвел: «На таком коне может сидеть только такая девушка».

Никогда он не умел говорить комплименты. Да и не пытался никогда. Они ему были ни к чему, потому что Сашины глаза говорили лучше всяких слов. Он, забыв о тренировке, просто смотрел на Нину все время, пока она занималась с Брегетом в манеже. И от этого взгляда у нее словно крылья за спиной выросли. Вдохновение наездницы, наверно, передалось коню, и Брегет был, как никогда, безупречен и послушен. И даже когда Саша приблизился на своей лошади, норовистый жеребец стерпел такое соседство. Молча скакали они вокруг базы по лесной дороге, наматывая круг за кругом. Так же, без слов, вернулись в конюшню и еще долго занимались со своими лошадьми. Удивительно, но им обоим было хорошо без всяких слов — просто быть рядом, просто видеть друг друга.

Весь месяц, пока длились сборы, Саша виделся с Ниной каждый день. Через два дня они уже поцеловались, а через неделю решили, что поженятся, как только Нине исполнится восемнадцать.

В августе, 19-го числа, она приехала к нему в Москву, но Саша ее почему-то не встретил. Его телефон не отвечал. По Ленинградскому шоссе катила бесконечная колонна бронетехники. Нина подумала, что идут какие-то большие учения, и Сашу, прапорщика внутренних войск, вполне могли к ним привлечь. Эта мысль успокоила ее, и она решила не возвращаться домой, пока не закончатся эти учения.

«Учения» закончились развалом Советского Союза. Нина все это время прожила в Сходне у своей дальней родственницы, и каждый день звонила Саше. Он поднял трубку тридцать первого декабря. Новый год они встретили вместе, в его служебной квартирке, где было только три предмета мебели — холодильник, стол и диван, а в прихожей стояли два чемодана, ее и Сашин.

Вспоминая об этих первых годах, Нина всегда удивлялась — как же сильно они любили друг друга, что не замечали никаких бытовых неудобств. Впрочем, и сейчас, спустя семь лет, они не намного улучшили свои жилищные условия и ютились на тридцати метрах в Марьино, несмотря на то, что оба зарабатывали вполне достаточно. Дела у Саши постепенно наладились, хотя и пришлось пожить на иждивении у жены первое время, когда он ушел из армии. А теперь они могли бы, к примеру, переехать на Чистые пруды (Нина уже присмотрела там чудесную квартиру), но у Саши были другие планы. Он, правда, разрешил жене подыскать загородный домик, но покупать его не собирался. «Снять на полгода, а там видно будет», — загадочно улыбался он в ответ на все ее вопросы.

Задумавшись о том, как ей обустроить этот загородный дом, Нина заснула. Ей снились коттеджи за кирпичными заборами и бревенчатые срубы с золотыми куполами. Виделись ей и виллы со стеклянными стенами на белом берегу лазурного моря, и камышовые бунгало, в каких они жили на отдыхе в Таиланде, — много разных загородных домиков увидела Нина в эту ночь, но ни в одном из них не было Саши. Наверно, поэтому она проснулась с ясным ощущением тревоги за мужа.

Петька, как всегда, встал раньше нее. Пока она лежала в постели, борясь с дремотой, он уже прошлепал босиком в ванную, сам умылся, сам оделся и сам стащил с мамочки одеяло:

— Вставай, мам, а то в садик опоздаем!

Не поднимаясь, она нащупала телефон и набрала номер Сашиного мобильника. Ей так хотелось услышать его голос, но вместо него вежливая телефонная барышня сообщила, что абонент временно недоступен. «Дрыхнет абонент», — сердито подумала Нина. — «Прогулял всю ночь со своими коммерсантами, а теперь, конечно, недоступен».

Она натерла две морковины на крупной терке, порезала янтарную курагу и мелко покрошила лимон, выбросив косточки из растекшейся лужицы сока. Всю эту пеструю горку Нина высыпала в черную глазированную миску, перемешала, добавила соли и сахара, заправила сметаной. Таким был ее обычный завтрак — салат и кусочек хлеба. Пара ложек салата доставалась и Петьке. Раньше Нина готовила ему кашу, но, когда сын стал ходить в новый садик, от домашних завтраков пришлось отказаться, чтобы не портить аппетит. Точнее, чтобы не портить отношения с воспитательницей, которая поначалу сочла Петьку капризным, своенравным и упрямым. И все из-за того, что он не ел детсадовскую кашу.

Пока Нина готовила, Петька терпеливо сидел за столом.

— А когда папа приедет?

— Скоро.

— А почему он не попрощался?

— Он же ночью уехал. Не хотел будить нас.

— А я и не спал совсем. Он думал, я сплю. А я проснулся. За ним парни приехали. Он тебя поцеловал, потом меня. Потом я в окно видел — такой черный джипяра. Галенваген. Папа в нем уехал. Это, между прочим, самый лучший джипяра. Я когда вырасту, тебе такой куплю. Он тебе нравится?

— Мне не нравится, как ты говоришь. Что это такое — «джипяра»? Разве ты слышал, чтобы я так говорила, или папа?

— Все так говорят. Все пацаны, которые к папе приходят. И дядя Егор.

— Нашел у кого учиться. Поел? Давай одеваться.

У Нины всегда портилось настроение при упоминании о Егоре, Сашином приятеле. Она считала, что мужа на работе окружают такие же, как и он, бывшие военные, милиционеры, пограничники. Одним словом, ветераны. Но этот Егор, когда-то служивший простым конвоиром, слишком многое перенял от своих подопечных. И манеры, и жесты, и речь — все у него было с каким-то блатным оттенком.

Однако Саша встречался с ним чаще, чем с остальными товарищами, потому что Егор был его заместителем. Как бы, типа, заместителем.

— Если будешь брать пример с дяди Егора, никогда не купишь такой джип. Нет, ты вырастешь культурным, образованным человеком. Станешь юристом или финансистом. Или дипломатом.

— А дядя Егор — кто?

— Он простой водитель. Ездит на чужих машинах.

— А папа — кто?

— А папа? Это — папа.

Они уже оделись и стояли на пороге, когда зазвонил телефон. Петька потянул Нину назад:

— Это папа звонит!

Но в трубке опять зазвучал совсем не тот голос, который так хотелось услышать Нине.

— Говорит администратор Пестрова. Силакова, вам надо явиться в агентство к десяти часам.

— А в чем дело? — недовольно спросила Нина.

— Надо решить важные вопросы.

— Почему такая срочность? Неужели нельзя было предупредить вчера об этом?

— Вот я вас и предупреждаю. Всех благ, — ехидно ответила Пестрова и положила трубку.

У Нины были немного другие планы на сегодняшнее утро, и звонок из модельного агентства расстроил ее. Она глянула в зеркало и решила не тратить время на лишний макияж — для Пестровой сойдет и так. Да и времени в обрез.

Но стоило ей захлопнуть за собой дверь, как в оставленной квартире снова раздался телефонный звонок.

Петька остановился:

— Это папа!

— Пошли, опоздаем!

— А вдруг это папа?

Переспорить этого пятилетнего зануду было невозможно, и Нина снова вернулась к телефону. На этот раз, однако, разговор получился куда более приятным.

— Добрый день, это Дима из «Жилищной корпорации»...

— Да, Дима, я слу... Ура! Когда? Ура! Серьезно? Ура-а! Готовьте документы, я перееду сегодня же!

Нина вылетела на площадку, радостно тормоша сына.

— Петька! Петька! Дом готов! Мы сегодня же можем заселяться! Ура!

Петька деловито спросил:

— А как я в детский сад оттуда буду ходить? У меня же друзья. Что мне, бросать их из-за вашего дома?

— Да будешь как-нибудь, будешь! Эх ты, зануда!

День начался с настолько приятной новости, что Нина вмиг позабыла и о своих ночных тревогах, и о противной администраторше Пестровой. Жить за городом — об этом можно было только мечтать. И вот мечта вдруг исполнилась!

Окрыленная, Нина была готова бежать к своей машине, чтобы поскорее уладить все дела, но Петька придержал ее за руку:

— Мама, не беги, люди смотрят.

Вот об этом ей не надо было напоминать. Годы работы в модельном агентстве приучили Нину всегда держаться так, словно за ней наблюдают многочисленные зрители, даже когда она ехала в пустом вагоне трамвая.

Сейчас, выходя из подъезда, она привычно свела лопатки и подняла подбородок, хотя единственными зрителями в этот ранний час были два небритых и помятых субъекта, сидевшие в детской песочнице.

Субъекты эти назывались Толяном и Коляном. Вчерашняя ночь наступила для них внезапно и в совершенно неподходящем месте. Проснувшись в песочнице и убедившись, что вокруг них только пустые бутылки, они по очереди затягивались последней папиросой и предавались горестным раздумьям.

— В моем сознании не укладывается, — говорил Толян. — Как это так — давать Тому Хэнксу «Оскара». Это же актер без внутренней фантазии, без полета, без душевного порыва.

— Смотрите, какой кинолог! — с сарказмом возразил Колян. — О какой фантазии, о каком порыве ты смеешь бакланить, когда люди гуляют на всю катушку, гуляют типа «не жди меня, мама, хорошего сына», а ты, как последняя зыза, тыришь чирик себе на утро.

— Да. Я заначил чирик, — не без гордости признал Толян. — Я теперь — как человек. Пива могу выпить. А ты?

— А я, если захочу... — Колян встал и одернул измятую тенниску, чтобы продемонстрировать свои возможности, — я все достану.

— Тоже мне Дед Мороз.

— Ага... а вот и Снегурочка, — обрадовался Колян, увидев Нину.

Он пригладил волосы и решительно двинулся на перехват.

— Ниночка! Красавица! А я как раз к тебе! Выручай!

Нина остановилась у «вольво» и открыла дверь для Петьки.

— Дядя Коля, ты знаешь, я на водку не даю.

— Какой там! Я проспал! Бабушка ко мне приезжает, девяносто три года... из этого, ну... из Костромы! Проспал я! Отвези на вокзал, выручи!

— Да ты что! Да мне же в десять... нет, я не могу, ты что!

— Ну все, — Колян трагически махнул рукой и отвернулся, понурившись. — Пропала старуха!

Первый раз в Москве, собралась к внуку, а я, как последняя сволочь... Даже не встречу теперь...

— Слушай, ладно... Вот тебе деньги. Возьми такси. Вот. Этого хватит.

— Отработаю! Матушка! Бачок починю! Красавица! Ты скажи только!

Нина, отмахиваясь от него, села в машину. Белая «244-я» чихнула пару раз, завелась и с места, без разогрева, рванула прочь со двора. Колян подобострастно помахал ей вслед и поцеловал зажатую в кулаке сторублевку.

— Гуляем, Толян! — провозгласил он, вернувшись к песочнице. — Что там твой несчастный зажиканный чирик по сравнению с моей Снегурочкой! Вот как надо с бабами работать, ты понял? А то — Оскар, Оскар.

— Красивая пташка, — проговорил Толян. — На иномарках раскатывает. Что за птица?

— Нинулечка, с третьего этажа... — Колян важно пошевелил пальцами над головой.— Фотомодель. Вот, сто рублей мне дала. Голубь, а не баба!

— Не голубь, а жар-птица, — поправил его собеседник, более искушенный в русском фольклоре.

— В общем, редкой души человек, — с дрожью в голосе произнес Колян. И добавил сочувственно: — Но — дура дурой.

Возможно, в этом суждении и было зерно истины. Нина и сама часто ругала себя за то, что не умеет отказывать. Слушая в исполнении своего соседа с первого этажа очередную драматическую историю о заболевшей племяннице или приезжающей бабушке, она понимала, что все это скорее всего беспардонная ложь. Но каждый раз нехитрая уловка достигала своей цели, и Нина давала Коляну деньги. Потому что каждый раз боялась, что племянница и в самом деле нуждается в лечении, а старушка и в самом деле стоит на вокзале и беспомощно озирается, ожидая беспутного внука. Нина считала, что лучше быть обманутой, чем отказать в помощи.

По дороге в детсад она остановилась у киоска и купила журнал со своим портретом на обложке. Это, похоже, переполнило чашу Петькиного терпения, и он принялся ворчать, смешно копируя интонации своей деревенской бабушки.

— Ты транжира. Зачем дядьке деньги дала?

— Ему нужно.

— А нам не нужно?

— Мы с тобой еще заработаем, а ему сейчас негде было взять.

— А журнал зачем купила? У нас такой есть.

— Этот я не для нас купила.

Нина свернула с улицы в проезд между домами и остановилась у забора детского сада. Здесь уже стояла перламутровая «тойота», и толстая мамаша выкорчевывала из нее пухлого малыша. На газоне детсада стояла заведующая, Эвелина Георгиевна, в своем белом халате с голубым воротничком. Она лучезарно улыбнулась толстой мамаше и, повернувшись к Нине, посмотрела на часы.

— Morning! — выпалил Петька.

— Беги, Петенька, беги в группу. Доброе утро, good morning, my dear child. Там уже все в сборе, только вас не было. Опять мама проспала?

Нина, присев на корточки, поправила сыну воротничок, пригладила непокорный чубчик и поцеловала. Петька недовольно вытер щеку кулаком и побежал между клумбами к ярко-желтому зданию детского сада.

Заведующая проводила его умильным взглядом:

— Как он торопится к друзьям. Очень коммуникабельный у вас мальчик. Кстати, вас можно поздравить? Видела вашу фотографию на обложке. Чудесный снимок, поздравляю. И журнал почтенный. Очень интересный журнал. Столько всего полезного. Жаль только, что мы, скромные педагоги, не всегда можем себе его позволить.

Нина едва удержалась от улыбки. Действительно, откуда у скромного педагога деньги на толстый журнал? Едва-едва удалось наскрести на сережки с бриллиантами и три золотых колечка.

Она достала из пакета журнал и протянула его заведующей:

— А я как раз хотела вам подарить. Петя мне напомнил. Говорит, Эвелина Георгиевна, наверно, себе еще не купила, давай ей подарим.

— Ой, что вы, не стоило, — заведующая благосклонно улыбнулась, перелистывая глянцевые страницы. — Петя у вас умница. У него успехи в английском. Кстати, зачем я вышла. Мы собираем деньги на озеленение территории. По сто рублей.

«Сто рублей тому, сто — этой, — подумала Нина, послушно открывая сумочку. — Такса у них такая, что ли?»

— Ну что вы, — строго остановила ее Эвелина Георгиевна. — Не мне. Деньги сдадите своей воспитательнице. И не забудьте получить приходный ордер.

Величественно кивнув, заведующая удалилась. Нина глянула на часы, ахнула и чуть не бегом кинулась к своей машине. Чтобы попасть в модельное агентство к десяти, ей придется ехать гораздо быстрее, чем хотелось бы.

Сотрудники ГАИ, наверное, тоже справедливо полагали, что Нина едет слишком быстро. Кроме того, оказалось, что проскакивать на желтый свет и разворачиваться через сплошную линию — все это в денежном выражении равносильно встрече бабушки и озеленению территории. Пополнив казну автоинспекции еще одной сотней российских рублей, Нина наконец влетела во двор своего агентства.

У крыльца толпились девочки, кандидатки в звезды модельного бизнеса. Они разочарованно переговаривались, слушая администраторшу Пестрову, которая возвышалась над ними, стоя на крыльце, как Ельцин на танке.

— Повторяю, — вещала Пестрова, квадратная блондинка в красном брючном костюме. — Повторяю еще раз. Просмотр, назначенный на сегодня, переносится на следующую среду. Пожалуйста, не толпитесь у входа. Приходите через неделю. Повторяю, просмотр переносится на следующую среду.

Выйдя из машины, Нина с трудом пробиралась через толпу. Ее слух улавливал шепот за спиной: «Нина Силакова... видишь... это Нина Силакова...» Девочка лет шестнадцати, одетая скорее даже жалко, чем бедно, вдруг решительно схватила Нину за рукав.

— Постойте! Я вас знаю. Вы — Нина Силакова, вы моя любимая модель! Не потому, что вы в моде, а потому, что вы... у вас не как у всех... у вас глаза человечьи! Послушайте! Мне надо. Очень. Мне очень надо. Возьмите меня туда! Вас послушают, меня примут...

В толпе раздались возмущенные голоса: «Глянь, умная какая!», «Деловая, фу ты, ну ты».

Нина, не останавливаясь, оглянулась. Девчонка смотрела на нее с надеждой, но без малейшего заискивания.

— Только вы можете помочь мне. Я не могу ждать еще неделю.

— Ну что ты! — ответила Нина. — От меня ничего не зависит. Здесь ни от кого не зависит. Ты сама должна, сама, понимаешь?

— Но если бы вы... потому что я первый раз... я приехала... я неделю не могу ждать...

— Ладно. Дай мне портфолио. Я покажу.

— У меня нет... У меня было... а брат с друзьями напился...

— Как тебя зовут?

— Варя.

— Вот что, Варя. Позвони мне домой часа в два.

Порывшись в сумочке, Нина дала Варе свою визитку и скрылась за тяжелыми дверями агентства.

2

Администратор Ольга Пестрова пришла в модельный бизнес из торговли. Отстояв за прилавком ГУМа три года, она прекрасно изучила психологию широкого покупателя, его вкусы и потребности, и могла бы сама стать великим модельером, если бы умела шить, кроить или хотя бы рисовать. Но приобретенные знания и навыки Пестрова с успехом применяла на своем ответственном посту. Ей только пришлось сменить группу товаров. Теперь она торговала не средствами бытовой химии, а манекенщицами. Правда, они предпочитали называть себя моделями, но суть дела от этого не менялась.

Свой бизнес Ольга Пестрова понимала так: если фирма хочет впарить свой товар, то ей нужна реклама. А лох-покупатель не заметит рекламы, если в ней не будет женских ног. Значит, за хорошие ноги фирмачи заплатят любые бабки, иначе их товар так и сгниет на складах. А задача администратора модельного агентства — предложить фирмачам эти ноги, глаза и попки в самом разнообразном ассортименте, в любое время и в любом количестве. То есть — та же самая задача, что у любого продавца.

Да вот беда, в отличие от бессловесных освежителей воздуха и стиральных порошков, новая группа товаров нуждалась в постоянном присмотре и управлении.

Особенно такие, как эта Силакова.

Пестрова сурово глянула на Нину:

— Вы опаздываете почти на полчаса. Все вас ждут. Не надо думать, что вы прима. Вы такая же модель, как и все остальные.

— Я же просила вас предупреждать меня немного заранее, а не за два часа, — возразила Силакова. — Вы позвонили сегодня в восемь.

— У меня таких, как вы, — пятьдесят человек, — с удовольствием срезала ее Пестрова. — Я не обязана создавать для вас тепличные условия. Не можете работать — найдите другое агентство.

— Если я и буду обсуждать это, то не с вами.

Пестрова фыркнула, глядя, как Нина с гордо поднятой головой проходит в общую комнату.

Там уже собрались почти все работницы агентства. И у каждой девушки в руках был листок с новым контрактом. Их для того и собрали сегодня в десять, чтобы ознакомить с этим важным документом.

Хозяйка агентства, которую все звали за глаза Маркизой, сидела в центре комнаты в кожаном кресле, дымя сигаретой.

— А вот и наша Силакова, — протянула она. — Весь коллектив в сборе. Проходи туда, садись, читай. У нас меняются условия. Новый контракт. Сейчас все прочитают, будем обсуждать. Вернее, обсуждать нечего. Согласна — работаешь, не согласна — до свидания. Но может быть, у кого-то будут вопросы.

— Да и так все ясно... — прозвучал чей-то невеселый голосок.

— Люблю моих девочек! Вопросов нет? Красавицы! Контракты отдайте Пестровой. Я уезжаю в Прагу, буду через неделю.

«У матросов нет вопросов», — злорадно подумала Пестрова и направилась к своему кабинету.

В коридоре переминался, потирая ладони, жгучий брюнет в кожаном пиджаке.

— Вай, Оля, какие девочки, клянусь, честное слово, — возбужденно, но вполголоса проговорил он, заходя за Пестровой в кабинет.

Она села за свой стол, кивком пригласила кавказца сесть на стул у окна и деловито спросила:

— Ну как, определились?

— Все конфетки, всем пальчики оближешь.

— Всех не могу, — категорично заявила Пестрова.

Кавказец засмеялся и подвинул свой стул к столу. Он достал пачку сигарет, закурил и бросил пачку на стол.

— Да нет, нет, нам всех сразу не надо, нам только двух надо, на первый раз хватит.

— Кого?

— Блондинка слева, и та, которая опоздала, которая у стены сидит.

— Блондинку — пожалуйста. А Нину Силакову не могу. У нее сегодня кастинг на рекламу «Сименс». Они специально Силакову просили.

— Кастинг? А мы что, не кастинг? Я тоже специально прошу. Ты не говори «нет». Ты постарайся, чтобы она к нам поехала. К восьми часам. А блондинку, ну, давай, например, через час, к девяти.

В продолжение этой фразы кавказец успел извлечь из пухлого бумажника несколько серо-зеленых купюр и положить их на стол.

— Ничего не гарантирую, — сухо ответила администратор Пестрова, отработанным движением сбрасывая купюры в ящик стола. — Девушки все решают сами. А Силакова вообще. У нее апломба. В общем, я ничего не знаю и ничего не обещала.

— Конечно! Хочешь, тоже приезжай. У «Каспий Инкорпорейтед» баксов-шмаксов на всех хватит.

Администратор Пестрова изобразила возмущение, то есть сдвинула выщипанные брови и откинулась в кресле. Кавказца нисколько не смутила такая реакция, и, больше того, его черные глаза остановились на высоко поднятом бюсте администратора и сразу же сладко прищурились.

— Так мы ждем, Оля-джан, — облизнувшись, сказал кавказец, покидая кабинет.

Не успела за ним закрыться дверь, как к администратору ворвалась Катя Кривченко, ее старинная подружка и одна из ведущих моделей агентства.

— Оль, ну как, ты звонила на «Сименс»?

— Бесполезняк, Кет, полный бесполезняк, — ответила Пестрова, закуривая.

— Оля, ну я тебя прошу... Деньги нужны дико! Я же им подхожу по фактуре... Если фрицы хотели Нинку, значит, я тоже подхожу. Мы же один стандарт. Но возьмут же Нинку! Оля, лапочка! Нельзя ли что-нибудь сделать, чтобы она не ходила? Может быть, что-нибудь другое ей предложить? Деньги нужны, караул!

— Кет, что я могу? Во-первых, она про «Сименс» уже знает. Во-вторых, они специально ее хотят. Даже сегодня звонили, уточняли...

Катя села на стол, вытянула сигарету из пачки, оставленной кавказцем. Вид у нее был убитый.

— Тачку расхерачила чужую... Попала на такие бабки. Если еще и с фрицами пролечу...

Пестрова тоже взяла сигарету, но только для того, чтобы убрать пачку со стола в карман.

— Ты сама попробуй, поговори с ней, — предложила она. — Только наври что-нибудь, типа, мама болеет, или, еще лучше, ребенок как бы помирает. Я ее знаю, она с придурью, она тогда уступит. А я ей тут кое-что предложу покруче «Сименса».

Катя хитро улыбнулась и подмигнула:

— Пойду поработаю по системе Станиславского.

Пестрова не удержалась и вышла вместе с ней, чтобы посмотреть, как эта хитрюга будет обрабатывать простофилю Силакову.

Через дверную щель она видела, с каким скорбным выражением лица Катя приблизилась к Нине, которая как раз пыталась куда-то дозвониться по своему мобильнику.

— Ниночка... Вот... хотела тебя попросить... Выручи меня, Ниночка. Ты же меня всегда выручала!

— Что случилось, Катюша? — спросила Нина, пряча телефон.

— Мальчик у меня заболел...

— Что ты говоришь. А что такое?

— Никто ничего не понимает... Говорят, воспаление какое-то. Кровь у него очень плохая, моча... А где воспаление — не поймут.

— А все делали? Узи делали, эхографию?

— Какое там... даже не предлагали сделать.

— Кошмар какой... Подожди, сейчас я тебе дам телефон. У меня есть отличный детский врач. Прекрасный диагност! Он все быстро сделает.

«Дура Катька, — подумала Пестрова, следившая за этой сценой. — Не с того конца начала».

Нина рылась в сумочке, отыскивая записную книжку, потом долго искала в книжке телефон. Катя горестно вздохнула.

— Не вздыхай, — ободрила ее Нина. — Это лучший в Москве врач.

— Дорогой?

— Ну, не дешевый. Вот, записывай.

— Да нет, спасибо... что уж записывать. Денег ни копья нет.

— Ну, на врача-то найдешь?

Катя заломила руки и отвернулась, словно порывалась уйти. Однако не ушла, а сказала с отчаянием в голосе:

— Я последнее время даже на кефир не каждый день нахожу. Вся в долгах... работы нет. На рекламу йогуртов рассчитывала, не взяли... На рекламу «тойоты» — тоже тебя взяли... Вообще, суши весла. Сегодня вот у «Сименс» кастинг, а я опять не пойду.

— Почему?

— А, бесполезняк. Только на проезд тратить. Лучше мальчику молока куплю. Мне там менеджер прямым текстом сказал: «Ты, Кривченко, у нас номер второй. После Силаковой». А там, конечно, гонорар приличный... Я бы мальчика обследовала.

Нина спрятала записную книжку обратно в сумочку и, подумав, предложила:

— Ну, хорошо, давай я не пойду. А ты уверена, что тогда тебя возьмут?

— Возьмут! Да я всем другим горло перерву! Да мне менеджер прямым текстом сказал: «Ты,

Кривченко, у нас — номер два, после Силаковой!» Ниночка! Дай я тебя поцелую!

— Не нужно, Катя, это лишнее. Телефон врача запишешь?

— Потом! После!

«Развела ее Катька, ну актриса!» — восхитилась Пестрова и поспешила к себе в кабинет, увидев, что Силакова направляется к выходу из общей комнаты.

Она едва успела плюхнуться в свое кресло и разложить перед собой какие-то бумаги, как в кабинет вошла Нина.

— Оля, я хотела вас предупредить...

— Минуту... Не отвлекайте, вы же видите.

Пробежав невидящим взглядом несколько строчек, Пестрова отложила бумагу и подняла голову.

— Слушаю вас.

— Я хотела предупредить, что я не буду сегодня на кастинге «Сименс».

— Это еще почему? — администратор Пестрова была удивлена до глубины души.

— Ну, я не смогу туда пойти.

— Это я поняла. Я спрашиваю, Нина, почему? Они специально заявляли вас.

— Я поэтому и предупреждаю... У моей подруги заболел мальчик, и я...

— Ну и что? Какой мальчик? При чем здесь мальчик? У Кати Кривченко, например, бультерьера зовут Мальчик. При чем здесь кастинг? Как с вами работать, Нина, сами подумайте? Как вас в другой раз заявлять на солидные кастинги? Вы подрываете авторитет агентства!

— Ну не сердитесь. Есть же девушки и кроме меня. Просто я уже обещала... Но может быть, у вас найдется что-нибудь другое? Я готова работать, я хочу. Просто в «Сименс» я уже не могу пойти... а в любое другое место, куда скажете...

С крайне недовольным видом Пестрова принялась перелистывать свой ежедневник.

— Любое другое место, говорите? Так-так. Это уже занято, это не ваш типаж... Вот. Фирма «Каспий Инкорпорейтед» начинает рекламную кампанию. Кастинг сегодня в двадцать ноль-ноль. Надо пойти.

— А что это за фирма?

— Откуда же мне знать? Постельное белье, то се. Конечно, все хотят на фирму с мировым именем. А когда неизвестная, когда надо достойно представить агентство...

— Хорошо, я пойду.

Пестрова записала адрес на листке бумаги и передвинула его по столу к Нине.

— Двадцать ноль-ноль. Не опаздывайте.

Нина глянула на листок, и ее брови удивленно поднялись:

— А что это за адрес? Гостиница?

— Не знаю. Сейчас, по-моему, многие фирмы в гостиницах арендуют. Вам-то какая разница, Силакова? Работа есть работа. В гостинице или в заводском цеху, наше мнение заказчика не интересует.

3

Выходя из агентства, Нина подумала, что не надо было поддаваться на уговоры Кривченко. Что-то там было нечистое, во всех этих стонах по поводу здоровья ее ребенка. Какая же ты мать, если лечение малыша зависит только от одного удачного кастинга. В конце концов, в таких случаях можно и в долги залезть. Нет, что-то Катя темнит.

Но Нина быстро прогнала эти мысли, потому что надо было подумать о более приятных вещах. Она набрала номер агентства по недвижимости.

— Алло, Дмитрий? Это Нина Силакова. Я буду у вас не позже двух. Подготовьте все документы по дому, чтобы не ждать. Я от вас сразу туда.

— А, собственно, уже все готово. Мы договор оформили на вашего мужа, ничего?

— Конечно, ничего. Какая разница!

— Приезжайте, мы ждем. Только деньги надо за три месяца вперед.

— Да, хорошо, я заплачу, сколько вы скажете.

Уже положив трубку, Нина сообразила, что сегодня ей никак не удастся переехать, если Саша не вернется к двум часам. Потому что одна, без него, она просто не справится с перевозкой вещей.

Направляясь домой, она названивала Саше под каждым красным светофором, но абонент был попрежнему недоступен.

Дома Нина принялась укладывать вещи. В загородном доме, согласно условиям договора, была вся необходимая мебель, посуда и утварь. Но откуда этим риэлтерам известно, какая именно посуда необходима Нине?

Навряд ли они припасли для нее чугунный казанок, в котором Нина любила готовить плов. И ножей двенадцати видов в загородном доме тоже наверняка не имеется. Не говоря уже о глубокой сковороде, которую Нина привезла из Таиланда и в которой так здорово получаются любимые Сашины креветки, обжаренные с овощами... Нет, все это придется брать с собой отсюда.

Так постепенно и набралось багажа на два чемодана, сумку и коробку. Нина устало опустилась в кресло. Конечно, все это поместится в ее «вольво». Но как она одна будет таскать этот груз? Ну где же ты, Саша?

Она включила телевизор, чтобы не заводить себя еще больше. Сейчас она всерьез злилась на мужа: раскатывает неизвестно где, а ты тут с тяжестями надрывайся. «Сообщение из Санкт-Петербурга», — прозвучал тревожный голос диктора, и Нина невольно обернулась к экрану.

«Сегодня в девять часов по местному времени на пороге своего дома был застрелен глава думской фракции Василий Дерюгин. Как сообщил представитель правоохранительных органов, убийца нанес депутату три ранения в область груди и в голову, каждое из которых было смертельным...»

— Вот что творится там, в криминальной столице, — возмущенно проговорила Нина и снова взялась за телефонную трубку.

Ей пришлось пересилить себя, чтобы набрать номер Егора. Но больше никого с Сашиной работы Нина не знала.

— Привет, Егор. Это Нина. Егор, что-то Сашин телефон не отвечает. Ты не знаешь почему?

— Нинок, здорово! Ну, типа, он в метро едет. Или там роуминг не включается. Всяко бывает.

— Когда он вернется?

— Ну я-то откуда знаю? Как дела все сделают, так и вернутся пацаны.

— А почему он так тайно уехал? Не предупредил, не попрощался. Что это за дела такие?

— Нинок, ну ладно, все нормально... Срочный выезд... Клиентура у нас тут... По лому цветных металлов. Шведы приехали, надо крупную партию им пихнуть. Санек поехал, как самый продвинутый...

— Он же вроде бы недвижимостью занимался?

— Да? Ну, я не знаю. Это когда было. У нас тут все: и цветные металлы, и черно-белые... Время, Нинок, такое — всем приходится заниматься. Слушай, я сейчас на Кутузовском, тут движение... тебе что-то срочно надо?

— Там депутата убили, ты знаешь?

— Ну, а мы-то здесь при чем? Сейчас каждый день кого-то убивают. Не переживай, все нормально. Нинок, я тебе из офиса позвоню, когда доеду. Пока.

Во время разговора Нина продолжала смотреть на экран телевизора, где все еще сообщались новые подробности гибели депутата.

«...По некоторым сведениям, убитый сегодня около девяти утра глава правой думской фракции Василий Дерюгин был связан с крупной преступной группировкой...

Следствие полагает, что одним из мотивов преступления...

Объявленный по городу план «Перехват» пока результатов не дал...

Все говорит о том, что это заказное убийство, и совершил его профессионал...»

Нина выключила телевизор и услышала, что кто-то позвонил в дверь. Позвонил коротко, робко, слегка коснувшись кнопки звонка. Нина открыла дверь и увидела на пороге незнакомую девушку.

— Здравствуйте. Я — Варя. Вы мне утром визитку дали. А я вам звонила, а у вас все время автоответчик... А потом занято, занято. Я и от метро звонила, занято. Приехала...

«Только тебя мне и не хватало», — с досадой подумала Нина. Ее всегда раздражали девицы, появившиеся в их агентстве по протекции. Как правило, это были чьи-то малолетние любовницы, и обещание пристроить в модели было одной из форм оплаты. Дурочки и не подозревали, что стать моделью может любая, а вот оставаться ей — это дано не каждой.

— Вижу, что приехала. А зачем? — спросила Нина, возможно, чуть резче, чем хотела.

— Я не вовремя, да? Извините. Ну, тогда... Я пошла?

Она, опустив голову, повернулась к лифту.

— Куда ты сейчас? — спросила Нина неожиданно для себя.

— Не знаю. Погуляю вокруг вокзала.

— Почему вокруг вокзала?

— Ну, я там ночую, на Казанском.

Нина открыла дверь шире и отступила внутрь квартиры:

— Заходи, Варя-Варвара.

Глядя на эту девочку, Нина вспомнила, как сама стала моделью. Ей никто не помогал, никто не приводил за руку, никто за нее не просил. Наоборот, это ее просили.

Еще когда она жила в Сходне, ожидая своего пропавшего Сашу, однажды прямо на улице к ней подбежали двое ребят в джинсовых костюмах. Один был с видеокамерой, другой — с микрофоном. «Я — Иван Бобровский, звезда тележурналистики, — скромно представился паренек с микрофоном. — А вы, девушка, звезда рекламы. Вы оказались в нужном месте в нужное время. И сейчас вас увидит вся страна». Нина чуть не убежала тогда от них, но Иван все же уговорил ее сняться в небольшом сюжете. От нее требовалось выйти из только что открывшегося магазина, со счастливым лицом прижимая к себе бумажный мешок с покупками. Сразу после нее ребята сняли еще нескольких девушек. Но только Нина получила от них приглашение на новые съемки. Там, в студийном павильоне, ее увидел Исаак Крымский, хозяин сети модельных агентств. Он сам подошел к Нине, и сам долго убеждал ее в том, что она — прирожденная модель. Нина поверила ему. Впрочем, она всегда всем верила. Но на этот раз ей не пришлось раскаиваться в излишней доверчивости. Крымский отдал ее в руки настоящих профессионалов, двух французов, и они целый месяц занимались с ней с утра до ночи. От них она узнала, как надо питаться, как мыть волосы, как улыбаться и как смотреть в камеру. Они открыли ей тысячи разных секретов, и она схватывала все на лету. Больше всего она поначалу боялась, что за все эти уроки придется расплачиваться собой, и Нина уже придумала несколько способов избежать этого. Но все опасения оказались напрасными, потому что ее наставники не интересовались женщинами.

А вот Ванька Бобровский очень даже интересовался, и потом еще долго подкатывался к Нине, пока не увидел рядом с ней Сашу. С тех пор их отношения сохранились на уровне целомудренного приятельства.

«Кстати, надо бы ему позвонить, — подумала Нина. — Мужик он или кто? Неужто не согласится поднести пару чемоданов старой приятельнице?»

— Ну что, Варя, в чем проблема? Тебе нужны фотографии, так?

Варя кивнула, растерянно оглядывая прихожую. «А в ней что-то есть, — подумала Нина, набирая номер своего знакомого фотографа. — Лицо свежее. Глаза темные, а волосы светлые. Может получиться очень яркая картинка».

— Макс, привет, это Силакова. Макс, зайка, я к тебе одну девочку отправлю, отщелкай ее, пожалуйста. На портфолио. Сколько, двести? Сейчас уточню.

Прикрыв трубку ладонью, она спросила у Вари:

— У тебя деньги есть?

— Конечно... вот. Сколько надо?

— Двести долларов.

Варя в ужасе приложила пальцы к губам, а потом понурилась и повернулась к выходу, пытаясь справиться с замком.

— Да постой ты! — Нина вздохнула. — Горе ты луковое. Слушай, Макс, ты с нее не бери, мы с тобой потом разочтемся. Нормально? Зовут ее Варя. Спасибо, зайка.

Нина положила трубку и подтолкнула Варю в комнату:

— Чего ты там топчешься, проходи.

Варя растерянно оглядела голые стены и пустой распахнутый шкаф.

— Ой... а я думала, у моделей богато...

Нина усмехнулась.

— Ты хочешь стать моделью, чтобы быть богатой?

— Ну а что? Это не помешает. А моделью я хочу, потому что я могу быть только моделью, и больше никем.

— Как же ты, Варя, приехала в модели поступать, в Москву, а ни портфолио, ни денег с собой не взяла?

— Почему вы так говорите? У меня есть деньги. Вот, триста рублей. Это большие деньги. Мне их вся деревня собирала, все девчонки. А портфолио мне брательник сжег. Он хочет, чтобы я в Николаевке осталась, чтобы за Мишку пошла... Они как выпьют, Мишка ко мне лезет... я брательнику говорю: «Дай ему в морду, что он лезет!», а брательник молчит... он Мишке должен.

— Так что же он, тобой решил рассчитаться?

— На то похоже...

— Поэтому ты уехала.

— Нет, не поэтому. Потому что... но вы же сами знаете, как это бывает, когда понимаешь про себя, кто ты и кем ты будешь! Я буду моделью! И я готовилась!

Варя подбежала к приемнику.

— Можно?

Она включила радио, нашла какую-то музыку и, послушав ее несколько секунд, начала танцевать. Поначалу Варя двигала только руками, потом включились плечи, несколько движений на месте — и вот она закружилась по комнате.

Если бы ее сейчас увидел профессионал вроде Крымского, он бы сразу отметил не только пластику и стройную фигурку. Каждое движение Вари было женственным, но не вызывающим. В ней было достоинство, но ни капли высокомерия. Она была, безусловно, очень красива, и в то же время — такая же, как все. «Далеко пойдет, — подумала Нина. — Если не сломается по дороге».

Песня закончилась, и зазвучал голос диктора: «Тринадцать часов в столице. Новости. Циничным и хладнокровным назвали сегодняшнее убийство Василия Дерюгина...» Нина резко выключила приемник.

— Молодец, хорошо двигаешься.

— Мне бы теперь к вашей главной попасть... Помогите, а? А то я неделю ждать не могу. Я с ментом на вокзале договорилась, чтобы он меня не гонял, денег дала. Он сутки побыл и сменился. А другой пришел, вообще не разговаривает. Ложись, и все. А не дашь, говорит, я на тебя оперативку составлю, тебя на любом углу задержат. Вообще все отделение пропустишь. Я ушла от греха... Что они ко мне лезут!

— Привыкай... К таким, как ты, всегда будут лезть.

— И что делать?

— Привыкнешь. Надо просто помнить о том, кто ты такая. Знать себе цену. Это ты выбираешь себе мужика, а не он тебя. Понимаешь? Вот заведешь себе надежного друга, тогда и приставать будут меньше.

— А без друга — никак? Я продаваться не собираюсь.

Нина прошла в кухню, включила электрочайник.

— Садись, Варя-Варвара, чайку попьем. Даже не знаю, стоит ли рассказывать о том, что тебя ждет. Не собираешься продаваться? Это хорошо. А ты знаешь, сколько стоит один показ? Сколько ты заработаешь за вечер на подиуме? Тридцать долларов.

— Ух ты! — Варя оживилась. — За один только вечер!

— И таких вечеров у тебя будет... Знаешь сколько? Два-три в месяц. А тебе на эти деньги надо не только прожить. Но еще и в солярий попасть, и в бассейн, и на массаж, и в спортзал, и все остальное.

— Ничего, я девочка экономная, — весело ответила Варя.

4

Журналист Бобровский сам собирался позвонить Нине. Собирался с самого утра. Но не успел. Едва добравшись до телестудии, он сразу же был вызван на ковер к шефу.

Не нужно было прибегать к услугам астролога, чтобы предсказать, о чем пойдет речь. Иван знал, что шеф недоволен его работой. В глубине души он признавал, что у шефа были для этого причины. Криминальная хроника, которой заведовал Бобровский, в последнее время стала самым слабым звеном во всем пакете программ. Чтобы делать действительно громкие репортажи о преступлениях, нужно обладать связями в милиции. Те менты, с которыми контактировал Бобровский в начале своей карьеры, за последнее время перестали снабжать его информацией. Одни пошли на повышение и стали недоступны. Другие, их было большинство, спились и уволились, подавшись на коммерческие хлеба. А установить новые связи в угрозыске или РУБОПе сегодня было гораздо сложнее, чем в прежние времена. Раньше менты по-детски радовались тому, что их показывают по телевизору. В них еще жило чисто совковое преклонение перед журналистами, которые казались посланцами иных миров, и чей голос мог дойти до самых верхних этажей власти. Новое поколение смотрело на жизнь практичнее. Новое поколение понимало, что информация — это товар. Его можно либо продать за деньги, либо обменять на другой товар, равноценный.

Но у Ивана Бобровского не было возможности платить своим информаторам, потому что его передача имела низкий рейтинг и не приносила много денег. А рейтинг был низкий, оттого что он не мог платить своим информаторам.

Из этого замкнутого круга можно было вырваться, если бы Иван снабжал своих друзей в погонах какими-то полезными для них сведениями. Но, замкнувшись в своем телевизионном мирке, Бобровский не мог вырваться в свет, в большую тусовку, где его уловом могли бы стать авторитетные слухи и сенсационные сплетни. Его не пускали наверх, потому что у его передачи был низкий рейтинг. А рейтинг был низкий потому, что Бобровский не бывал наверху.

Не далее как вчера Иван увидел репортаж с очередного показа мод. Он не сразу узнал в царственной красавице, улыбающейся с подиума, свою старую знакомую Нину Силакову. Но, узнав, тут же подумал, что Нина может помочь ему. Например, через нее он мог бы попасть на какую-нибудь презентацию. Почему бы и нет? На этот раз он побежит туда не только ради бесплатной выпивки и жратвы. Нет, теперь-то он постарается, он в лепешку разобьется, он пустит в ход все свое обаяние и обязательно познакомится с нужными людьми.

Но до презентации было еще далеко, а шеф — вот он, рядом, по ту сторону дубовой двери.

И теперь Иван стоял на пороге кабинета, прекрасно зная все, что скажет ему шеф. «Это будет бессмысленный разговор. Но пока с тобой говорят, а не бьют сразу в морду — значит, еще не все потеряно», — утешил себя Иван и, подмигнув секретарше, вошел в кабинет.

Босс — огромный, толстый, шумный, курил сигару и ходил по кабинету из угла в угол, как рассерженный лев по клетке.

— Здравствуйте, о всемогущий повелитель телеэфира, — Бобровский смиренно сложил ладони у подбородка.

Но его шутливое приветствие не смягчило начальственного гнева. Наоборот. Рассерженный лев чуть не подавился своей сигарой. Босс откашлялся и спросил:

— Вазелин принес?

— Я его всегда беру на встречу с вами. На всякий случай.

— Ну и как, Бобровский, ты что предлагаешь — сначала тебя употребить, а потом выгнать или сразу выгнать?

— Других вариантов нет?

— А откуда им взяться?

Босс решительно направился к своему креслу и опустился в него с видом человека, принявшего эпохальное решение.

— Так вот, Бобровский. Есть новость, которая тебя заинтересует. Мы закрываем твою передачу. Все. Всем надоели твои мелкие уголовники и всякая шантрапа. Ты один просрал три последних громких скандала. С прокуратурой, с Верховным судом и с Министерством обороны! Они прошли по всем каналам!

Иван кивнул, сохраняя спокойное выражение лица. Хотя ему и хотелось заорать в ответ, но он проговорил веско и сдержанно.

— Да, все каналы там потоптались. А информации — ноль. Одни сопли и вопли. Потому-то я и не делал...

— Чушь! Ты не делал, потому что у тебя нет концов. Все твои хваленые ментовские связи — не круче вшивого мусорка с земли, в звании капитана.

— Мои капитаны уже носят генеральские лампасы. Ничего не поделать, в команде информаторов идет смена поколений.

— Пока идет смена поколений, ты вместе с командой можешь вылететь из высшей лиги! Да ты уже вылетел! Мы опять в жопе, и все из-за тебя. Где передача? Где настоящая передача с настоящим криминалом? Мы тебе платим не за карманников и лохотронщиков! Сегодня убили Дерюгина! Много ты об этом знаешь?

— Чуть меньше, чем убийца.

— Блефуешь, Бобровский. Откуда ты можешь что-то знать?

— Еще не время раскрывать свои карты.

— Так поделись с людьми! Выдай материал! Сделай передачу, чтоб не стыдно было пустить в эфир!

— Дайте мне неделю.

Босс прищурился, разглядывая Ивана. Наверно, на него все-таки подействовал спокойный и уверенный тон журналиста. И он вынес вердикт:

— Два дня. Сделаешь Дерюгина — пойдешь в гору. Обещаю. Не сделаешь — пойдешь в жопу. Свободен.

— Слушаю и повинуюсь, — Иван снова сложил ладони и поклонился.

Он вышел в приемную, закрыл за собой дверь и несколько секунд стоял, медленно втягивая воздух и шумно его выдыхая.

— Что, йогой занимаешься? — не без ехидства спросила секретарша.

— Устраняю пробои в ауре, — интимно понизив голос, ответил Бобровский и присел на край ее стола. — Но это не йога. Это Тантра. Искусство магического секса.

— Так вот чем ты с шефом занимался, — протянула секретарша. — Кстати, тебе тут девушка звонила. Я просила перезвонить через десять минут. Не думала, что вы так быстро кончите.

— Я кончаю строго по расписанию, как «Восточный Экспресс», — промурлыкал Бобровский, откровенно заглядывая в вырез ее кофточки.

— Ой, кто бы говорил.

Зазвонил телефон, и секретарша, подняв трубку, глянула на Ивана.

— Не знаю, освободился ли он. Сейчас посмотрю...

Бобровский прошептал ей в ухо: «Узнай, кто спрашивает».

— Что-то не видно его поблизости... Вы не могли бы представиться? Силакова?

Иван спрыгнул со стола и закивал головой, показывая пальцем на параллельный аппарат.

— Слушаю, Бобровский.

— Ванька, привет! Я наконец-то сняла дом! Тот самый, в Архангельском.

— А-а... поздравляю, — озабоченно ответил он.

— Ты что такой унылый? Что у тебя случилось?

Иван устроился в кресле поудобнее, закурил и заговорил еще более печально:

— Да так... ничего. Думаю вот, подождать, пока уволят, или самому написать, «по собственному»?

— Вот те раз! У тебя же так хорошо все шло.

— Ну, старуха, знаешь... Шло, шло, а потом как встало! Интриги. Им же все время рейтинг поднимать надо. Погоня за дешевой сенсацией.

— Подожди, Вань! Ты знаешь, ты приезжай. Все расскажешь. И заодно поможешь. Мне как раз нужна твоя помощь. Твоя грубая физическая сила.

— А что такое? — удивился Бобровский.

— Ванька, так я же сегодня переезжаю в этот дом! А ты бы мне помог сумки снести. Ванечка, помоги, а? В Архангельское съездим. Наш новый дом посмотришь. А по дороге расскажешь все. Может, что-нибудь придумаем.

— Да? А Саши что, нету?

— Нет, он в Питере.

— Что ты говоришь? В Питере?

— Да.

«Все уже в Питере, а я тут торчу!» — подумал Бобровский. Его охватила досада при мысли о том, что вместо работы над блистательным репортажем с места происшествия он сидит тут в Москве, смотрит на соблазнительные коленки секретарши — о, да она не в колготках, а в чулках! — и нанимается в грузчики к деревенской красотке, жене криминального авторитета... Стоп!

То, что Нина Силакова была женой криминального авторитета — это была мимолетная фантазия. Бобровский знал, что Саша работает в каком-то фонде ветеранов. Да все эти фонды часто оказывались замешанными в какую-нибудь темную историю. Но почему-то Ивану никогда и в голову не приходило, что Нина и Саша, его старинные приятели, могут быть связаны с криминалом... «Саша. Вот кто может быть моим новым информатором, — подумал Иван. — К нему подкатимся через супругу. Самый надежный подход. Так-так, уже теплее».

— А когда Саша вернется, Нина?

— Не знаю... А что? Почему ты все это спрашиваешь?

— А он не будет ревновать? Все-таки таскать сумки — это как бы супружеские обязанности.

— Дурак. Ты едешь или нет?

— Я не еду, я лечу!

Он действительно добрался до Марьина как на крыльях. Таксист попался толковый, обошел все пробки, словно Марадона. Иван даже почти не торговался с ним, и заплатил всего на десятку меньше, чем требовал извозчик.

Он взлетел на площадку, позвонил и увидел за открытой дверью Нину и еще какую-то красотку-малолетку.

— Грузчика из Быстроупака вызывали? Чай пить не будем, там попьем. Это кто, что за дитя природы? Здорово, дитя. Я прогрессивный журналист Бобровский, а ты кто?

Девчушка залилась краской, и Нина осадила Ивана:

— Это Варя, но ты к ней не приставай. Побереги свои силы вот для этих чемоданчиков.

Она отвела волосы со лба, оглядывая квартиру.

— Так, ладно. Дайте мне собраться с мыслями... Это я взяла, зубные щетки взяла, жидкость для посуды взяла... вроде бы все взяла. Теперь с тобой разберемся. — Она повернулась к Варе, подвела ее к столу и что-то черкнула на странице календаря. — Это — мой мобильный. Это — телефон Макса, фотографа. Сейчас поедешь к нему, он тебя отснимет. Вот ключи. До поступления поживешь у меня. Нечего ментов баловать, у них и так морды кирпича просят.

Бобровский, уже стоя на пороге с двумя чемоданами, оглянулся:

— Что это, старуха, ты такие серьезные заявления делаешь?

— Ты знаешь, теперь на вокзале, оказывается, переночевать нельзя, чтобы под мента не лечь.

— Почему? Я — могу. А кто не может?

— Вот она.

— А почему она ночует на вокзале? Дитя! В чем дело?

— Я приехала поступать в модели. А мне говорят....

— Так, понятно, — кивнул Иван. — Нина, ты решила поселить это дитя у себя?

— Да. Мы все равно переезжаем.

— Ну хорошо. Не запирайся, дитя, я еще вернусь. Нин, ты машину-то открой.

Нина все не могла закончить инструктаж:

— Замок простой. В холодильнике можно брать все. В квартире не курить. Вечером позвони мне на мобильный. Все, Варя-Варвара. Выше нос. Все у тебя получится. Пока!

Иван спустился вместе с Ниной, погрузил чемоданы в багажник и сказал:

— Заводи свой агрегат, пока я сбегаю за коробкой.

Вернувшись наверх, он увидел, что Варя уже подтащила тяжелую коробку к самому порогу.

— Вот что, дитя курятника. Не надрывайся, а то искривление ног заработаешь, — сказал он. — А паспорт у тебя есть? Ну-ка, предъяви.

— А что, не похоже? Мне шестнадцать уже давно исполнилось. А почему дитя курятника?

— Потому что курочка ты нетоптаная, вот почему. — Иван перелистал паспорт и опустил его в карман своей куртки. — Пусть пока у меня побудет. На всякий случай. Я к тебе заеду. Не прощаемся, цыпочка.

Погрузив коробку на заднее сиденье, он уселся рядом с Ниной. Машина дернулась, трогаясь с места, и Бобровский не удержался от замечания:

— Кто тебя учил ездить? Не бросай сцепление. Поворотник включи.

— Не нравится, иди пешком, — отрезала Нина, дерзко выруливая в левый ряд и не обращая внимания на возмущенный гудок притормозившего «Москвича».

Иван прикусил язык. Каждый водитель считает себя асом. А женщина за рулем — не просто ас, а королева автострады. Спорить с Ниной не стоило, особенно сейчас. Но все же, как только они выбрались на кольцевую, Иван сказал:

— Скажи мне, пожалуйста, Ниночка, ты окончательно рехнулась или как? Что эта за девица?

— Я бы все-таки назвала ее девочкой. Приехала из какой-то Николаевки поступать в модели.

— Из Николаевки Волгоградской области. Это я понял по ее паспорту. Это все, что тебе о ней известно?

— Ну, в общем-то, да. У нас Маркиза умотала на неделю в Прагу, и все просмотры перенеслись. Девчонке жить негде.

— И ты решила поселить ее у себя. Чтобы она там обдолбилась наркотой, сожгла квартиру или в лучшем случае все бы оттуда вынесла.

— Да что она оттуда вынесет? Шкаф? Старый холодильник? Брось, Ванька, ерунду говорить. Разве ты не видишь, что это — нормальная девочка!

— Не вижу. Я вижу, что она проныра и уже научилась ловко устраиваться.

— А я вижу, что она несчастная, бедная деревенская девочка. И я хочу ей помочь.

— Таких девочек — пол-Москвы. Всех у себя селить будешь?

— Ко мне за помощью обратились не все, а только она. Ты, может быть, забыл, я тоже из деревни.

— Ладно, старуха, не заводись, — Бобровский понял, что зашел слишком далеко. — В конце концов, Москва — та же самая деревня, только с асфальтом.

Он замолчал, обдумывая, как бы перейти к разговору о своих грандиозных планах по повышению рейтинга. По радио начался очередной выпуск новостей, и опять его открывала информация о заказном убийстве депутата Дерюгина.

— Саша-то когда приедет? — спросил Иван.

— Не знаю.

— А что за дела у него в Питере?

— Ой, Вань, спроси что-нибудь полегче. Он туда по два раза в неделю последнее время мотается. Какие-то шведы, какие-то металлы... Уехал ночью, не предупредил... я спала. Проснулась, его нет. Надоел мне этот его бизнес хуже горькой редьки. Не желаю о нем даже говорить.

— Да ты хоть знаешь, что за бизнес?

— Ну так, в общих чертах. Цветные металлы, недвижимость, лес. Все, что приносит деньги.

— Деньги много что приносит, — задумчиво произнес Иван, все больше склоняясь к мысли, что он попал на золотую жилу.

«Нет, Ниночка, плохо ты знаешь своего мужа, — думал Бобровский. — И поговорить о его бизнесе очень даже интересно. И мы обязательно с ним поговорим».

5

Еще не доехав до своего коттеджа, Нина почувствовала, что у нее голова кружится от счастья. А когда машина остановилась перед резным крыльцом, взрыв ликования просто вытолкнул Нину наружу, и она колесом прошлась по газону.

— Ванька! Я об этом мечтала всю жизнь! Воздух! Тишина! Деревья! А там — речка!

— Ты же деревенская. Корову заведешь?

— Нельзя... большая ответственность. Не уехать. А я бы завела. Ух, как люблю это дело!

— Я городской мальчик, — проговорил Бобровский, иронично улыбаясь и разводя руками. — В деревне у меня начинается кислородное отравление. Моему организму нужен смог. Нужна асфальтовая пыль, нужна толпа. Пойдем, что ли, вещи в дом отнесем?

Чья-то заботливая рука приготовила дом к приезду новых хозяев. Возле камина даже были сложены березовые чурочки. В кухонных шкафчиках стояла новая посуда, все сверкало чистотой.

Нина взбежала по лестнице, схватив Ивана за руку, как маленького, и повела его по всем комнатам, распахивая двери:

— А это — детская. Вот Петьке-то раздолье! А тут что? О, это спальня!

Она со смехом упала на широкую постель, раскинув руки. А Бобровский передразнил:

— А это спальня. Вот Саше-то раздолье!

Они спустились в кухню, и Нина включила электроплиту, потом спустила воду из кранов. Все работало как часы. Она вскипятила воду и заварила кофе.

Иван все ходил по кухне и заглядывал во все уголки. Наконец, он уселся на табурет и произнес ревниво:

— Я вижу, здесь есть абсолютно все, даже бумага в сортире.

— Ты и там успел побывать? Видел, какое окно в ванной?

— Да, это класс. Признаюсь тебе, я всегда мечтал о ванной с окном.

— Будешь приезжать к нам мыться по субботам.

— Сколько же стоит аренда этого дома?

— Ой, Ванечка, боюсь даже сказать. Бешеные деньги.

— Не понимаю. Какой смысл тратить бешеные деньги на аренду? Вы же хорошо зарабатываете, и ты, и Саша. Почему вы не купите себе нормальный дом?

— Саша не хочет ничего здесь покупать. Он даже деньги держит не здесь, а в каких-то западных банках. Говорит, что скоро уйдет из бизнеса, и тогда мы уедем. Не знаю куда. В Грецию, в Испанию...

— Ты в это веришь?

Задумчиво помешивая кофе, Нина отвела взгляд. Ей не хотелось говорить на эту тему. Она боялась даже подумать о том, как сможет жить за границей, среди чужих людей, где даже вывески на непонятном языке. И что она там будет делать? Ну да, Петьке там будет лучше. Правда, его самого об этом никто пока не спрашивал.

— Не знаю, Ваня. Я не хочу уезжать отсюда. Но последнее время Саша говорит об этом все чаще и чаще. Многие так поступают, ты же знаешь.

— Я сильно сомневаюсь, что он когда-нибудь сможет бросить свой бизнес, — покачал головой Бобровский. — В любом случае этот бизнес не бросит его.

— Почему?

— Потому что есть такие организации, куда вступают пожизненно.

— Мне не нравятся твои намеки, — сказала Нина. — Мой муж не может связаться ни с чем противозаконным. Он сам служил в милиции, ты забыл?

— Ну, положим, не в милиции, а во внутренних войсках, — возразил Бобровский. — И не на посту стоял, а спортом занимался. Это немного разные вещи. Кстати, из таких вот спортсменов и вышла вся наша родная мафия. Все рэкетиры — бывшие борцы и боксеры. А киллеры — стрелки да биатлонисты. Так что твой аргумент, извини, не проходит.

Нина встала и принялась мыть чашки. Ей не хотелось продолжать этот разговор. Но слова Ивана разворошили все то, что она тщательно скрывала от самой себя. Она пыталась успокоиться, привычными движениями наводя порядок. Но ее вдруг захлестнула обида за мужа. И она снова повернулась к Бобровскому:

— Саша честный и чистый человек. Я знаю это лучше других. И ты не смеешь ни на что намекать! Неужели ты думаешь, что я не вижу, не понимаю? Неужели ты думаешь, что я могу полюбить преступника, убийцу, родить от него и любить его все эти годы и не разобраться в нем?

— Любовь зла...

Нина выронила блюдце, и оно с громким звоном взорвалось на полу.

— К счастью! — бодро сказал Бобровский.

Но Нина, молча собирая осколки, не поддержала его энтузиазма.

На обратном пути Иван травил анекдоты и всячески пытался отвлечь Нину, но она не поддавалась и распрощалась с ним сухо и отчужденно.

Вся радость ее померкла. И даже загородный дом, о котором она так долго мечтала, уже не казался ей таким чудесным. Этот Бобровский не стал бы затевать разговор просто так. Он что-то знает. Что-то такое, чего не знает Нина. И что Саша скрывает от нее.

6

Вообще говоря, кастингом называется распределение ролей. Но в модельном агентстве «Маркиза» это американское словечко обычно употреблялось вместо простого русского слова «просмотр».

Получив задание отправиться на кастинг в фирму «Каспий», Нина почти не сомневалась, что кастинг пройдет успешно, и для рекламы выберут именно ее, сколько бы конкурентoк ни просматривалось вместе с ней. Однако, поднявшись на второй этаж гостиницы и остановившись перед номером, указанном в записке Пестровой, Нина была удивлена тем, что никаких конкуренток тут и близко не было.

На двери гостиничного номера была скотчем приклеена страничка из блокнота. Красным фломастером выведены четыре слова. «ФИРМА КАСПИЙ. ДОБРО ПОЖАЛОВАТЬ».

«Этой фирме неплохо бы подыскать другого дизайнера», — подумала Нина, постучав в дверь.

— Открыто, давно открыто! — прозвучал голос с сильным кавказским акцентом.

Обстановка для кастинга была не совсем обычная. Посреди холла Нина увидела стол, богато заставленный напитками и фруктами. В кресле неподвижно сидел огромный, жирный, очень важный мужчина восточного типа, с багровым лицом и сросшимися бровями. Он опирался на роскошную трость, словно персидский шах на свой посох.

— Здравствуйте, я из агентства, — сказала Нина, удивленно оглядываясь. — Простите, а где будут пробы для фирмы «Каспий»?

Персидский шах облизнулся и шумно выдохнул. Из соседней комнаты выскочил жгучий брюнет в кожаном пиджаке.

— Здравствуй, дорогая, проходи, садись, — заговорил он, широко улыбаясь. — Здесь будут и пробы, и все, что хочешь. Тебя как зовут?

— Нина Силакова.

Вслед за кожаным пиджаком из соседней комнаты выглянул бритоголовый абрек.

— Ниночка, я Артур. Этого солидного дядю зовут Ахмед, а этого красавца — Руслан.

Персидский шах запыхтел и еще раз облизнулся, не сводя с Нины глаз. Абрек Руслан так же бесцеремонно разглядывал ее с ног до головы. Артур за руку подвел Нину к низкому глубокому дивану рядом со столом и усадил ее.

— Ты не стесняйся, будь раскованна. Как будто со старыми друзьями. Тебе что налить?

— Ничего, спасибо. Я не пью. Если не возражаете, я бы хотела приступить к работе.

Руслан фыркнул, но тут же затих, потому что Артур кинул на него испепеляющий взгляд.

— Молодец, Нина. Время — деньги, да? Ты знаешь, в чем задача?

— Мне сказали, реклама постельного белья.

Абрек рассмеялся, обнажив желтые клыки:

— Ай, Артур, молодчик. Такой вещь придумал!

Артур погладил Нину по руке:

— Правильно тебе сказали. Постельное белье будем рекламировать. Иди раздевайся.

Он кивнул в сторону открытой двери, и Нина, заглянув туда, увидела кровать необъятных размеров.

— Минутку, — она попыталась встать, но Артур удержал ее за руку. — Я не совсем поняла... У вас ведь только пробы сегодня, верно?

Абрек запер входную дверь и повернулся, скрестив на груди могучие руки.

— Да-да. Пробы, пробы, — закивал Артур. — Фирма «Каспий», Оля Пестрова тебя прислала, все правильно. Мы с ней все договорились, проблем не будет. Сначала пробы. Если понравится, будем повторять.

Все это было так дико и нелепо, что Нина даже не испугалась. Ее приняли за проститутку. За девочку по вызову. Это или какая-то ошибка, или...

Нина решительно поднялась и направилась к выходу.

— Мне надо позвонить в агентство. Вы пока приготовьте свет, установите аппаратуру...

Но эта хитрость не удалась. Абрек Руслан выставил руку перед собой и грубо толкнул Нину в грудь.

— Какой свет! Сказали тебе, раздевайся, значит, раздевайся! Хватит целку строить! Хочешь свет, включим свет. Хочешь, выключим! Аппаратура хорошо работает, довольная уйдешь! Пошли!

Он схватил Нину за руку и потащил за собой в спальню.

Когда-то Саша учил ее приемам самозащиты. Это было давным-давно, но все его уроки моментально вспомнились, как только Нина поняла, что ее собираются изнасиловать трое грязных подонков.

Она с силой ударила абрека ребром ладони по уху. Тот даже присел от боли и выпустил ее руку. Нина развернулась к Артуру и замахнулась сумочкой, отвлекая внимание. Жаль, что на ней были не сапоги, а босоножки. Но и летняя обувь может послужить оружием — если четко припечатать каблуком по вражеской ступне. Артур взвыл и запрыгал на одной ноге, обхватив другую.

Нина рванулась к выходу, но в эту секунду внезапно ожил персидский шах. Он с поразительной ловкостью выставил свою трость и подцепил Нину за лодыжку.

Она со всего маху повалилась на ковер. Сверху на нее прыгнул Артур, пытаясь прижать ее руки к полу.

Поняв, что ей не вырваться из-под тяжелого мужика, Нина сменила тактику.

— Подожди! Ну перестань! — жалобно вскрикнула она. — Все, все, не надо! Отпусти! Я сама!

Громко ругаясь, Артур отпустил ее и встал у двери.

— Придурочная! Идиотка! Ты что себе позволяешь! Ты знаешь, кого ударила? Ты знаешь, что мы с тобой сделаем? Идиотка ненормальная!

Абрек тоже рычал что-то угрожающее, расстегивая рубашку, из-под которой клубилась густая шерсть на груди и животе. И только персидский шах сохранял полное спокойствие, только моргал и пыхтел чаще.

— Вы... вы, может быть, не знаете, — лепетала Нина, — но я... я замужем!

— Ну и что? Мы тебе жениться не предлагаем!

— Но я... но мой муж... боюсь, что он неправильно вас поймет!

— Плевать я хотел, как он нас поймет! Крутой, что ли? Зови его сюда, мы с ним разберемся!

— Но я не могу! Он... он сейчас в Петербурге! Но я, — Нина раскрыла сумочку, — я вам покажу, вот он!

Одной рукой Нина раскрыла портмоне, где под пластиком хранилась фотография Саши с Петькой на руках. Другой рукой она пыталась нащупать пилку для ногтей.

— Вот! Видите, это мой муж!

Она водила этой карточкой из стороны в сторону, а сама уже изготовилась, чтобы воткнуть пилку в глаз тому, кто первый кинется. Но все трое неожиданно застыли и замолчали. А потом персидский шах произнес непонятное:

— Ветер!

Артур осторожно шагнул к ней поближе, рассматривая фотографию.

Абрек прорычал что-то на своем горском наречии и ушел в спальню, захлопнув за собой дверь. На полу осталась его рубашка.

Персидский шах стукнул тростью по ковру и сказал:

— Извини, красавица. Эти чурки некультурные, вчера с гор спустились. Иди домой. Я с ними говорить буду.

— Э, Ахмед, я в чем виноват? — плаксиво спросил Артур. — Мне ее показали, ничего не сказали, я откуда знал, чья жена?

Пораженная такой переменой в их поведении, Нина пятилась к двери, выставив пилку перед собой. «Притворяются», — подумала она. Нащупав свободной рукой замок, она провернула его. Неожиданно распахнулась дверь в спальню, и на пороге появился разъяренный абрек. Нина в ужасе забилась об дверь, толкая ее вместо того, чтобы потянуть.

Абрек орал, колотя себя кулаком в грудь:

— Этот биляд в агентстве, с которой ты договаривался! Она не знал, что ли, что она замужем? Я ее саму...

Нина вылетела из номера, так и не услышав окончания фразы.

Выбежав из гостиницы, она кинулась к своей машине. Двигатель зачихал, закашлял, но не завелся. «Миленькая, родименькая, — уговаривала ее Нина. — Ну что ты капризничаешь? Вот приедет Саша, он тебе свечи новые купит, он тебе маслице поменяет, он тебя помоет. Ну, миленькая...»

Словно уступив ее уговорам, машина вдруг взревела так, что у соседнего джипа сработала сигнализация.

Кто-то постучал в стекло. Нина увидела перекошенное от страха лицо Артура. Обеими руками он держал у окна «вольво» виноградные кисти и бутылку шампанского.

— Ниночка! Умоляю! Неправильно поняли! От чистого сердца! Возьмите шампанское, туда-сюда, виноград! Я вашу администратора убью! Клянусь мамой, я не хотел!

Нина отпустила педаль сцепления, и «вольво» рванулась с места. Глянув в зеркало, чтобы поправить прическу, Нина увидела, что Артур еще долго бежал за машиной, размахивая виноградом.

7

Нину трясло от ярости. Когда она немного успокоилась, то поняла, что подсознательно, «на автопилоте» едет прямиком в агентство.

Дверь в кабинет администратора она распахнула ударом ноги. Пестрова недовольно оторвалась от развернутого журнала:

— Стучаться на...

Не договорив, она вскочила с места и кинулась в угол, заслоняясь креслом. Нина шла на нее, схватив с подоконника цветочный горшок. Она уже предвкушала, с каким смачным звуком расколется он об эту ненавистную физиономию...

— Ниночка! Ой! Ниночка! Ой! Не надо!

Пестрова завизжала и присела за кресло, закрываясь им от неумолимо приближающейся Нины.

От ужасной расправы Нину удержал телефонный звонок. Она вдруг услышала, что в ее сумочке приглушенно поет мобильник. Лихорадочно, дрожащими руками Нина достала телефон — и наконец-то услышала голос мужа.

— Ты меня хорошо слышишь? — спросил Саша, не поздоровавшись.

— Да! Конечно! Саше...

— Молчи. Не называй имен. Подъезжай к трем вокзалам со стороны Сокольников. Остановись у подземного перехода перед Ярославским, за троллейбусной остановкой. Двигатель не глуши. Все поняла?

— Да!

— Когда будешь?

— Да... да... конечно, Са...

— Молчи. Когда будешь? Полчаса?

— Да! Да! Конечно!

— Жду.

Нина только сейчас заметила, что держит цветочный горшок. Она машинально отдала его Пестровой, и та так же машинально схватила его обеими руками.

«Что-то случилось, что-то случилось», — эта мысль колотилась в сознании Нины, пока она бежала к машине. Все, что произошло с ней самой, отодвинулось на второй план. С Сашей беда.

Она остановила «вольво» возле подземного перехода у Ярославского вокзала и включила аварийную сигнализацию. На остановке толпился народ. Толпа зашевелилась, завидев приближающийся троллейбус, и двинулась ему навстречу. Несколько бойких и нетерпеливых мужичков не постеснялись рвануть к троллейбусу бегом. Один из них, в затрапезном пальтишке, в надвинутой кепке, пробегая мимо Нины, неожиданно дернул дверцу и плюхнулся в «вольво» на заднее сиденье.

— Гони, Нежнульчик. Как я тебя учил.

Нина даже не успела удивиться. Узнав родной голос, она ударила по газам, и машина, завизжав резиной, сорвалась с остановки.

Поглядывая в зеркало, она видела, что Саша беспокойно смотрит по сторонам. Перехватив ее тревожный взгляд, он подмигнул и улыбнулся.

— Сашенька, где тебя носило...

— Сейчас направо, Нинуль. Постарайся быстрее.

Нина увеличивает скорость.

— Налево. На светофоре резко на разворот.

Она развернулась на желтый свет, перед носом трогающихся автомобилей. Кто-то нервно ударил по тормозам, кто-то засигналил изо всех сил, но Нина была уже далеко. Она резко свернула в переулок.

Впереди был тупик, и она спросила:

— Куда мы едем?

— Уже никуда. Стоп. Выходим.

Он выскочил первым и отошел в тень за угол дома. Нина кинулась к нему, и они обнялись, словно тысячу лет не виделись.

— Саша... Сашенька... милый! Боже мой! ты уехал... а там депутата убили... я звонила, а твой телефон выключен...

— А я тебе из Питера подарочек привез... на вокзале увидел, сразу купил. Держи, Нинуль. Пиаф. Ты же любишь.

— Пиаф... конечно... милый мой... что случилось, скажи мне! Ты в опасности?..

— Нет, нет. Ничего не случилось. Просто это были не шведы, а натуральная подстава. Конкуренты нам подставили бандитов. Еле ноги унес. Приехал на дневном поезде. Петька дома?

— В саду, — Нина посмотрела на часы и ахнула: — Его надо было забрать час назад!

Саша удержал ее за локоть, когда она шагнула к «вольво»:

— Оставь тачку здесь. Поедем на такси.

— Почему?

— Она тебе больше не нужна. Егор заберет. Сегодня ночью мы улетаем в Грецию.

Они вышли из переулка, и Саша остановил такси. Нина, ошеломленная новостью, переспросила:

— Как «уезжаем»?

— Да, Нина. Решение принято. Я ушел из этого дела. Всех денег не заработаешь. Нам с тобой хватит. Да и Петьке там будет лучше.

Нина вздохнула. Что ж, рано или поздно это должно было случиться.

— Хорошо, что я вещи не успела распаковать. Ой, да ты же не знаешь. Мы же переехали.

— Куда? Зачем?

— Я наконец-то сняла дом. Тот самый, который мы хотели, в Архангельском. Сегодня перевезла вещи туда. Еще не распаковала.

Саша горячо стиснул ее плечо:

— Нинуль, гениально! Об этом кто-нибудь знает?

— Ну... мальчик из агентства недвижимости знает. Очевидно, хозяева знают.

— А из наших знакомых?

— Иван помог мне перевезти вещи.

— А, этот... ну ладно. Петька, наверно, страшно обрадуется.

— Еще бы... он так по тебе скучает...

8

Не думала Нина, что так недолго ей придется побыть хозяйкой загородного дома. Одну только ночь отпустила ей судьба, да и ту — неполную.

Рано утром им уже надо будет прибыть в аэропорт, и белокрылый лайнер унесет Нину, Сашу и Петьку куда-то в лазурную даль, к теплому морю и нежному солнцу. Там не будет вечного страха перед будущим. И Нина сможет забыть и о Пестровой с ее абреками, и о Егоре с его пацанами.

Там начнется новая жизнь. А пока Нина и Саша прощались со своим прошлым.

Две свечи горели на столе, отражаясь в бутылке шампанского и двух высоких фужерах. Под звуки вальса Нина и Саша медленно кружили в танце.

— Ты нашла прекрасный дом, — говорил Саша. — Лучше этого дома у нас с тобой не было. И не будет. Здесь мы не найдем ничего лучше, чем этот дом. Вот как раз поэтому и надо уезжать.

— Как скажешь, так и будет, — Нина опустила голову на плечо мужа.

Прозвучал последний аккорд, и они остановились, продолжая обниматься в темноте. Тишину нарушил детский голос.

— Мам, ты где? — позвал Петька сверху, из своей комнаты.

Нина заторопилась наверх, и Саша бесшумно поднялся следом.

Петька сидел в постели, сонно оглядываясь.

— Что, маленький? — Нина обняла его и уложила, поправив одеяло. — Что, мой хороший?

— Где ты? Где папа? Где мой мишка?

— Здесь, здесь, все здесь. Спи.

— А папа больше никогда не уедет? И завтра тоже?

— Конечно.

— А мы правда завтра поедем в Грецию?

— Конечно. Поэтому тебе надо скорее спать, чтобы отдохнуть.

Саша, войдя в комнату, наклонился над Петькой:

— Я тут, сынок. Не бойся, я от тебя никогда не уйду.

— Обещаешь?

— Обещаю.

Петька удовлетворенно повернулся на бок, обняв своего плюшевого мишку.

Нина на цыпочках вышла из детской. Саша затворил за собой дверь и обнял ее.

— Пошли в спальню, — жарко прошептал он.

— Он еще не заснул.

Нина шутливо оттолкнула дерзкие руки мужа, но сама уже отступала к спальне.

Он впился в ее губы и подхватил на руки. Через секунду они уже упали на широкую кровать. Нину обжигали его губы, скользившие по шее, по груди... Но вдруг Саша оторвался от нее и настороженно застыл.

— Что ты?

— Телефон, — сказал он, вставая с постели.

— Это мой мобильник, — Нина попыталась его удержать. — Пускай звонят, меня нет.

— Я жду звонка на твой телефон, — сказал Саша. — Ответь. Но меня нет ни для кого. Я жду звонка от Егора.

Они быстро спустились по лестнице, и Нина взяла трубку. Услышав голос Егора, она тут же передала ее Саше, а сама налила себе шампанского, чтобы немного остудить распаленные губы.

Саша стоял у окна и разговаривал, понизив голос, чтобы не разбудить Петьку.

— Здорово, братан. Мост проехал? Давай теперь три километра вперед, первый поворот направо, до упора. Коттедж с белым крыльцом, на первом этаже горит свет. Собак нет. Давай, до связи.

Он положил трубку на стол и снова обнял Нину:

— Это Егор. Сейчас будет. У него паспорта и билеты.

— Как все оперативно, — Нина отстранилась. — Саша, почему такая внезапность?

Саша перехватил ее фужер и отпил из него.

— А в этой жизни все внезапно. Внезапно родился, внезапно умер. Но если серьезно, то мы ведь давно к этому готовились, верно, Нинуль? Если решение принято, тянуть нечего. Разве ты не хочешь уехать отсюда как можно скорее? В нормальную страну, с нормальными людьми и нормальным климатом.

— Это старый разговор. Я никуда из России уезжать не хочу. Но я хочу с тобой. Куда ты, туда и я.

— Ну и хорошо.

Он сел в кресло и включил телевизор. В ночных новостях снова шел репортаж об убийстве депутата: «Народный избранник был цинично и хладнокровно расстрелян рядом со своим домом, в восемь часов тридцать минут утра, когда глава думской фракции садился в ожидавший его служебный автомобиль. По свидетельству очевидцев, первые выстрелы приняли на себя водитель и телохранитель депутата. Их состояние врачи оценивают как удовлетворительное. Спасти жизнь Дерюгина, однако, не удалось...»

Саша переключил канал и вытянул ноги к камину.

— Приедем, купим дом на берегу. Не хуже, чем этот. В саду оливы, пальмы. Море будет рядом. С балкона будет видно и слышно. Ты и там будешь моделью или, если хочешь, откроешь свою школу. Или еще родим. Петьке нужен братик. Все, что ты захочешь. Куплю катер, буду туристов возить на морскую рыбалку. Разве плохо, Нежнуля моя?

Нина подошла к нему, и Саша усадил ее к себе на колени.

— Дом, катер? Ты представляешь, сколько это стоит?

— Я знаю, сколько это стоит. Я уже все рассчитал. Шиковать в казино мы не сможем. Но жить будем спокойно. Как все. Как нормальный средний класс средней европейской страны.

— Я никогда не спрашивала, чем ты занимаешься, откуда у тебя огромные деньги. Но через пять часов у нас самолет. Мы улетим навсегда. Саша, мне это важно. Скажи, мы улетаем из-за него?

Она кивнула на экран телевизора, и Саша беззаботно рассмеялся.

— Ну что ты! При чем тут мы?

Нина облегченно вздохнула и обняла его.

— Ты действительно закончил со своим бизнесом? Ты больше не вернешься к нему?

— Да. Никогда.

— А Иван говорил, что ты со своим бизнесом так просто не развяжешься.

— Он просто трепло. Дешевка и карьерист. Нинуля, приготовь чемоданы. Мне надо еще позвонить.

Чемоданы были давно готовы, их осталось только закрыть. Нину снова кольнула обида. В такую важную минуту Саша мог бы уделить ей больше внимания. Ему легче. Он не оставляет здесь ничего, что было бы ему по-настоящему дорого. И наверное, он бы рассмеялся, узнав, что Нина хотела бы увезти с собой всю свою посуду. Сколько раз сегодня она уже укладывала и перекладывала свои вещи!

Нина вышла в кухню. Протирая и укладывая свои любимые китайские чашки, она прислушивалась к голосу мужа.

— Это я, Ветер. Кто нас повезет? Хорошо. Пусть выезжают уже сейчас. Ничего, просто я хочу пораньше. Дом по Рублевке. Когда выедут за кольцо, пусть позвонят Нине на мобильный. Она расскажет, как ехать дальше.

«Как он назвал себя? Ветер? Что еще за партийная кличка», — удивилась Нина. Ей показалось, что кто-то совсем недавно именно так назвал Сашу. Но кто, когда? От этих мыслей ее отвлек звонок в дверь.

Это пришел Егор. Он обнялся с Сашей и протянул ему пухлый конверт.

— Классно устроились, — он оглядел гостиную, уважительно покачивая головой. — Жаль только, ненадолго. Здорово, Нинок.

— Добрый вечер, Егор, — сухо ответила Нина. — Ты так и не позвонил мне, а ведь обещал.

— Падла буду, не забыл, а просто не мог. Крутился с вашими делами, как белка, еле успел.

Саша достал из конверта один паспорт, потом другой. Внимательно рассматривая документы, он отошел под люстру.

— Шампанское будешь?

— Не откажусь. Типа, на посошок.

Нина достала из серванта третий фужер, и Егор сам налил себе.

— Ну, Ветер, за ваш счастливый отъезд. За то, чтобы все обошлось.

— Все уже обошлось.

Егор залпом выпил шампанское и вытер губы ладонью.

— Мне будет тебя не хватать. Ты сама прикинь, Нинок, он мой самый крутой друг и учитель. Он стрелять меня научил, на лошади научил, машину по-настоящему водить научил, от хвоста уходить научил.

— Хватит болтать, — оборвал его Саша. — Отвези нас в аэропорт.

— Так ведь... рано еще, — растерялся Егор. — Ветер, у вас самолет еще через пять часов.

— Отвези. Посидим в ресторане.

— Ветер, ну не в падлу... меня баба ждет. В натуре, я ж не знал, я с бабой договорился. А за вами Шепель джип высылает. Мы ж вроде так договорились.

Саша недоверчиво глянул на приятеля:

— Что за свидания по ночам? Ты вроде не мальчик.

— Да сам понимаешь, типа любовь... У нас с ней серьезно. Она тоже модель, как Нина. Я ее три недели клеил, уговаривал, чтобы в ночной клуб пойти. Она только сегодня согласилась... Вероника Ефимова. Нинок, ты, может, знаешь?

— Да, знаю. Хорошая девочка.

— Ладно, — с сожалением сказал Саша. — Если хорошая девочка, то я мешать не стану.

Егор радостно закивал и снова обнял Сашу:

— Ну, Ветер, давай. Готовь хату, я к вам летом приеду загорать.

— Я тебя провожу.

Стоя у окна, Нина видела, как они спустились с крыльца и остановились перед черной «девяткой» Егора. Ей не было слышно, о чем они говорят. Но она видела, что Егор оправдывается и виновато разводит руками. «Опять секреты, — подумала Нина. — Наверно, Саша выговаривает ему за то, что случилось в Питере. Конкуренты подставили под бандитов, так он сказал? Еще неизвестно, кто там больше похож на бандита. Нет, очень хорошо, что нас не повезет этот Егор. Не хотелось бы последние часы на родине провести в такой компании».

Нина закрыла оба чемодана и поставила их поближе к выходу. Саша, войдя, ободряюще улыбнулся ей и снова сел в кресло перед телевизором.

— Не нравится мне твой Егор, — сказала Нина. — Я понимаю, что он твой друг, но...

— Мой друг — это ты, — сказал Саша. — Никаких иных друзей у меня нет и быть не может. Ну, еще Петька. И всё.

Теплая волна благодарности чуть не заставила Нину расплакаться. На счастье, снова зазвонил телефон. Саша взял трубку, но тут же, приложив палец к губам, отдал ее Нине. Она услышала голос Ивана Бобровского.

— Старуха, ты где, на фазенде? Саша приехал?

— Привет, Ванька! Да, Саша приехал. Ванька, ты знаешь, мы ведь улетаем! Сегодня, уже скоро. В Грецию.

— Как так? С чего бы это?

— Ну как, я сама не знала, так получилось. За нами заедут, уже через час.

— Через час? — переспросил Иван. — Постой, мы что, даже не попрощаемся? Старуха, погоди, ты сейчас дома будешь? Не уйдешь никуда?

— Нет, мы никуда до отъезда выходить не будем.

— Никто вас не провожает, вы вдвоем?

— Вдвоем, конечно, с кем же нам быть? Петька спит. А ты что спрашиваешь, надумал приехать? Слушай, Вань, присмотри за нашей квартирой. Алло! Ваня!

Связь оборвалась. Саша сказал, не отрывая взгляда от экрана:

— Урод он, этот твой Ваня. Все эти журналисты — уроды. Вот, глянь. Там человека убили, а для них — праздник. Сенсация. Надо срочно бабки на этом заколотить. Уроды.

Он прибавил звук. На экране милицейский чин говорил, важно поглядывая на окруживших его людей с микрофонами и камерами: «Преступник работал один, без помощников. С места преступления ушел пешком, через проходные дворы. Оружие выбросил, приведя в негодность. Случай довольно редкий. Объяснить это можно тем, что он — профессионал экстра класса. Но, как говорят, и на старушку бывает прорушка. Мы тоже хлеб не зря едим. В интересах следствия больше ничего сказать не могу. Могу добавить только...» Нина встала перед телевизором, заслонив экран.

— Я не могу больше слушать про это. Нас это больше не касается. И у тебя больше нет дел в России. Считай, что мы уже там.

Саша покачал головой.

— До отлета еще почти пять часов. И мы еще здесь.

— Все равно. Лучше пойдем погуляем. Здесь совсем рядом река.

— А Петька если проснется? Не испугается?

— Еще часа два он будет спать как убитый.

Саша достал сигарету, прикурил, ласково погладил Нину по щеке.

— Пойдем, пожалуй.

Внезапно мирную тишину разорвал грохот в прихожей. Зазвенели выбитые стекла. Нина испуганно обернулась, но Саша схватил ее за плечи и с силой толкнул в угол.

Она потеряла равновесие и схватилась за спинку кресла. Но не удержалась и повалилась на ковер вместе с ним.

Все дальнейшее казалось ей страшным сном.

В комнату ворвались люди в черных масках. На них пятнистое обмундирование, в руках автоматы. Они кричат страшными голосами: «На пол! Всем на пол!» Кому они кричат? Ведь здесь никого нет.

Лежа за креслом, Нина вдруг увидела, как Саша с размаху бьет стулом по люстре. Звон, треск! Свет гаснет. Оглушительно гремят выстрелы. Словно огромные барабанные палочки простучали по стене над головой Нины.

Она забилась в угол, закрыв голову руками. Все ее тело сковал смертельный холод, она не могла пошевелиться от ужаса и желала только одного — чтобы этот кошмар скорее кончился...

9

Кажется, она надолго потеряла сознание. Нина не помнила, как снова оказалась в кресле и откуда у нее в руке мокрая тряпка, которую она прикладывала к ушибленному виску.

Придя в себя, она услышала чье-то бормотание, которое становилось все отчетливее и в конце концов превратилось в голос Ивана.

— ...киллер, известный под прозвищем Саша Ветер... оперативная группа блестяще провела молниеносный захват... должен был покинуть... тщательно разработать операцию времени не было...

Нина зажмурилась от яркого света, который вспыхнул так близко, что мокрые щеки мгновенно высохли. Иван продолжал диктовать:

— Задержание преступника стало возможным благодаря вовремя полученной оперативной информации. Саша Ветер укрывался на даче, которую специально для этого сняла его любовница, известная модель Нина Силакова...

Нина приоткрыла глаза и тут же заслонила их ладонью. Прямо перед ее лицом ярко пылал переносной софит. Оператор водил переносной камерой по углам комнаты, усеянным сверкающими осколками. За его спиной Нина увидела Ивана с микрофоном в руке и почему-то в бронежилете. В комнате мелькали фигуры милицейских офицеров в форме и людей в штатском.

А мрачный голос Ивана с болезненной резкостью отдавался в ее сознании:

— ...При задержании киллер оказал серьезное сопротивление. Он открыл ураганный огонь из двух пистолетов, и бойцы группы захвата были вынуждены применить оружие. Ветер был убит на месте. Так закончилась жизнь и карьера бывшего офицера-десантника и самого жестокого убийцы в новейшей истории нашей страны.

Иван выдержал эффектную паузу и весело скомандовал оператору:

— Все, стоп машина!

Софит погас. Следя за тем, как Иван сматывает шнур микрофона, Нина попыталась встать, однако ноги еще не слушались ее.

— Иван! — позвала она, почти не слыша собственного голоса. — Что ты несешь? Ты все наврал... Он не убийца.

Бобровский застегнул кожаную сумку и похлопал оператора по спине.

— Серж, подожди меня в автобусе, я еще должен договориться с ребятами из убойного отдела.

— Ты все наврал, — громче повторила Нина. — Зачем ты это? Я не любовница, я жена.

Иван, наконец, обратил на нее внимание. Он присел на корточки, заглядывая в ее глаза.

— Ну, положим, уже не жена, а вдова. Но теперь-то какая разница? Тебе уже все равно. Все это дурной сон, старуха. Выброси и забудь.

«Вдова? Почему вдова? Что значит вдова?» — хотела спросить Нина, но все слова жестким комком застряли в горле. Все помутилось перед ней, и щеки снова стали мокрыми. Нина вытерла их кулаком.

— Послушай, — Иван похлопал ее по коленке. — Ты должна дать мне интервью. Эксклюзивное. Только мне. Мы же с тобой друзья. И ты там все расскажешь. Все, что сочтешь нужным.

«Я вдова. Саша умер. Саши больше нет», — думала Нина, слушая голос Ивана, доходящий до нее как будто из-за глухой стены.

— Алло!.. Нина! — Бобровский, порывшись в карманах, достал смятый листок и что-то написал на нем, а потом вложил в руку Нины. — Вот мой мобильник. Когда оклемаешься, обязательно позвони. Договоримся о встрече и все такое.

«Саши нет. Мы никуда не уезжаем. Мы остаемся здесь. — Нина оглянулась. — Как грязно. Надо убрать. Что здесь делают все эти люди? Почему они шатаются туда-сюда по моему дому?»

Еще одно лицо появилось перед ней, и еще чей-то голос пробился сквозь ее навязчивые мысли.

— Я старший следователь Сергеев, я веду уголовное дело, возбужденное против вашего мужа. Хочу задать вам несколько вопросов. Вы меня слышите?

Нина молча смотрела на седого человека в очках с толстыми стеклами. «Какая ужасная оправа, — подумала она. — Это он специально носит такую ужасную оправу, чтобы вызывать страх и отвращение. Как они все отвратительны в этих своих мундирах цвета грязного асфальта, с дурацкими звездочками, и в этих нелепых фуражках с такой высокой тульей, как у гитлеровцев. Саша умер. Они убили его».

Следователь придвинул второе кресло к Нине и сел рядом. Раскрыл на коленях папку, приготовился записывать.

— Предупреждаю, что за дачу ложных показаний следует уголовная ответственность. Зачем вы сняли этот дом?

Нина молча разглядывала его оправу. «Он похож в ней на странное насекомое. Вроде стрекоза, но без крыльев. Ядовитое насекомое. Паук. Тарантул. Укус смертелен. Саша умер. Они убили его».

— Зачем вы сняли этот дом? Силакова, вы меня слышите?

Нина попыталась ответить, с трудом разлепив онемевшие губы.

— Что? Говорите, прошу вас, громче, — он наклонился к ней. — Что вы сказали? Зачем вы сняли дом?

— Чтобы жить...

— Что? Не слышу. Зачем?

— Чтобы жить...

— Так, ладно. Давайте так. Вы сейчас отдыхайте, приходите в себя. А я вызову вас повесткой, дня через три. Договорились? Идите отдыхать.

К ним подошел низкорослый полковник в милицейской форме. Круглый живот выпирал из-под расстегнутого кителя.

— Куда ты ее отправляешь?

— Наверх, товарищ полковник. Пусть поспит.

— Не надо. Нечего ей здесь делать. Пусть заберет личные вещи и валит отсюда. Бандитская подстилка. Она здесь не прописана, и договор аренды не на нее.

— Я вас не понял, товарищ полковник.

— Гнать, гнать отсюда, что тут непонятного, Сергеев? Личные вещи собрать под присмотром. Чтобы ничего отсюда не вынесла.

«Личные вещи, — отозвалось в голове у Нины. — Надо собрать личные вещи. Опять собирать вещи».

— Вот они, все мои вещи, — неожиданно для себя выговорила Нина. — Два чемодана и ребенок.

— Я вам помогу, — сказал следователь в толстых очках. — Я отнесу вещи, не надрывайтесь. Где стоит ваша машина?

— Машины больше нет. Не надо мне помогать. Вы убили моего мужа, — ровным, равнодушным голосом сказала Нина.

Следователь все же не отстал от нее и помог донести чемоданы до обочины дороги. Петька спал у Нины на руках. Она долго сидела на чемоданах, боясь разбудить сына.

По шоссе пролетали редкие автомобили. Старенький грузовик, проехав мимо нее, остановился и сдал назад. Водитель спросил только:

— В Москву, дочка?

Нина кивнула, и он подхватил чемоданы, а потом подсадил ее в кабину.

Петька проснулся, когда грузовик уже свернул с кольцевой.

— Приехали? — он протер глаза кулаком и прилип носом к окну. — А где море?

Водитель рассмеялся:

— Море в другой стороне.

Нина прижала Петькину голову к своей груди, словно хотела, чтобы он ничего не увидел. Никогда уже не будет в их жизни моря и солнца. Никогда не будет Саши. Все кончилось.

Она не помнила, как доехала до дома. Кажется, Петька назвал водителю адрес. Дом тринадцать, квартира восемь, второй этаж.

В дверях торчала записка: «Ключи в 9-й кв. Варя».

«Кто такая Варя? Почему мои ключи в чужой квартире?» — равнодушно подумала Нина и позвонила в дверь соседки. Та открыла спустя несколько минут. Кутаясь в халат и зевая, протянула ключи:

— Ни свет ни заря ходят, будят, спать не дают. Ты чего, Нин, как в воду опущенная? Девчонка твоя ключи оставила, тоже вся такая кислая была. Вы чего, молодежь? Красивые, богатые, чего вам еще надо? Нин, да что с тобой?

Она говорила что-то еще, но Нина уже не понимала ее. Чужие слова казались таким же шумом, как рокот улицы за окном. Сейчас ей хотелось одного — забраться в постель и укрыться с головой. Никого не видеть и не слышать. Никогда больше не видеть, не слышать, не вставать...

Она едва-едва успела захлопнуть за собой дверь и упала на кровать. Петька прикорнул рядом, прижавшись к ней. Не вставая, она подтянула к себе плед, укрыла Петьку, укрыла себя и наконец-то закрыла глаза, провалившись в пустоту...

Когда Нина проснулась, в комнате было темно и тихо. В мертвой тишине тикали настенные часы. Прогудел лифт. За стенкой у соседей слышалась бравурная заставка к программе «Время».

— Уже вечер, мама, — не открывая глаз, произнес Петька. — Мы встаем или спим дальше?

Нина не ответила, погладив его мягкие волосы.

Зазвенел телефон. «Нас нет дома, — мысленно ответила Нина. — Нас нет нигде».

Сработал автоответчик, и в комнате раздался голос администратора Пестровой:

— Госпожа Силакова, агентству стали известны некоторые моменты вашей личной жизни. Вы позорите... люди, подобные вам, позорят образ модели. Вы дискредитировали наше агентство. Контракт с вами расторгнут. И в агентстве просим больше не появляться. Это коллективное решение всех девушек и приказ Натальи Ашотовны.

«Кто такая Наталья Ашотовна? Не знаю, — подумала Нина. — Наверно, ошиблись номером».

Петька под боком зашевелился и выпутался из-под пледа. Нина попыталась его придержать, но он спрыгнул на пол и прошлепал в туалет. Оттуда его легкие шаги — шлеп-шлеп-шлеп — направились на кухню. Нина слышала, как открывается и закрывается холодильник, как гремят тарелки и чашки. Она помнила, что ребенка надо покормить. Но у нее не было сил подняться.

У нее не было сил жить.

После длинного, требовательного звонка снова сработал автоответчик. На этот раз Нина услышала голос матери:

— Ниночка, доченька, родная моя... я сама не видела, мне рассказали... Вас по телевизору показывали... Я им не верю, они всегда врут, по телевизору... про Сашу врут! Я вас всех очень люблю. Саша был не такой! Горе у нас, доченька, горе у нас великое... но держись, слышишь! Вы приезжайте ко мне! Я от тети Нюры звоню, она передает привет. Говорит, мы все — за тебя. У нас все тебя тут любят, и все передают привет.

В комнату вошел Петька с подносом в руках. На подносе Нина разглядела криво и косо нарезанный сыр, хлеб, замерзшее масло в бумажке, отдельно на блюдце несколько кусков рафинада.

— Бабушка звонила, да?

Нина опустила голову, не отвечая. Петька подвинул стул к постели, поставил на него поднос, сам сел на краешек кровати.

— Я конфет не нашел. Кушай, мама. Это вкусный сыр, только горький.

Нина закрыла глаза. Она почувствовала, как Петька касается бутербродом ее губ.

— Ну, не хочешь, тогда и я не буду, — сказал сын и лег, положив голову к ней на живот. — У бабушки в деревне такого сыра нет. Там сейчас хорошо, в деревне, слякоть... Все в резиновых сапогах ходят. В сапогах хорошо, ноги не промокают. Где хочешь, можно ходить. Санька, наверное, костер в овраге жгет...

В квартире сгустилась темнота. Нина лежала неподвижно, и голос сына доносился словно издалека...

— Мы бы с бабушкой сейчас пошли бы доить Кляксу, а потом я бы попросил, мы бы сепаратором сделали сливки... а потом пришла бы тетя Нюра, принесла бы плюшек... Они бы смотрели свой сериал, а я бы нарисовал ветер...

«Ветер, — подумала Нина. — Киллер по кличке Ветер. Те подонки в гостинице, они испугались, когда увидели его фотокарточку. И сказали — Ветер. Даже они знали, кто такой Саша. Все это знали. Кроме меня».

Нет, этого не может быть. Это сон, страшный сон. В жизни не может быть такого — чтобы все рухнуло в один миг.

Она лежала с открытыми глазами, но ничего не видела. Чернота окружала ее, вливалась внутрь через зрачки, заполняла душу. Даже мыслей никаких не осталось. Только ощущение пустоты. Саша умер, и в жизни не осталось ничего. Как хорошо было бы заснуть и не проснуться больше никогда...

Утро пришло неожиданно. Нина вдруг услышала, как Петька возится на кухне. Потолок из черного стал белым, и в окне виднелся кусочек голубого неба над кроной тополя. Ночь прошла, но ничего не изменилось. Саши нет, и нет сил жить дальше...

Уснуть и не проснуться. Где-то должно быть снотворное. Она почти никогда им не пользовалась, в упаковке должно оставаться еще много таблеток. Достаточно много...

Она нашла снотворное в аптечке, в ванной. Не узнавая себя, посмотрела в зеркало: скулы торчат, нос заострился, под глазами черные круги. В гроб краше кладут.

Сколько надо принять таблеток, чтобы — наверняка?

На кухне что-то упало, и сразу же Петька вскрикнул от боли и испуга.

Нина, уронив таблетки, бросилась на кухню. Петька стоял, подняв вверх порезанный палец, и горько плакал. По руке двумя извилистыми струйками стекала кровь. Увидев маму, Петька, чтобы сдержать плач, зажал себе рот здоровой рукой.

Ахнув, Нина кинулась к сыну.

— Порезался, маленький? Как же ты так? — приговаривала она, быстро затащив его в ванную, к аптечке. Ватка, йод, бинт — в аптечке есть все, что нужно. — Вот и все, вот и завязали пальчик. Ну, как же ты так?

— А у нас сыр кончился, — всхлипывая, говорил Петька. — Я хотел колбасу для взрослых порезать. А она твердая, как деревяшка. Ножик как соскочил, меня как ударил! Мамочка, ну не плачь! Это же я порезался, а не ты. Ну почему ты плачешь, мамочка! Ну я больше не буду! Только ты не плачь, мам!

— Я не плачу, — шептала Нина, стоя перед сынишкой на коленях и прижимая его к себе. — Сокровище мое, прости меня, пожалуйста.

— Да чего там, прощаю, — сказал Петька и погладил забинтованной ладошкой ее по щеке, вытирая слезы.

От этого заботливого жеста Нину словно взорвало изнутри. Она зарыдала, трясясь всем телом, то прижимаясь к сыну, то отворачиваясь от него, чтобы вытереть мокрое лицо.

В какой-то момент Петька вывернулся из ее рук и подал Нине полотенце:

— У тебя уже все лицо черное, в полоску. Мама, ну чего ты так расстроилась? Ну опять проспали, ну ничего. Поедем в Грецию в другой раз. Она ведь никуда не денется. А нам и тут хорошо, правда? Ты только вытри лицо, а то я тебя боюсь.

10

Выйдя из дома, Нина с удивлением обнаружила, что вокруг ничего не изменилось. Так же, как и всегда, светило солнце, и проносились коптящие машины, и толкались покупатели в магазине. И никто ее не спрашивал ни о чем. Никому не было дела до ее горя. Раньше чужое равнодушие могло бы обидеть ее, но сейчас она даже была благодарна этим людям. Никто не приставал к ней, не бередил душу. И даже когда старушка в очереди обозвала ее сонной тетерей, Нина не обиделась, не разозлилась, а, наоборот, извинилась так искренне, словно каялась в смертном грехе.

Когда она вернулась домой с продуктами, Петька сидел у телевизора.

— Мам, дядю Ваню показывают! И папу!

«Какого еще дядю Ваню?» — заторможенно подумала Нина, переливая молоко из пакета в кастрюльку для кипячения. Но голос, донесшийся из комнаты, заставил ее сразу все вспомнить.

На экране красовался Иван Бобровский, в строгом костюме, при галстуке, в тонких очках. Он уже не был похож на криминального репортера. Весь его вид, и голос, и жесты, — все говорило об основательности и добропорядочности.

— ...в задачи журналиста не входит осуждение. В мои задачи входит только подача информации. А судить уже будете вы.

Нина увидела на экране телевизора свои любимые семейные фотографии. Лучшие моменты их жизни. Их свадьба. С Петькой у роддома. На лыжах в лесу...

Голос Ивана звучал проникновенно:

— Таким он был раньше... веселым и честным парнем. Жена любила его, сын обожал. Почему он предал их, их любовь? Ведь то, чем занимался знаменитый киллер по прозвищу Ветер, прямо противоположно любви.

Нина кинулась к шкафу, достала альбомы с фотографиями, лихорадочно перелистала — и обнаружила несколько опустевших страниц. «Вор, — подумала она почти равнодушно. — Он просто вор. Забрался в мою квартиру. Украл мои вещи. Мелкий грязный воришка».

А Бобровский продолжал вещать:

— В итоге его карьера закончилась вот так: бесславно и позорно. У кого осталась о нем добрая память? У его сослуживцев — офицеров-десантников? У его семьи, жены и ребенка, которые ничего не знали о том, чем занимается их муж и отец? Или может, у семей расстрелянных и взорванных им людей?

Нина переключила телевизор на другой канал. Петька спросил:

— Ты не хочешь смотреть про папу? Что сказал дядя Иван? Папа скоро приедет?

— Нет. Он уехал от нас навсегда. Хочешь молока?

— Давай, — Петька спрыгнул с кресла. — А как уезжают навсегда? Туда какой самолет летит? С большими-большими крыльями, да?

Поставив кастрюльку с молоком на плиту, Нина обнаружила, что в коробке кончились спички. Беспомощно оглядываясь, она увидела свою сумочку. Там должна быть зажигалка. Вот она, на самом дне. А это что за бумажка? Чего только не найдешь в дамской сумочке.

На сложенном листке она увидела телефонный номер и надпись, сделанную незнакомым почерком — «Иван».

Если бы не эта бумажка, Нина смогла бы просто вычеркнуть Бобровского из своей жизни, как уже вычеркнула Пестрову со своим агентством. Но четкие, жирные цифры и важная подпись смотрели на нее нагло, с вызовом.

И Нина приняла вызов.

Она набрала номер и услышала, как Иван говорит кому-то рядом с собой:

— ...Извините, важный звонок. Да, слушаю, Бобровский.

— Это Нина. Ты просил позвонить. Я хочу знать, как ты...

— Кто это? А, это ты. Мне сейчас некогда. У меня важные гости. Позвони мне примерно так через неделю, через две.

— Иван, нам надо поговорить. Срочно.

— Это тебе срочно надо, а у меня есть дела поважнее. Сама понимаешь, новая должность, целая армия персонала, миллион разных заморочек. Через недельку созвонимся.

Он первым положил трубку, и Нина еще с минуту слушала короткие гудки. Новая должность?

Пошел на повышение? А вчера еще плакался, что его вот-вот пинком под зад вышвырнут с телестудии?

Что же такого сделал журналист Бобровский, чтобы поправить свои дела?

Он снял репортаж о задержании знаменитого киллера. Да, он так и сказал — «знаменитый киллер».

Журналист Иван Бобровский оказался в нужное время в нужном месте, вот и все. Теперь он будет процветать, и его самодовольная физиономия будет каждый день маячить на экране.

Неужели все так просто? Обычное везение, случайность? Почему везет именно таким, как Бобровский? Почему именно он был вместе с группой захвата, когда она набросилась на Сашу?

И вдруг Нина с болезненной ясностью снова вспомнила всю эту жуткую картину — разгромленный дом, чужие люди роются в ее вещах, и Иван Бобровский в бронежилете, с микрофоном стоит перед камерой и софитами. Она задала себе вопрос, который почему-то до сих пор не приходил на ум — а откуда группа захвата знала, где находится Саша?

Ведь никто на свете не знал о его новом адресе.

Никто, кроме Ивана Бобровского.

Она почувствовала себя так, словно после блужданий в темных коридорах вдруг попала в ярко освещенный зал. Теперь ей все было ясно, и она знала, что надо делать.

Нина сняла закипевшее молока с огня и перелила его в глиняный кувшинчик, привезенный из деревни.

— Сынок, хочешь поехать к бабушке? Прямо сейчас, хочешь?

— К бабушке? Поехали!

«Вольво» Нина нашла там же, где и оставила в тот вечер, когда встречала Сашу из Питера. Машина стояла в тупике, под липой. Нина стряхнула листья с капота, протерла запыленное стекло. Словно чувствуя настроение хозяйки, двигатель не капризничал, как обычно по утрам, и послушно завелся.

Первым делом Нина заехала в свой банк.

Войдя в операционный зал, она подошла к свободному окошку, протянула документы. За стеклом сидел клерк, который всегда обслуживал ее. Обычно они обменивались парой фраз о разных пустяках. Но сегодня он не узнал Нину. Во всяком случае, он старался не поднимать глаз от бумаг.

— Я хочу снять все деньги с моего счета.

— Вы хотите закрыть счет?

— Нет, — ответила Нина, вспомнив о недавних съемках. — В этом месяце еще должны быть довольно серьезные поступления.

— Очень хорошо. Тогда мы оставим необходимый минимум. Прошу вас заполнить...

Клерк протянул ей бумаги. Нина отошла к столику, гадая, почему этот паренек так старательно делает вид, что не узнает ее. Наверно, он тоже смотрит телевизор, догадалась она. Наверно, он тоже верит Бобровскому.

Закупив традиционных городских гостинцев и заправив «вольво», Нина вернулась домой. Чтобы собрать Петьку в деревню, ей не понадобилось слишком много времени, но она все же дождалась вечера, и выехала на Волгоградское шоссе, когда поток транспорта немного поредел.

Обычно она ездила в деревню на поезде, но сейчас ей была противна сама мысль о том, что надо идти на вокзал, толкаться у кассы, а потом еще ехать вместе с чужими людьми, слушать их разговоры и ловить на себе их взгляды... Нет, только не это. Уж лучше лететь по ночному шоссе, навстречу слепящим фарам, и слушать тихое радио.

Уже за Каширой Петька заснул на заднем сиденье. Он легко переносил дорогу, только много ворочался во сне, и приходилось все время останавливаться, чтобы его укутывать.

После очередной такой остановки Нина снова включила приемник. Сейчас на этой волне шел выпуск новостей. Нина потянулась к настройке, чтобы поискать музыку, но, услышав, что говорят об убийстве депутата Дерюгина, передумала. Теперь ей хотелось знать все, что касалось этих событий.

«...А как вы оцениваете действия милиции? Ведь никогда еще такие дела не раскрывались с такой стремительностью», — говорил ведущий, обращаясь к своему невидимому собеседнику.

«Как юрист я должен отметить, что рано называть это дело раскрытым. Да, водитель и телохранитель опознали того, кто стрелял в них и в депутата. Да, убийца установлен. Но для всех нас, для общества в целом, гораздо важнее установить заказчика преступления. Киллер является всего лишь инструментом. А в чьих руках был этот инструмент? Кто стоял за спиной убийцы? Вот главный вопрос, на который должно ответить следствие».

«А не кажется ли вам, что с гибелью киллера следствие зайдет в тупик?»

«Это вопрос компетентности следственной группы и ее заинтересованности в результатах. Но я должен напомнить, что, как правило, непосредственных исполнителей заказного убийства ликвидируют сами заказчики. В данном случае тот факт, что киллер был застрелен при задержании, представляется мне весьма многозначительным. Вполне возможно, что некоторые следы этого преступления могли привести в круги, близкие...»

«Вы слушали интервью известного адвоката Михаила Гельмана по поводу нашумевшего убийства в Петербурге, — ведущий быстро перебил незаконченную фразу. — А теперь — о погоде...»

До сих пор у Нины еще оставалась надежда, что все случившееся — чья-то чудовищная ошибка. Ужасная, непоправимая, но — ошибка. Ее Саша не мог быть убийцей. Его подставили, оклеветали. И его уничтожили, чтобы он не смог оправдаться.

Но вот сейчас она сама слышала, что раненные во время покушения водитель и телохранитель смогли опознать убийцу. В это трудно поверить. Сколько раз Нина видела в кино, как действуют настоящие киллеры! Они надевают парики, накладные усы и бороды, они полностью меняют свой облик. Как же их можно опознать, да еще после смерти?

Нет, никому нельзя верить, решила она в который раз. Верить можно только тому, что ты видела собственными глазами. Именно поэтому ни один адвокат в мире не сможет оправдать Ивана Бобровского перед ее судом. Потому что она сама, своими собственными глазами видела, как он привел в ее дом тех, кто убил ее мужа и разрушил всю ее жизнь.

Ночь пролетела незаметно, и в первых лучах рассвета Нина увидела зеленые купола и белые стены церквушки, стоявшей на холме, за которым она свернула к родной деревне. Вот и крыша материнского дома, краснеющая между кронами старых яблонь.

По деревенской улочке навстречу Нине двигалось пестрое стадо. Мычание коров и звон бубенчиков разбудили Петьку, и он приподнялся, выглядывая в окно.

— Смотри, мам, вон Клякса! А вон бабушка!

Нина увидела мать, и сердце ее сжалось от любви и жалости. Мама, в телогрейке, накинутой поверх ночной сорочки, стояла на крыльце и, приложив ладонь к щеке, разглядывала подъезжающую машину. Наконец, узнав дочку за рулем, она спустилась с крыльца и заторопилась, открывая ворота, чтобы пропустить «вольво» во двор. Но Нина остановилась у плетня.

— Приехали! Хорошие мои! — плача, приговаривала мама, обнимая то Нину, то Петьку. — Устали в дороге, пошли скорее в дом! Я как знала, тесто поставила, пирожков сейчас напечем.

— С вишней? — сонно спросил Петька.

— Да с чем захочешь, с тем и напечем! Родненькие вы мои...

Нина поставила чемодан посреди комнаты, огляделась и подтащила его к печке. Она знала, что Петька будет спать здесь, а не в мягкой кровати. Кровать — это городское баловство, а здесь, в деревне, он имел право занимать все темное и теплое, пахучее пространство на русской печи. И этим правом он моментально воспользовался. Забрался наверх, повозился немного и уже через минуту засопел, заснув под своим любимым лоскутным одеялом.

Пока мама собирала завтрак, Нина сидела над раскрытым чемоданом, перебирая и прикладывая к лицу детские рубашки и носочки. Ей хотелось запомнить и унести с собой этот запах...

— Мама, здесь все его вещи. Разберешься сама. Вот деньги.

Мама перекрестилась, увидев толстые пачки, которые Нина выложила перед ней.

— Батюшки... дочка! Куда же мне столько?

— Я уезжаю. Петя должен жить у тебя. Я хочу, чтобы вам хватило.

— Да нам куда столько! Много ли нам надо! Здесь же не Москва, все свое.

— Я уезжаю надолго. Может быть, на год. Или даже на несколько лет.

Нина села на лавку, усадила мать рядом и, продолжая держать ее за руки, повторила:

— Надолго, мама. Ты же понимаешь, мне сейчас надо уехать.

Мать согласно кивнула.

— Да, я понимаю. Ты не беспокойся, Петеньке тут хорошо будет. А остаться не можешь? Отдохнула бы на молочке, на огурчиках, на картошечке своей, а?

Нина прижала к щеке морщинистую мамину руку, поцеловала ее и решительно поднялась. Мама выбежала за ней на крыльцо, причитая вполголоса:

— Доченька, доченька моя родная! Ниночка! Не уезжай! Оставайся! Мы проживем! Плюнь ты на них, оставь, они все злые, их Бог накажет! А мы проживем! Останься здесь! Тебя здесь все любят, все хорошим словом поминают!

— Я не могу. Я должна... понимаешь? Я Саше должна.

Мать, качая головой, удерживала Нину.

— Ниночка... не уезжай... Господь все видит! У тебя же сынок, а если со мной что... Ну хотя бы завтра... хотя бы завтра уедешь!

— Завтра будет поздно, мама. Мне пора. Береги себя.

Она сбежала к машине и уехала, не оглядываясь.

Проезжая мимо церкви, Нина вспомнила мамины слова. Господь все видит. Бог их накажет.

Она почувствовала смутную тревогу. На какой-то миг Нина усомнилась. Имеет ли она право сделать то, что задумала? Вспомнились ей и слова материнской молитвы. В детстве каждое утро Нина сквозь сон слышала, как мама читает «...и оставь нам долги наши, как и мы оставляем должникам нашим...», но сейчас она особенно остро поняла смысл этих слов: Бог простит наши прегрешения, если мы простим согрешивших против нас.

Но Нина не могла простить.

Когда-то мама пыталась приучить ее к молитве. Но пионерка и комсомолка Нина Силакова не хотела присоединяться к тем старушкам в черных платочках, что по воскресеньям брели изо всех окрестных сел к их Знаменской церкви. Мама не сердилась. Посмеиваясь, она говорила, что ей придется молиться, как многостаночнице, вместо всех своих родственников, крещеных, но маловерных. «Помолись, мама, помолись за меня, — думала Нина, глядя, как в зеркале поблескивает крест над зеленым куполом. — И верь, что Бог накажет всех наших врагов. Он накажет, но это будет нескоро. А я не могу ждать».

11

Ранним утром Нина приехала на рынок. Она была уверена, что здесь можно купить все. Вопрос цены. А за ценой она не постоит.

Нина долго бродила между рядами, вглядываясь в лица продавцов, грузчиков и охранников.

Наверное, через час таких блужданий ее кто-то остановил, прикоснувшись к руке.

— Кого ищешь? — спросил узкоглазый парень.

— Продавца.

— Какого продавца? Что тебе нужно?

— Пистолет.

Узкоглазый оценивающе оглядел Нину.

— Здесь базар. Оружейный магазин знаешь? Вот туда иди. Там пистолет, там карабин, там такой товар есть. А здесь базар. Здесь помидоры, зелень-мелень, банан. Понимаешь?

— Понимаю. Мне нужен пистолет.

Парень поцокал языком:

— Интересный человек, честное слово. Русский язык понимаешь? Пистолет-шмистолет покупать — это срок покупать. За незаконное ношение знаешь, что бывает?

— Знаю. Нужен пистолет. За любые деньги.

Узкоглазый оглянулся и показал на закрытый ларек у забора:

— Иди туда и стой там. К тебе подойдут.

Нина послушно встала у ларька, и стояла там, не замечая, как проходит время. Взгляды мужчин изредка останавливались на ней, но сегодня ни один из них не позволил себе даже приблизиться. «Совсем страшная стала, наверно», — подумала она о себе, как о ком-то постороннем.

Усатый мужичок в телогрейке и замызганном белом фартуке подошел к ларьку, заглянул внутрь через пыльное стекло и, не поворачиваясь к Нине, спросил:

— Деньги при себе?

— Да.

— Товар для себя берешь?

Не задумываясь, Нина ответила:

— Послали меня за товаром.

— Кто?

— Ты еще паспорт у меня спроси, — равнодушно ответила она.

Ее ответ вполне устроил мужичка, и он кивнул в сторону:

— Иди в мясной ряд. Я за тобой.

Пройдя между прилавков, Нина заметила у холодильной камеры уже знакомого ей узкоглазого парня. Тот отодвинул тяжелую дверь, подмигнул Нине и отошел к прилавку.

Нина вошла в темное помещение, и у нее чуть ноги не подкосились от тяжелого запаха крови.

Мужичок в телогрейке зашел следом, и дверь за ними задвинулась.

В темноте вспыхнул фонарик, осветив коровью тушу, лежащую на низком столе.

— Какой тебе ствол нужен?

— Чтобы выстрелил.

Мужичок исчез в темноте, оставив Нину наедине с отрубленной коровьей головой. Прошло еще минут десять, прежде чем он вернулся и показал два пистолета:

— Смотри. Вот тебе «макар», а вот тебе израильский. Какой хочешь?

— Какой надежней.

— Жидовский, конечно, понадежнее... и по целкости тоже лучше. Но он дорогой. А наш, значит, подешевше. Но жидовский не подведет.

Нина долго переводила взгляд с одного пистолета на другой, не решаясь выбрать. Они казались ей абсолютно одинаковыми. Она ткнула пальцем наугад.

— Сколько этот стоит?

— Ну, я ж говорю, израильский подороже. Ты сколько патронов-то возьмешь?

— Одну обойму.

Мужик ловко вогнал в рукоятку пистолета продолговатый пенальчик с блеснувшими желтыми гильзами и протянул пистолет Нине, держа его за ствол.

— Ну, тогда, значит, с одним магазином это будет... Короче, тышшу мне отслюнявь.

Нина достала из сумочки сложенную пополам тонкую пачку долларов и положила деньги в луч фонарика, на отрубленную коровью голову.

Пистолет прекрасно уместился в сумочке, правда, изрядно ее утяжелив. Нина всерьез опасалась, что тонкий ремешок оборвется в самый неподходящий момент, и поэтому все время прижимала сумочку локтем к боку.

Потраченные часы ожидания теперь казались ей не часами, а неделями. Нину просто трясло от нетерпения, и, едва отъехав от рынка, она прямо из машины позвонила в редакцию общественных программ.

Ей ответили довольно любезно. Как только Нина представилась, голос ее собеседника стал настороженным, просто ледяным, но она знала, чем растопить этот лед.

— Я хотела бы дать вам интервью о контактах девушек нашего агентства с высшими лицами государства. У меня есть с собой видео.

— Ну, привозите завтра с утра, обсудим эту тему, — сказали ей уже совсем иным тоном.

— Завтра? Исключено. Я могу только сейчас.

— Ждем вас на проходной, — прозвучало в трубке.

Ей все же пришлось задержаться. Припарковавшись на студийной стоянке, она достала косметичку и постаралась привести себя в порядок.

Через полчаса Нина решительно направилась к дверям телекомпании. Перед зеркальными стенами двое охранников напирали на монаха с ящиком для пожертвований на груди.

— Нельзя тут стоять, понимаешь? Ты нам весь имидж портишь. Тут все ж таки телевидение, а не супермаркет. Вон, иди к рынку, там и побирайся.

— Разве я кому-нибудь мешаю? — ласково спрашивал монах, улыбаясь в густую рыжую бороду. — Кто пройдет, подаст. Я и не прошу никого, просто стою. Разве запрещено стоять?

— У тебя своя работа, у нас своя. Нам сказали, чтоб ты тут не маячил, вот и топай отсюда. Не доводи до греха. Иди отсюда, иди с Богом. Нельзя здесь нищим.

— Я не нищий. Я на храм собираю...

Второй охранник не стал тратить свое красноречие и просто столкнул монаха с площадки перед входом:

— Пошел, пошел, и больше не появляйся.

От толчка священник споткнулся и едва не налетел на Нину. Он бы мог и упасть, запутавшись в своей черной рясе, если бы Нина не подхватила его под локоть.

— Прости, матушка!

Он поправил на голове свою черную шапочку и сказал:

— Не ходила бы ты туда. Злые там люди.

— Знаю, потому и иду, — ответила Нина. — На храм собираете? Отлично. Очень кстати.

Она достала из сумочки все оставшиеся деньги, сложила пачку пополам и запихнула в щель ящика.

Монах только спросил потрясенно:

— За кого молиться, матушка?

Но Нина не успела ответить ему, потому что увидела за стеклом администратора. Он тоже заметил ее и торопливо пошел навстречу, уже издалека улыбаясь и расточая комплименты:

— Вы Нина Силакова? Вас не узнать. Новый имидж, да? Но выглядите, как всегда, потрясающе. В жизни вы гораздо ярче, чем на экране. Пойдемте, у нас все готово...

Администратор провел ее мимо охраны к лифту, нажал кнопку, продолжая заливаться соловьем:

— Как было бы эффектно, если бы вы сами могли появиться в кадре. Может быть, мы обсудим такой вариант? Я понимаю, что ваши материалы могут быть настоящей бомбой, источник должен оставаться засекреченным. Но вы можете выступить в программе со своими комментариями, например как совершенно постороннее лицо. Тогда никто и не догадается, что вы сами принесли материал. А ваше лицо так украсит картинку! Тридцать процентов зрителей будут смотреть нашу передачу только из-за того, что вы там появитесь. Если, конечно, появитесь. Я не настаиваю, но...

— Такие вещи я должна сначала обсудить с Иваном Бобровским, — ответила Нина. — Кстати, говорят, он теперь на другом этаже?

— О, да, теперь он на десятом. В гору пошел после своих «убийственных» репортажей. Первый заместитель теперь.

Лифт остановился на пятом этаже, двери раздвинулись, и администратор шагнул первым.

— Прошу вас. За мной. Не отставайте, можете заблудиться.

Он засеменил вперед, но Нина осталась в лифте и быстро нажала кнопку десятого этажа. Двери захлопнулись. Нина достала телефон и набрала номер мобильника Ивана.

— Слушаю, Бобровский.

— Ты где? Это Нина.

— Я занят, у меня съемка.

«Спасибо», — чуть не сказала Нина. Теперь ей не придется его искать.

Выйдя из лифта, она спросила у первого же сотрудника, который пробегал мимо с горой папок у груди:

— У Бобровского где съемка?

— Второй павильон, прямо по коридору.

«Надо улыбаться, — приказала себе она. — Надо выглядеть уверенно и спокойно. Это обычный проход. Коридор, второй павильон. Улыбаться, улыбаться!»

Никто не остановил ее. Вот и второй павильон. Серыми ширмами выгорожена студия. Выставлен свет, за двумя камерами сгорбились операторы. Иван, в фиолетовом костюме и розовой сорочке, сидит за столом. Гример стоит перед ним, припудривает ему нос.

Все. Теперь он никуда не денется.

Она уже не замечала ничего, кроме напудренного лица Ивана, на котором поблескивали тонкие очки. Его голос отдался в ушах, как будто прозвучал через мощный динамик:

— Готово? — спросил он, победоносно оглядывая студию. — Поехали.

Гример убежал, и Бобровский произнес вальяжно:

— Здравствуйте, дорогие телезрители. В эфире новая аналитическая программа, которую веду я, известный вам Иван Бобровский.

И тут он, наконец, заметил Нину.

— Стоп! — раздраженно крикнул Иван. — Я тебе сказал, я занят! Кто ее пустил? Уберите эту девушку. Я с тобой потом поговорю, после...

Нина открыла сумочку, вытащила пистолет и навела его на Ивана:

— Да чего уж после...

Иван, взвизгнув, неожиданно быстро нырнул под стол. Нина нажала на крючок, и пистолет дернулся в ее руке. Она невольно зажмурилась от грохота, а когда раскрыла глаза, то увидела, что Иван бежит от нее. Она видела его фиолетовый пиджак и пистолет в своей руке. Она снова и снова давила на спуск, и пистолет с каждым выстрелом дергался, словно пытался вырваться из ладони. Но Бобровский не падал, не останавливался, а, наоборот, убегал все быстрее, крича и расталкивая на пути стулья, ширмы, стойки. Он повалил прожектор и взбежал на железную лестницу. Нина схватила свой пистолет двумя руками и тщательно, как в тире, прицелилась. Но выстрелить уже не успела. Что-то со страшной силой ударило ее по затылку, и Нина повалилась на грязный линолеум, выронив пистолет...

12

Нина пришла в себя в тесной комнатке с наклонным потолком. Она лежала на дермантиновой кушетке. Руки ее были больно сжаты наручниками.

Повернув голову, она увидела стол со стареньким телевизором. В пустой стеклянной банке стоял кипятильник. Рядом, на расстеленной газетке, высилась гора рыбьей чешуи и костей. Две пустые пивные бутылки и полная пепельница папиросных окурков. И черный телефон.

— Чего зыришь? — раздался грубый голос, и Нина увидела охранника в синей униформе. — Оклемалась? Живучая, сука. Надо было сильнее тебе по башке треснуть.

Нина села на кушетке, прикрывая руками разорванную блузку.

— Лежи, выдра, не дергайся, — сказал охранник, поднимая трубку и стуча пальцем по рычажкам. — Сиськи прячешь? Не прячь, тебя тут уже все рассмотрели. Такое сокровище никому на хрен не нужно. Тоже мне модель. Кошка драная.

Он заговорил в трубку:

— Васильич, это я, с первого поста. Передай шефу, эта выдра очухалась. А менты скоро там? Ну, давай.

В приоткрытую дверь Нина увидела, как по коридору в сопровождении врачей «скорой помощи» и нескольких сотрудников проходит Иван. Размахивая перебинтованной рукой, Бобровский отдавал распоряжения на ходу:

— Да, не забудь взять со всех подписку о неразглашении. Под угрозой немедленного увольнения. Если хоть один звук, если хоть кто-нибудь пикнет... хоть в одной газете, хоть на заборе... Уволю без разговоров, всех подряд!

«Живой, — подумала Нина. — Не может такого быть. Я стреляла в него с пяти шагов. А он живой».

В охранницкую, громко стуча каблуками, ворвались двое милиционеров в бронежилетах с автоматами.

— Эта, что ли, стреляла?

Нина встала им навстречу и хотела выйти. Но они подхватили ее под руки и поволокли за собой так быстро, что она едва успевала переставлять ноги.

У проходной стоял милицейский «уазик», задом к дверям. Его дверца с зарешеченным окном была откинута, и Нину втолкнули внутрь. Она села на узкое сиденье, прислонившись к стене, и дверца с лязгом захлопнулась.

Раскачиваясь и переваливаясь, «уазик» развернулся и отъехал от здания телекомпании. Глядя сквозь решетку, Нина видела Ивана Бобровского, который в окружении своих сотрудников садился в «скорую помощь».

«Живой», — снова подумала Нина, но на этот раз почему-то с облегчением.

«Только рука перевязана. Наверно, пиджак ему испортила. А почему он в джинсах? Он же был в костюме? Успел переодеться. Значит, ему пришлось сменить брюки. Обделался Бобровский», — со злорадством заключила Нина и закрыла глаза, опустив голову на скрещенные руки.

В кабинете, куда ее ввели, было очень накурено. Нина едва различала лица милиционеров, да ей и не хотелось на них смотреть. Но опустить перед ними глаза она тоже не могла, и стояла, гордо подняв подбородок и равнодушно глядя поверх их голов.

— Принимай груз. По вызову с телевидения.

— Что за прошмандовка? Проститутка?

— Типа того. Манекенщица. Крыша у бабы поехала. Стрельба, покушение на убийство, оружие, сопротивление сотрудникам при задержании. В общем, по полной программе приказано оформить.

Милиционеры уважительно присвистнули.

— Оформляй задержание.

Автоматчики ушли, и в кабинете остались два сержанта. Толстый сидел за столом, разгребая бумаги, чтобы освободить место для нового листка. Второй, прыщавый, ходил вокруг Нины, со всех сторон оглядывая ее.

— Прокудин, сблочь ей браслеты.

Прыщавый сержант снял с Нины наручники, при этом он задержал ее кисть в своей потной ладони, разглядывая обручальное колечко.

Положив перед собой чистый бланк, толстый сержант глянул на Нину:

— Члено-раздельно. Фамилия, имя, отчество.

— Силакова Нина Ивановна.

— Деньги, ценности — на стол.

Нина вытряхнула из сумочки все, что в ней было. Увидев несколько долларовых бумажек, подумала: «Надо было все отдать священнику. Жалко, не разглядела».

— Кольца, часы, — подсказал толстый.

Она с трудом стянула с пальца колечко, которое никогда не снимала.

— Отлично. Подпишись вот тут.

Как только Нина, не читая, поставила свою подпись, толстяк одним движением смахнул деньги, кольцо и часы в ящик стола и сказал удовлетворенно:

— Значит, денег и ценностей нету? Ну ладно. Ставим прочерк.

Прыщавый сержант протянул руку к ее шее, откинул волосы и резко сорвал с нее золотую цепочку с крестиком.

Нина поморщилась от боли и отвращения, но все же пересилила себя и попросила:

— Крест отдайте.

— А ты что, верующая? Богомолка?

— Отдайте.

— Отсосешь, отдам.

— Прокудин, Прокудин! — укоризненно протянул толстяк. — Что за речи! Здесь, между прочим, присутствуют более старшие по званию.

«Почему они издеваются надо мной? — подумала Нина. — Я им ничего плохого не сделала. Я не бомжиха, не воровка, не наркоманка. За что же они так ненавидят меня?»

Прыщавый Прокудин, ухмыляясь, за плечи развернул Нину лицом к стене и подтолкнул вперед:

— Руки на стенку, наклониться! Начинаем осмотр задержанного. Ноги шире. Еще шире, вот так...

Упираясь ладонями в грязную стену, Нина почувствовала, как потные руки обхватили ее за талию.

— Осмотр проведем по полной программе, — мечтательно протянул Прокудин, и его руки скользнули выше, по ребрам Нины, и схватили ее за грудь.

— Худая-худая, а станочек что надо, — прокомментировал из-за стола толстяк.

Прокудин вдруг прижался к Нине сзади, и она с отвращением заметила, что он уже возбудился. Дальше терпеть это не было сил.

Она подалась животом вперед и тут же резко согнулась, изо всех сил ударив тазом в пах Прокудина. Тот крякнул и отпустил ее. Нина развернулась и, соединив ладони, с размаху врезала обеими руками в ухо насильнику. Сержант повалился на пол.

— Ты что, сука!

Толстый сержант выскочил из-за стола, в руке его была резиновая дубинка, и он, без замаха, снизу, рубанул Нину поперек живота. Она задохнулась от боли и так и застыла, согнувшись пополам.

А толстяк еще звонко залепил ей затрещину по уху, и Нина отлетела к стене.

Прыщавый, матерясь, поднялся с пола и пнул Нину сапогом. Толстяк надел на ее запястья наручники и приказал:

— Тащи ее, Прокудин, в обезьянник. Не хотела по-хорошему, пусть мандавошек наберется. К бомжам ее.

Нина все еще не могла вздохнуть после страшного удара дубинкой, а Прокудин уже волок ее за собой по грязному коридору к какой-то темной комнате за решеткой. Оттуда несло густой вонью мочи и застарелых грязных волос.

Он отпер решетчатую дверь и, сняв один наручник с руки Нины, толкнул ее внутрь.

— Руки! Руки наружу! — прорычал Прокудин, и Нина просунула руки между прутьями решетки.

Он быстро защелкнул наручники на запястьях так, что Нина осталась стоять лицом к коридору, прикованная к решетке.

— Эй, половые гиганты, — обратился прыщавый к тем, кто зашевелился за спиной Нины в темной камере. — Даю вам полчаса на все удовольствия. В порядке живой очереди.

Он присел и расстегнул молнию на джинсах Нины. Джинсы опустились до колен, и Нина с ужасом оглянулась. Из темноты на нее смотрели несколько пар блестящих глаз. Она разглядела небритые грязные физиономии, подбитые глаза и расквашенные губы, засаленные волосы — и что было сил стиснула бедра и прижалась животом к ледяной решетке.

Прокудин похлопал ее по щеке и ухмыльнулся:

— Не скучай тут.

Один из бомжей уже приближался к ней, почесывая живот. Он был огромный, бородатый и плешивый. Остальные бомжи хихикали, глядя, как Нина беспомощно оглядывается и пытается подтянуть джинсы. И вдруг один из них, сидевший в самом темном углу, поднялся и вышел на середину камеры. Его голос прозвучал спокойно, но требовательно:

— Отойди от человека, гнус немытый.

Бородач развернулся и двинулся на него, сжимая кулаки. Но его противник, на голову ниже ростом, не испугался, не отступил. Наоборот, он шагнул к бородатому и сделал неуловимо быстрое движение рукой, в которой что-то сверкнуло. Бородач остановился и с изумлением уставился на свой живот, который вдруг обнажился из-под разрезанной поперек рубахи.

— Толян, ты чего, в натуре? — обиженно промычал бородач, прикладывая отвисающий лоскут на место. — Первым хочешь, так и сказал бы. А то сразу бритвой махать.

Недовольно бурча, он уселся обратно на широкую скамейку, распихав своих соседей. А бомж, которого он назвал Толяном, обратился к присутствующим с короткой речью:

— Милостивые государи. Отодвиньтесь на хрен в самый дальний угол, по причине вашей невыносимой вонючести и вшивости. А кто прыгнет на девушку, я того попишу.

Он скрестил руки на груди и обвел публику надменным взглядом. Бомжи, ворча, сдвинулись плотнее и забились в угол, освободив на скамейке место. Толян закашлялся, вытер губы рукавом и повернулся к Нине. Он, не прикасаясь к ней, ловко подтянул джинсы и застегнул молнию.

— Садись, Снегурочка с третьего этажа.

Нина села на уголок скамейки, неловко вывернув руки, прикованные к решетке.

— Тебя за что, Снегурочка?

— Долго говорить.

— А сидеть долго?

— Все равно...

— Ну, что за мотивы безысходности! Вот я, со всей своей эрудицией и тонким художественным вкусом, сижу на нарах, как мелкий хулиган. Но я и есть мелкий хулиган. А ты — птица высокого полета. Ты в этой клетке не задержишься.

Он осторожно погладил ее по руке, и Нина вдруг разрыдалась. Она стонала и вздрагивала всем телом, но слезы не текли из ее глаз, и от этого ей становилось все хуже и хуже. Пережитый страх, боль в груди, мерзкие лапы сержанта... Она чувствовала, что ее страдания только начинаются. «За что, за что?» — с отчаянием повторяла она.

— Ты не убивайся так, — посоветовал Толян. — Им твои слезы в радость. Держись как в больнице. Спокойно, вежливо. Не спорь с ними. Ничему не верь, ни одному слову. И жди, когда все кончится. Все пройдет. Самое тяжкое — это здесь, в изоляторе. А после суда просто райская жизнь наступает. Люди и по сорок лет сидят — и ничего.

Его ровный голос помог ей если и не успокоиться, то, по крайней мере, справиться с рыданиями. Она понемногу распрямилась и смогла, наконец, вдохнуть полной грудью.

— Вот, уже веселее, — сказал мелкий хулиган. — Надо же, Снегурочка, где встретились. Я тебя знаю, ты Колькина соседка. Думаешь, Колян не сидел? И он от звонка до звонка отпахал свое. И Достоевский, и О'Генри, все сидели.

«Что теперь со мной будет? — думала Нина, слушая своего спасителя. — Буду сидеть в тюрьме? Валить лес? Нет, женщины, наверно, на других работах. Сколько лет мне дадут? А Петенька, как он вырастет без меня? Поймет ли он меня когда-нибудь, простит ли? Мама, мама, молись за меня...»

Она прислонилась к стене и опустила голову на скованные руки.

— Вот так, хорошо, — одобрил Толян. — Сил тебе много потребуется. Отдохни, вздремни. Полчаса, а твои. А я рядом, я постерегу. Не бойся ничего.

13

Первый допрос проходил в том же кабинете, где Нина билась с двумя сержантами. Но на этот раз за столом сидел седой мужчина в штатском, в толстых очках. Нина узнала его. Это он расспрашивал ее о Саше.

— Вы должны честно рассказать нам о своем муже, — говорил следователь. — Все, что знаете.

— Я знаю, что мой муж прекрасный человек. Он ни в чем не виноват.

— Какие планы были у вашего мужа?

— Завести второго ребенка.

— Куда он планировал поехать? Кто приходил к нему? О чем велись беседы?

— Мой муж погиб. Вы убили его.

Следователь оторвал взгляд от бумаги:

— Опять вы за свое... Я вам очень сочувствую, но боюсь, дело так не пойдет. Нина Ивановна, вы же умный человек. Зачем вам губить себя?

Он попытался заглянуть в ее глаза, но Нина отвернулась, глядя в стену.

— Поймите, Нина Ивановна, все очень просто. Ваш муж погиб. А вы — живы. И жизнь будет еще долгой. Но сломать ее очень легко. Первый колоссальный шаг к этому вы уже сделали. Теперь так. Если вы нам поможете, мы попробуем спустить дело на тормозах. В состоянии аффекта после гибели мужа... и прочее. Получите условно, амнистия, и все. Будете упорствовать — будет на всю катушку. Не потому, что я — сволочь. Таковы правила. Вы нам — мы вам. Утром деньги, вечером стулья. И лучше вам согласиться.

— Я памятью не торгую.

Следователь раздраженно отодвинул листок.

— Да разве речь о памяти? Речь идет о вашей дальнейшей жизни. Ведь вы нужны вашему сыну, вашей матери. Вы нужны обществу. Да-да, это не демагогия. Если мы будем истреблять вот таких, как вы, то с кем мы останемся? С проститутками и наркоманками, которые могут откупиться от любого суда? Я спасти вас хочу, а вы...

Он встал и прошелся по кабинету, постукивая авторучкой по ладони.

— Вы убили моего мужа, а меня хотите спасти? Довольно странная логика, — сказала Нина. — Вы привезли меня в тюрьму, меня тут избили, чуть не изнасиловали, да еще и ограбили. Вот как вы меня спасаете. Огромное спасибо.

— Вас ограбили? — он остановился.

Она махнула рукой.

— Да пусть подавятся. Вот только крестик жалко.

— Я разберусь.

Он поднес к лицу заполненный бланк.

— В протоколе задержания записано, что денег и ценностей при вас не обнаружено. Про крестик ни слова. У вас точно был крестик, вы не путаете? На золотой цепочке, наверное?

Нина не сочла нужным отвечать, молча уставившись на стену перед собой. А следователь выдвинул ящик стола, порылся там и наконец достал картонную коробку из-под презервативов. Он высыпал из нее на стол что-то звонкое и блестящее. Нина невольно наклонилась к столу, чтобы разглядеть эту горку.

— Посмотрите, Нина Ивановна, здесь его нет?

Перед ней на исцарапанной столешнице лежала россыпь нательных крестов. Большие и маленькие, белые и желтые, один деревянный, а один — черный, из полированного камня. Нина догадалась, что все они когда-то висели на золотых цепочках, как и ее крест. Цепочки исчезли, а вот крестики забрать милиционеры почему-то не решились. Хотя среди них были и серебряные и даже пара золотых.

И вдруг она узнала свой крестик. Он был совсем простенький, но другого такого в этой коробке не оказалось.

— Вот он, — Нина осторожно отодвинула его пальцем от общей кучи.

— Вы уверены? Это же обычная штамповка, алюминий. Смотрите, ошибка может иметь самые катастрофические последствия, — серьезно предупредил следователь. — Вы знаете, что вместе с чужим крестом человеку передается чужая судьба? У меня был интересный случай. Один подследственный на свободе был обычным человеком, таксистом. Однажды он вез пьяного, тот загадил ему всю машину, но расплатился долларами. Во время уборки таксист подобрал в салоне своей «Волги» потерянный золотой крест. Тогда, в восьмидесятые, это была ценная находка. Но он не продал его, а стал носить сам. Через неделю или две его начали таскать в убойный отдел, допрашивать по поводу того самого пьяного. Оказалось, наш таксист подвез серийного убийцу. Так вы знаете, что случилось потом с этим таксистом? Прошло время, и я снова встретился с ним. Но он был уже не свидетелем, а обвиняемым. И обвинялся по сто пятой статье![1] Представляете?

— Я могу его забрать? — спросила Нина, зажав свой крестик в кулаке.

— Пожалуйста, — следователь снял очки и протер стекла носовым платком. — Вот видите, Нина Ивановна, мы же можем установить взаимопонимание. Давайте продолжим. Итак, с кем встречался ваш муж...

Нина не отвечала, да она уже и не слышала никаких вопросов. Странное оцепенение охватило ее. «Пусть будет что будет, — мысленно повторяла она. — Все равно это когда-нибудь кончится. Пусть будет что будет».

Видимо, такое поведение не понравилось следователю. Возможно, он ожидал какой-то благодарности. Но не дождался. И, когда он ушел, Нину отвели в карцер.

Она устало прислонилась к сырой кирпичной стене, но из-за железной двери последовал окрик:

— Не опираться!

Стоило ей присесть на железную скамейку, как окрик раздался с новой силой:

— Встать! Садиться до отбоя запрещено.

Нина послушно встала. Она поняла, что теперь не сможет сделать ни одного свободного движения. Лишение свободы, вот как это называется. Лишение свободы.

---

[1] Статья 105 УК РСФСР – предумышленное убийство.

14

В карцер Нину отправили не из-за того, что она молчала. Следователь, закончив допрос, переговорил с оперативным дежурным насчет некоторых особенностей оформления задержанных и ушел. Оперативный дежурный вызвал обоих сержантов, и толстого, и прыщавого, и устроил им разнос с выволочкой и особо жестокими обещаниями. После чего ушел. А сержанты, вернувшись к себе, отправили вредную задержанную в карцер. Просто так, для «воспитательной профилактики правосознания», как выразился младший сержант Прокудин, разглядывая в зеркале свое травмированное распухшее ухо.

Так уж устроен этот мир. Сержанты мучают задержанных, капитаны орут на сержантов, полковники обещают вывернуть матку капитанам, а генералы тихо-спокойно, одним росчерком пера превращают полковников в отставников, что и является самой страшной карой. И только генералов никто не гонит в три шеи, никто им матку не выворачивает, никто не обещает сгноить их в круглосуточных нарядах, и уж тем более никто не посадит генерала в карцер.

Потому что генерал должен сидеть в своем кабинете, в кожаном кресле, и спокойно работать с документами.

Один такой генерал как раз задумался над очередным документом, когда его побеспокоил вкрадчивый голос из селектора:

— Владимир Макарович, к вам заместитель генерального директора телекомпании «Медведь».

— Кто это? — нахмурился генерал, который терпеть не мог телевизионщиков, газетчиков и прочих журналюг.

— Иван Ефимович Бобровский.

— Да-а? — сразу оттаял генерал. — Пусть заходит.

Этого репортера генерал помнил еще по своей старой работе. Хороший репортер, сообразительный. Всегда все согласовывал, акценты расставлял верные, в духе требований. Таких репортеров сейчас мало, все нынче с норовом.

Бобровский вошел в кабинет, приветливо улыбаясь и держа одну руку за спиной.

— Что прячешь? Гранату? — спросил генерал, вставая навстречу гостю и протягивая ему руку. — Мне докладывают, ты растешь.

— Исключительно благодаря сотрудничеству с вами, товарищ генерал-полковник, — ответил журналист и ловким движением поставил на стол плоскую бутылку зеленого матового стекла.

— Реми Мартин! — уважительно произнес генерал. — Растешь, я вижу, растешь стремительно!

В прежние времена генералу случалось выпивать с Бобровским. Под рюмочку хорошего коньячка решались любые вопросы. Пили они армянский и дагестанский, позже — «наполеон» польского разлива. А нынче — пожалуйста, французский.

Генерал не стал откладывать дегустацию и выставил на стол две дежурные рюмки.

— Давай, Ванюша. За твой успех.

— За наш, — многозначительно поправил Бобровский.

— Значит, заместителем генерального стал? Как это ты вовремя подгадал. Как раз к предвыборной кампании.

— В жизни, товарищ генерал, самое главное — это в нужный момент оказаться в нужном месте.

— Что же, место твое очень даже нужное. Хорошо, что старых друзей не забываешь. Как говорится, будем действовать согласованно. Правильно я понимаю? Хорошие люди должны помогать друг другу.

Бобровский кивнул:

— Для ваших хороших людей, Владимир Макарович, у меня всегда найдется эфирное время.

Генерал понял, что сейчас журналист чего-то попросит. Недаром он так легко пообещал свое содействие.

— Как здоровье после покушения? — запоздало поинтересовался генерал. — Болит рука-то?

— Ерунда, элементарный ушиб. Задел локтем об лестницу. Я, кстати, хотел с вами об этом поговорить. В отношении этой стрелявшей. Нины Силаковой. Вдовы Ветра.

— Давай.

Бобровский крутил между пальцами тонкую ножку рюмки, разглядывая на свет остатки коньяка.

— Тут вот какое дело... деликатное, Владимир Макарович. Я заявление по этому случаю не писал. Вы понимаете, я ее знаю очень давно. Эту Силакову. Мы даже дружили... Она баба всегда была на нервах, с придурью...

— По ней и видно. Нормальные бабы за киллеров замуж не выходят.

— Да, это тоже еще, Ветер этот... Она его любила без памяти, всегда ждала, верила и ни о чем таком не подозревала. Он от нее все успешно скрывал. Она ему только в рот смотрела.

— Ну да, артист известный, — мрачно кивнул генерал и налил еще по половине рюмки.

О делах убитого киллера он знал побольше Бобровского, но не счел нужным вставлять свои комментарии. Пусть журналист свободно выскажется, сформулирует задачу, а там видно будет. Если он, скажем, потребует доступа к каким-то уголовным делам, это одно. А если захочет копнуть биографию Саши Ветра, то это совсем другое. Тут никакой коньяк не поможет, подумал генерал.

— Я думаю, у нее от всех переживаний натурально крыша поехала, — говорил Бобровский. — Жалко мне ее. У нее ребенок остался маленький. Если бы можно, Владимир Макарович, это дело замять... И нам с вами эта история, честно говоря, совсем ни к чему. Начнутся всякие разговоры: «Какая такая компания «Медведь»? Это где баба в студии перестрелку устроила?» А ведь так и начнут болтать. А рейтинг от таких разговоров, как вы сами понимаете, не подскочит. Баба отсидит, пойдет языком молоть, еще наврет с три короба. Зачем нам эти лишние слухи и сплетни?

— Лишних не надо, нам и старых хватает, — генерал отмахнулся. — Так-так, я тебя понял. Ну, и что ты предлагаешь?

— Ну, она же с придурью. А с больной какой спрос? Ее лечить надо, а не судить. Владимир Макарыч? За мной ведь не заржавеет. Я на добро памятливый.

— Лечить, говоришь? Ладно. Вопрос порешаем, — генерал нажал кнопку селектора. — Оленька, по делу Нины Силаковой, кто там, завтра ко мне, к восьми утра.

— Так точно, Владимир Макарович.

Генерал поднял рюмку.

— Должок за тобой, Ванюша.

— Базара нет, — Бобровский понятливо улыбнулся.

15

Нина всегда была способной ученицей. Может быть, до отличницы она и не дотягивала, но учителя ее хвалили. Старательная девочка, говорили они, все на лету схватывает. Правда, знания, схваченные впопыхах, так же легко и покидали ее голову сразу после очередной хорошей оценки. Нину это не особенно расстраивало, потому что в жизни было множество вещей поинтереснее школьной программы. Но она всегда успевала понять, чего от нее хочет тот или иной преподаватель, и всегда выдавала правильные ответы.

Ее школьные навыки помогли Нине практически мгновенно овладеть профессией. Они же пригодились ей и в изоляторе временного содержания. Уже на втором допросе Нина сидела на стуле ровно, колени сведены, руки на коленях, прямой взгляд в глаза следователя. Ответы четкие и по существу.

Единственной проблемой оставалось то, что Нина упорно отказывалась врать.

Ей предложили дать показания о том, что покойный муж планировал и осуществил убийство Листьева, Холодова и Старовойтовой. Она отказалась.

Это предложение повторялось изо дня в день, и Нина отвечала на него одной и той же фразой:

«Мой муж никого не убивал. Это вы убили его».

Следователи менялись, но их требование оставалось прежним. Чем только ни грозили неуступчивой арестантке, но Нина стояла на своем.

Она не считала дней, но прошло не меньше двух недель, когда перед ней появился еще один следователь. Молодой, краснолицый, с обширной лысиной, которую он маскировал, зачесывая волосы от уха до уха.

Он долго сверлил Нину взглядом, прежде чем выложить перед ней чистый лист бумаги и авторучку.

— Даю тебе последнюю возможность, Силакова. Дашь показания — выйдешь на свободу. Не дашь — отправишься в камеру к маньячкам.

— Я уже дала все показания по своему делу, — ровно ответила Нина.

— Твое дело — херня на постном масле. Нет никакого дела. Ты думаешь, меня государство столько лет учило, чтобы я мелкое хулиганство расследовал? Пиши.

— Что?

— Как твой муж подготовил и осуществил убийство Листьева и Старовойтовой. Напишешь — получишь условно.

Нина едва не напомнила ему, что он забыл вставить в этот список еще и Холодова. Но сдержалась, и ответила, как всегда.

— Мой муж никого не убивал. Это вы убили его.

— Не будь дурой, Силакова.

— Это вы убили его.

— Еще раз такое услышу, брошу в камеру к маньячкам.

— Это вы убили его.

Следователь сдержал слово. И прямо из кабинета Нину отвели в какую-то другую камеру.

Она осталась стоять у двери. Множество женских лиц повернулись к ней со всех нар, снизу и сверху.

Высокая худая женщина со шрамом через лицо спрыгнула с нар и направилась к Нине. Напевая «Бьется в тесной печурке огонь», она вертела в руках веревочку. Приглядевшись, Нина увидела, что это не просто веревочка, а длинная петля.

«Она ненормальная», — подумала Нина, увидев глаза этой женщины. Они казались абсолютно черными из-за расширенных зрачков, да еще и смотрели в разные стороны. Тонкие губы раздвинулись в кривой улыбке, обнажив редкие зубы.

«Такая убьет и не заметит, — Нина прижалась спиной к двери. — Нет, голубушка, лучше не трогай меня».

Она незаметно отвела ногу назад, готовя замах для удара. «Если сумасшедшая набросится, бью в голень, — рассчитывала Нина. — А если накинется вся толпа, свернусь калачиком у двери. Попинают и отстанут. А убьют... так и кончится все».

Несколько суток карцера, голод и непрерывные допросы сделали свое дело. Ниной овладело полное равнодушие. Грязная одежда, слипшиеся волосы, нечищеные зубы — все это поначалу причиняло ей почти физическое страдание, но сейчас ей было уже все равно.

Она без страха смотрела на петлю в руках сумасшедшей уголовницы. Нина была готова расстаться с жизнью. Но все, что осталось у нее, — это способность сопротивляться. И она будет сопротивляться, сколько хватит сил. Сопротивляться следователям, наверное, даже труднее, чем ввязаться в драку с толпой уголовниц. Потому что там, в кабинете, Нина не могла отвести душу и влепить ему пощечину, которой он заслуживал.

А тут, в камере, никто не остановит ее, и она даст волю своим кулакам, локтям и коленям.

Женщины в камере притихли, наблюдая, как уголовница со шрамом приближается к Нине, поигрывая петлей и напевая.

— Будешь моей болонкой, — проговорила она, оборвав песню.

Неожиданно с нижних нар поднялась коренастая, широкоплечая, очень толстая тетка. Не говоря ни слова, толстуха остановила уголовницу со шрамом, ткнув пальцем ей в грудь:

— Отдохняешь, Зоечка. Она моя.

Продолжая петь «Землянку», Зоечка повернулась на сто восемьдесят градусов и так же медленно побрела обратно.

А толстуха шагнула к Нине. Подойдя поближе, она молча размахнулась и ни с того ни с сего ударила Нину в глаз своим мягким кулаком.

Это было не больно, но Нина ударилась спиной о дверь и схватилась за лицо. Толстуха тут же набросилась на нее всей своей тяжестью, по-борцовски обхватила шею и пригнула к полу.

Нина услышала ее шепот:

— Стони ты, дура, стони, как будто больно... Это ты жена Сашки Ветра?

— Да... — Нина простонала.

— Громче стони, мать твою перемать. Сейчас отпущу и в другой глаз тресну. Вырывайся.

Ее хватка ослабла, и Нина без труда вырвалась из рук толстухи. Она едва успела подняться на ноги, как получила новый удар по скуле и снова оказалась зажатой мощными руками. Толстуха навалилась на нее, прижав голову Нины к своему животу, и опять зашептала:

— Скажешь, что били башкой об стену. Синяки под глазами, тошнит, сотрясение мозга. Усекла? Отправят в больничку. Ты стонать-то не забывай, дура, они ж там слушают, под дверью, волки позорные. Это они заказали тебя отмудохать. Давай покричи, что ли!

Нина изобразила жалобный стон.

— Ах ты курва! — дико заорала на нее толстуха и вцепилась ей в волосы. — Мозги размажу!

Со стороны, наверно, это выглядело ужасно: толстуха схватила Нину за волосы и била головой о железную дверь. Но весь фокус был в том, что страшные удары принимали на себя пухлые пальцы, которыми толстуха прикрывала Нину, как шлемом.

— Я Саломятина, Вика-Деточка, запомнишь? Сашка твой уважаемый был человек. По понятиям жил, по понятиям сгинул. Запомнишь Вику-Деточку?

— Да.

— Кому надо, расскажешь при случае, чтоб знали. Сейчас отпущу. Падай, блюй и стони. И не разговаривай.

«Ударив» об дверь еще раз, толстуха отпустила Нину, и та повалилась у порога, не переставая стонать. Дверь камеры распахнулась, на пороге выросли милиционеры.

— Что за шум, а драки нету? — спросил один, а второй носком сапога перевернул Нину на спину.

Толстуха уперлась руками в бока, вызывающе выпятила грудь и хорошо поставленным голосом опытной базарной скандалистки выдала классическую блатную фразу:

— Эту клизму зачуханную еще тут увижу, запрессую! На штыке отрихтую! Печенками рыгать будет!

— Что, Деточка, в кондей захотела? — вяло пригрозили милиционеры, выволакивая Нину из камеры.

Они притащили ее в кабинет и усадили на стул. Красномордый следователь оглядел ее и, видимо, остался доволен осмотром.

— Что, Силакова, поскользнулась?

Нина, вспомнив инструкцию Вики-Деточки, простонала, качая головой и держась за ушибленные скулы.

— Последний раз тебя спрашиваю. Будешь писать показания на Ветра?

— Тошнит меня, — простонала Нина. — Плохо мне.

— Сама виновата. Ничего, мы твое здоровье поправим, — пообещал следователь. — Ты направляешься на обследование в институт Сербского. Думаю, тебе там быстро освежат память. Если в психушке вдруг что-то вспомнишь про мужа, скажи врачам. Только не опоздай.

16

Чтобы Нину перевели из тюрьмы в дурдом, Иван Бобровский потратился на французский коньяк.

Для уголовного авторитета по кличке Шепель этот перевод обошелся бы дороже. Но он привык не считать денег, когда необходимо было поступить «по понятиям». А «понятия» требовали непременно выручить из ментовских лап жену погибшего товарища.

Сашка Ветер работал на Шепеля давно, и работал четко. Когда-то Ветер спас ему жизнь, и Шепель не забывал об этом никогда.

Но вытащить Нину из-под следствия было необходимо и чисто для собственной безопасности. Девчонку могли в конце концов расколоть. Ее показания могли стать основой для новых дел. И хрен его знает, чем все могло кончиться. Время сейчас такое, никакой стабильности.

Потому и попросил Шепель одного своего человечка подсуетиться насчет Нины.

Но французский коньяк журналиста сработал быстрее, чем деньги Шепеля. И к тому времени, когда его «человечек» вышел на нужного мента, Нина уже покинула изолятор.

О чем и было немедленно доложено.

— Прикинь, Шепель, — докладывал «человечек», подсев к его столу в пустой шашлычной. — Сунулся я в мусарню, туда-сюда, вышел на нужного мента, башли подготовил в лапу сунуть, а ее — хлоп! И без нас переводят. Прямо передо мной выезжает машина и ее перевозят в дом жизнерадостных. Сэкономил бабки. Держи.

Он протянул боссу пухлый конверт.

— Молодец, Егор, — сдержанно похвалил Шепель, хотя парень и не сделал ничего особенного. Но ведь старался, суетился, молодец. — А она тебя видела?

— Конечно, без понтов, — заверил Егор. — Я там все сделал, чтобы перед ней нарисоваться. Чтобы она думала, что это все-таки мы постарались.

— Ты ей дал знать? Как?

— Шепель, ну, как... Как «дал»? Я за ее машиной ехал, всю дорогу фарами ей моргал... и еще моргал, когда ее завозили.

— А говоришь, видела. Она тебя, может, и не видела.

— Ну... не знаю. Наверно, видела. Если глаза не закрыла.

— Язушку ей пошли, пусть чудачка маленько успокоится. Говорят, она в мусарне себя хорошо вела.

— Говорят, хорошо.

— Так язушку пошли, не забудь. Пусть знает, что мы о ней беспокоимся. Выпустят ее, будет думать, что это мы ее вытащили. А не выпустят —

пусть надеется, что мы ее вытащим. И так хорошо, и так. Обязательно язушку пошли. От имени всех друзей.

— Ладно.

Шепель отхлебнул чай из хрустального стакана. К столу подлетел хозяин заведения и подал тарелку с шашлыком.

— Спасибо, Рустам, спасибо, дорогой. Сколько я тебе должен?

Рустам возмущенно замахал руками и удалился, чтобы не мешать деловой беседе.

— Хороший шашлык на этом рынке мастырят, — сказал Шепель, прожевав первый кусочек. — Честный шашлык. Что у тебя еще?

— Я могу уработать банкира, — тихо сказал Егор.

— Да, честный шашлык, — повторил Шепель, словно не расслышав собеседника, и даже почмокал губами от удовольствия.

То, что шашлык был назван «честным», вовсе не означало, что он был вкусным. Нет, Шепель просто отметил, что порция была большой, и куски баранины были крупными, и зелень на отдельной тарелке тоже высилась горкой. Ничего не пожалел Рустам для своего покровителя. Вот что значит честный шашлык. А вкуса Шепель не замечал. Особенно после слов Егора. Потому что он терял аппетит при одном только упоминании о банкире.

Дело в том, что уголовный авторитет Шепель давно мечтал превратиться в легального бизнесмена Юрия Павловича Шепилова. Для этого преображения было готово почти все. Оставалось только совершить кое-какие финансовые и юридические процедуры, после которых Шепелю не придется больше собирать дань с московских барыг. Он будет жить чисто на свою зарплату, скромное жалованье председателя совета директоров нефтяной компании. Плюс дивиденды. Плюс кое-какая недвижимость под Москвой, в Ницце и в этом самом, как его... в Майами. Нехилая перспектива.

Но, чтобы захватить эту компанию, надо обойти конкурента, которого звали «Нефтемашбанк». А во главе этого банка стоял неуступчивый банкир, который и сам, видать, раскатал губу на Майами. С банкиром пытались договориться по-хорошему. Не вышло. Тогда Шепель решил для начала лишить банкира его парламентской крыши, и депутат Дерюгин получил две пули в область сердца, плюс контрольный выстрел в голову. Минус Сашка Ветер. Какая-то крыса сдала Сашку, и тем самым счет сравнялся. Один — один. И выиграет тот, кто первым сделает следующий ход.

Он отхлебнул чай и ничего не ответил Егору. Тот понял это как предложение развить тему.

— Мне еще Ветер говорил, что я уже ученый, — быстро сказал Егор. — Он давно говорил, что я могу уже вместо него работать.

Шепель долго возил куском мяса по тарелке, размазывая кетчуп. Его молчание вдохновило Егора, и тот даже привстал:

— Ты сам видишь, я четко работаю. С чудачкой его я же все организовал как надо. И по бабкам уложился, все чики-чики.

Шепель отодвинул тарелку и огляделся в поисках салфетки. Егор живо протянул ему свой носовой платок, и Шепель не спеша вытер испачканные кетчупом пальцы.

— Был бы Ветер, он бы сам тебе сказал, — добавил Егор. — Он...

— Был бы Ветер, я бы с тобой не разговаривал, — перебил Шепель. — Что за базар, что ты сделал? Дело великое — договорился менту в лапу сунуть? Ну, сунул бы, он бы ее на экспертизу отправил. Он ее и так отправил. Сейчас лепиле в лапу сунешь, он ей послабление даст. Ты же ее из дурдома не тащишь!

— Об этом вообще разговора пока не было.

— А какие тебе разговоры нужны? Ветер твой был друг или мой?

Егор виновато отвел взгляд. Шепель, довольный тем, как смог осадить мальчишку, спросил:

— Что за банкира хочешь?

— Этот рынок хочу.

— Все?

— Еще аванс. На текущие траты. На разработку.

— Сколько?

— Пока тысячи четыре. Потом еще может быть.

— Губенка не дуреха. Сроки?

— Месяца два на разработку. Потом — когда скажете.

— Почему так долго?

— Бережется он...

Это был уже конкретный разговор. Шепелю понравилось, что Егор не виляет, не напускает туману. Два месяца? Срок реальный. Даже профессионалы не взялись бы устранить банкира быстрее. Четыре тысячи? Не уложится он в такую смешную сумму, будет вытягивать еще. Не страшно, на такое дело не жалко и потратиться чуток.

Этот банкир был у Шепеля как кость поперек горла. И в ближайшем будущем эту кость надо уничтожить. Шепель и сам собирался искать исполнителя. А тут на ловца и зверь бежит.

— М-да, — недовольно протянул он. — Два месяца... Ветер бы его оперативно шваркнул.

— У Ветра опыт был. А у меня без практики опыт откуда возьмется?

— М-да... ну ладно, — Шепель, не оглядываясь, постучал по стакану вилкой. — Рустам, иди сюда.

Хозяин шашлычной вырос перед ними как из-под земли.

— Рустам, теперь это ваш смотрящий. Все дела по рынку — с ним.

— Очень приятно, — Рустам широко улыбнулся, просто расцвел от счастья. — Мы с Егором давно знакомы. Молодой, умный, авторитетный. Наконец, он просто хороший человек. Егор, шашлык будешь?

— Нет.

— Пора мне, — Шепель встал. — Егор, так смотри. Время пошло.

17

Тюрьма имеет, по крайней мере, одно преимущество перед психушкой — любой зэк знает свой срок, а душевнобольного могут обследовать и лечить до самой смерти.

Точные сроки выписки не в силах установить ни один врач, так как в процессе лечения может понадобиться дополнительное время для проведения тех или иных мероприятий или же может наступить ухудшение в состоянии здоровья. Примерно так ответил Нине врач, когда она спросила, надолго ли ее сюда поместили.

Поначалу ей казалось, что все ее новые соседки на самом деле такие же нормальные, как и она, только по каким-то причинам прикидываются больными.

В первый же день к ней подошла низенькая старуха. Она долго вглядывалась в лицо Нины, словно встретила старую знакомую, да никак не может вспомнить ее имя. Потом вдруг схватила за плечи и закричала с театральной яростью:

— Вот и ты, лярва! Ты убила моего сына! Ты думаешь, ты теперь ускользнешь?

Старуха разразилась диким хохотом, а Нина, растерявшись, стояла перед ней, беспомощно оглядываясь. Откуда-то появился санитар. Он молча схватил старуху за волосы, ударил по рукам и потащил ее куда-то по коридору. При этом старуха ликующе хохотала.

«Вот и я стану такой, как она», — с ужасом подумала Нина.

Санитар, утащивший старуху, вернулся в сопровождении врача, и тот, проходя мимо Нины, кинул на нее быстрый взгляд и распорядился:

— А этой, новенькой, тоже вколоть аминазин и — в простынку, в простынку. Чтоб побыстрее очухалась.

— Зачем мне аминазин? — спросила она. — Я здорова.

— А здесь все здоровые, — ответил врач. — Аминазинчик — это такой витамин. Общеукрепляющий. Хуже не будет. И в простынку, в простынку.

Вот тогда-то, завернутая в мокрую холодную простыню, лежа на дне ванны, Нина и узнала, что выпишут ее отсюда неизвестно когда. Ее будут обследовать и при необходимости лечить. Если она будет буянить, то получит усиленные дозы аминазина. От бредовых состояний прекрасно помогает трифтазин и галоперидол. А если не будет ни буйства, ни бреда, то это признак депрессии, и в таких случаях назначается мелипрамин, тизерцин или на худой конец нуредал.

Наверное, все эти медикаменты с успехом применялись для лечения других обитательниц палаты с решетками на окнах. Но Нина, кроме обещанного аминазина, получала от медсестер только желтые драже аскорбинки.

Она потеряла счет дням. И как-то неожиданно обнаружила, что за окнами кружатся желтые и бурые листья.

Стоя у окна и глядя на задний двор больницы, она пыталась вспомнить, сколько же недель, а может быть, и месяцев, прошло с того дня, когда она сюда попала.

За ее спиной слышался обычный гомон: «Давай, давай. Сейчас он наладит», «Я болею за футбол», «Я это место заняла, вали отсюда».

Бывшая прокурорша громко напевала: «Я раньше вышивала крестом и гладью». Это был лучший номер ее богатого репертуара, но она исполняла его, как и все прочие номера, лишь до второй строчки — берегла связки. Она по двадцать четыре раза в день сообщала, что сам Гергиев добивается ее выписки, чтобы немедленно включить выдающееся меццо-контральто в свою труппу.

«А я болею за футбол», — настаивала продавщица из «Березки». Хотя ее магазина давно уже не было, она никак не могла с этим смириться, и даже в больничной палате продолжала приторговывать разным импортным дефицитом, который, впрочем, сама же и производила из обрывков наволочки и старых чулок.

Внезапно сквозь бабий гомон громко и отчетливо прорезался мужской голос: «...И я, Иван Бобровский».

Нина испуганно оглянулась и увидела, что санитар настраивает телевизор, и все ее соседки по отделению уже расселись на стульях перед экраном.

Санитар закрепил антенный кабель и предупредил:

— Если хоть один вопль услышу, выключу на хрен. Поняли, оптимистки?

Женщины молча закивали, и даже прокурорша прикрыла рот ладонью, чтобы не пропеть чего лишнего. Санитар ушел, а на экране остался Иван Бобровский, делающий умное лицо и беззвучно разевающий рот, потому что санитар отключил звук.

— Уберите этого говноеда, надоел, опять новости, музыку найдите, уберите этого говноеда, — загалдели женщины вполголоса. — Ирка, переключи.

Ирка-«Березка» подошла к телевизору и принялась переключать каналы. Зрительницы продолжали препираться, постепенно повышая голос: «А я хочу говноеда», « Я болею за футбол», «Это не говноед, а ведущий тележурналист нашей великой страны», «Найди что-нибудь человеческое». На одном из каналов шел показ мод.

— О, моды, моды! — дружно обрадовались все. — Оставь моды, Ирка!.. Это старые моды, это повтор... Оставь, все равно оставь...

Нина отошла от окна и повернулась к экрану, зябко кутаясь в больничный халат. На экране, в белом платье с розой, летела над подиумом модель Нина Силакова. «А я хорошо смотрелась тогда», — она равнодушно оценила картинку.

— Ёкарный бабай! — ахнули зрительницы. — Бабы, гляньте! Это ж наша Нинулька!..

— Ишь ты... точно! Мало нам на нее тут глядеть, еще по телевизору ее показывают!

— Нинуля! Нинулечка! Глянь-ка! Тебя показывают!

— А жопой-то вертит! Тьфу ты, ей нечем вертеть-то, а она вертит!

— Тебе небось не снилось!

— Да прям!..

Прокурорша вскочила и, распевая «Я раньше вышивала крестом и гладью», вихляя всеми возможными местами, прошлась перед телевизором.

— Не позорься, ты, пивной ларек!

Нина снова вернулась к окну и прижалась лбом к решетке. Прокурорша все не могла угомониться. Распахнув халат, она вихляла бедрами и крутила толстым животом.

— Смотри, мандавошка, как надо! — приставала она к Нине, топоча у нее за спиной. — Есть что показать! Ну чего ты отвернулась, блядушка!

— Отстань от нее!

Нина, не оборачиваясь, молча взяла цветочный горшок с подоконника.

— Что, подстилка бандитская, завидуешь простому женскому счастью? Смотри, как надо! Я раньше вышивала...

На этот раз прокурорше не удалось исполнить до конца даже первую строчку, потому что цветочный горшок с треском раскололся об ее голову.

Когда санитары выбежали из ординаторской и остановились на пороге холла, там царил идеальный порядок.

Больные смирно сидели на стульях, внимательно глядя на экран телевизора. Особенно смирно сидела прокурорша — открыв рот, раскинув руки и закатив глаза.

— Что тут гремело? — спросил санитар.

Никто не ответил ему.

— Еще один звук, и концерт окончен, — грозно сказал санитар. — Силакова, на выход. Врач зовет.

В кабинете врача Нина тихо села на стул сбоку от стола, сложив руки на коленях. Она держала голову ровно и только немного скосила глаза, пытаясь разглядеть, какое число виднеется на перекидном календаре.

— Ну что же, вас можно поздравить, голубушка, — сказал врач, быстро заполняя медицинскую карту. — Никакой агрессии у вас не наблюдается. Суицидальных попыток не отмечено, поведение в целом адекватное. Лечение дало превосходные результаты. Будем готовить документы на выписку. Вы меня слышите?

— Да-да... я слышу! Конечно, слышу! Я чувствую себя хорошо. Голова не болит, — проговорила Нина и вдруг осознала услышанное. — Что вы сказали. Документы на... На выписку?!.

— Нет никаких психоневрологических показаний держать вас в стационаре. Я указал в медицинском заключении, что приступ немотивированной агрессии был спровоцирован нервным срывом, и подобное поведение для вас не является типичным. Думаю, пальба из газового пистолета в общественном месте больше не повторится. А то ведь вам, голубушка, на одни штрафы работать придется.

— Что? Из газового? Вы что говорите?

— Говорю, что написано в вашем деле. Понимаю, что вам неприятно это слышать. Вы уж извините, но по роду работы мне приходится знакомиться с такими интимными вещами, как милицейские протоколы.

— Из газового, — повторила Нина, с отчаянием сжимая кулаки. — Да нет, не может того быть...

— Тихо, тихо, голубушка. Не волнуйтесь. Я все понимаю. Как говорил дедушка Крылов, который объелся блинами, от радости в зобу дыханье сперло. Но, как говорил другой классик, от счастья не умирают. Идите в палату. Скажите сестре, что все процедуры с этого дня отменяются. Впрочем, я и сам скажу...

— А когда... Когда меня отсюда...

Врач заглянул в календарь, перевернул пару страниц и наморщил лоб:

— Скоро, голубушка, скоро. Вас надо сначала подготовить к возвращению в суровую реальность. Знаете, когда водолаз слишком быстро поднимается из глубины, он может умереть от декомпрессии. Вот от такой декомпрессии мы вас и убережем. Не волнуйтесь, это недолго.

18

Вернувшись домой, Нина обнаружила, что в ее отсутствие здесь кто-то побывал. Дверной замок был закрыт на два оборота, чего она никогда не делала. В прихожей была разбросана обувь, настенные шкафчики на кухне остались открытыми, постель перевернута. По-видимому, в квартире был обыск.

Однако Нина не кинулась сразу же наводить порядок. У нее были заботы поважнее.

Она выскребла ванну и прежде всего искупалась. Потом принялась мыть волосы. Может быть, после обыска и пропали какие-то вещи, но, к счастью, все ее кремы, шампуни и бальзамы остались. Они, правда, стояли не на своих привычных местах, их, наверное, тоже осматривали и обнюхивали, но они сохранились.

В неволе люди мечтают о свободе, и каждый представляет ее по-своему. Нина мечтала о простых вещах, ценности которых раньше не замечала. Например, бессонными ночами она мысленно перебирала весь свой гардероб, обдумывая, что бы такое надеть, как только она избавится от ненавистного байкового халата с больничным штампом на рукаве. И даже простая вилка, простой столовый нож и простой фужер, запотевший от ледяной минералки — вся эта обычная посуда, недоступная для больных, казалась ей самым совершенным символом свободы.

Но чаще всего Нина мечтала о том, как она вымоет волосы. Не хозяйственным мылом, а своим, специально подобранным шампунем. И как же она была благодарна тем, кто рылся в ее доме, за то, что они не унесли с собой эти яркие флаконы!

Нина старательно расчесала волосы, а потом тщательно намочила их под душем, чтобы они были не влажными, а мокрыми. Плеснула шампунь на ладонь, вспенила пальцами и уже поднявшуюся пену нанесла на кожу головы, плавными движениями распределяя ее по волосам. Это было так приятно, что она готова была запеть.

Смывая пену, Нина старалась касаться волос только кончиками пальцев, чтобы не повредить их. Ей было страшно смотреть, сколько волос остается на дне ванны.

Она слегка промокнула голову полотенцем и нанесла на волосы кондиционер. Присев на край ванны, подождала минутку, прежде чем тщательно промыть волосы сильной струей теплой воды.

Осторожно подсушив волосы сухим полотенцем, она вышла из ванной. Вот теперь она чувствовала себя свободным человеком.

Автоответчик сохранил четыре сообщения, и все они были от мамы.

— Здравствуй, доченька. Что-то ты нас позабыла, не звонишь. Не заболела ли ты? Или, может, уехала? Если сможешь, позвони нам. Петенька очень скучает и часто по ночам плачет, когда думает, что я сплю. А так все нормально, мы здоровы...

Нахлынувшая волна стыда обожгла Нину. Она вдруг осознала, что за все это время ни разу не вспомнила о Петьке и маме. Приняв решение убить Бобровского, она захлопнула за собой дверь, за которой осталось все самое дорогое, светлое, любимое... Она вычеркнула себя из жизни, но жизнь, оказывается, не вычеркнула ее. И теплые нежные руки мамы снова тянулись к ней, готовые обнять и приласкать...

— Ниночка, здравствуй. Наверное, ты уехала, раз не звонишь. Мы по тебе соскучились. Мы здоровы. У нас прибавление, у Кляксы родилась телочка, но Петенька думал, что она бычок и назвал ее Мурзик. Так мы ее теперь и зовем. Если сможешь, позвони.

— Ниночка, видела сон тяжелый, вот звоню. Как ты, дочка? Молюсь за тебя, хоть бы у тебя все было хорошо. Петенька уже привык со мной, уже не плачет. Я ему говорю, что ты уехала на работу и в подарок привезешь ему велосипед, настоящий, с тормозами и фонариком. Он о нем мечтает, но говорит, что лучше не надо, пусть мама хоть на день раньше, а приезжает. А так у нас все нормально. Ждем от тебя вестей.

— Доченька, когда сможешь, сразу нам позвони. Мы тебя очень ждем.

Нина вытерла слезы и прошлась по комнате, чтобы успокоиться. Она хотела, чтобы ее голос звучал бодро и уверенно, когда она будет говорить с мамой.

Несколько раз она набирала номер, но, не выдержав, опускала трубку и снова ходила туда-сюда, стараясь дышать ровно и глубоко. Наконец она смогла справиться с волнением и позвонила маме.

Но как только в трубке раздался ее голос, такой далекий и такой родной, Нина едва удержалась, чтобы не разрыдаться.

— Мама! Мамочка! Я только вошла! — быстро заговорила она. — У меня все нормально. Правда. Правда! А у вас? А вы?

— Как ты, доченька, что с тобой? — спрашивала мама, словно не слыша Нины.

— Да все хорошо. Я уезжала, я не могла позвонить, я была за границей. Как Петенька? Позови его, мамочка.

— Сейчас, сейчас... — было слышно, как трубка легла на стол, как скрипнула дверь, но после долгой паузы снова прозвучал голос мамы: — Не хочет он подходить, доченька, заупрямился. Обижается, что ты раньше не позвонила.

— Как? Но я... Я же не могла, — с отчаянием повторила Нина. — Мама, я завтра же еду к вам!

Будь ее воля, она бы уехала прямо сейчас. Но сначала пришлось разобраться с досадными мелочами быта. Например, раздобыть денег.

Нина долго стояла перед платяным шкафом, разбирая свои вещи. Почти вся одежда валялась кучей, и только брючный костюм остался висеть на плечиках. Вот и хорошо, он как раз и предназначен для таких ответственных мероприятий.

Однако на входе в банк Нину остановил охранник в дорогом костюме. «Здесь многое изменилось, — отметила она, доставая пропуск. — Вместо милиционера — своя охрана. Зал сильно обновили. Пальма в углу. Молодцы, растут люди».

— Вы, простите, куда? — поинтересовался охранник.

— В операционный зал. Я клиент этого банка.

Охранник повертел ее пропуск в руках и вернул.

— Извините. Но вашего банка здесь больше нет. Здесь теперь совсем другой банк, — и он показал пальцем на новую золотую вывеску с черными буквами «Нефтемашбанк».

— А мой что, переехал? — расстроилась Нина. — Куда? Они мне не сообщили.

— Да нет, не переехал. Вы разве не знаете? Тот банк лопнул.

— Что? Как лопнул? — Нина смотрела то на свой пропуск, то на новую вывеску. — Когда?

— Не знаю. Но мы сюда перебрались месяц назад.

— А как же мне быть? Как я могу закрыть счет?

Охранник разводит руками:

— Не знаю. Обратитесь к юристам.

— Но мне нужны деньги, нужны прямо сейчас...

У охранника в руке коротко прошипела миниатюрная рация.

— Извините, — сухо сказал он. — Мне надо работать.

Он отшагнул в сторону, оттеснив Нину своей широкой спиной. Мимо него прошли двое крепких мужчин в таких же костюмах. К банку подлетел черный «мерседес», дверь распахнулась сама собой, и эти двое встали рядом с машиной, закрывая своими спинами дверной проем.

«Телохранители», — догадалась Нина.

Невысокий лысоватый мужчина в сером костюме проскользнул в машину, и дверь захлопнулась с чавкающим звуком.

«Мерседес» тронулся, и охранник снова повернулся к Нине.

— Многие приходят так же, как вы, — сочувственно сказал он. — Мы их к юристам отправляем, но я вам могу сказать, что толку не будет. Вся банковская верхушка сейчас прячется за границей, денег вы не найдете. Много у вас пропало?

— Какая разница, — Нина махнула рукой.

Саша был прав. Нельзя было держать деньги в российском банке.

Она с ненавистью оглядела помпезную новенькую вывеску и от души пожелала «Нефтемашбанку» лопнуть в самое ближайшее время.

Стоя перед зеркальной дверью, она вдруг увидела в отражении, на другой стороне улицы, знакомое лицо. Егор, приятель Саши, стоял под светофором и говорил по мобильнику.

Секундная радость Нины тут же пропала. Возможно, Егор и мог бы помочь ей деньгами. Но именно от него она не примет помощи, ни под каким предлогом. И это не гордость в ней заговорила, а обыкновенная брезгливость.

Она осталась стоять спиной к нему, надеясь, что он ее не узнает. А Егор отвел трубку от уха, нажал кнопку...

И в этот момент за углом прогремел мощный взрыв. Зазвенели выбитые стекла, заголосили на все лады противоугонные сигналы припаркованных машин. Из-за угла поплыли, перекатываясь, облака серого дыма.

Охранник схватился за свою рацию и хотел отбежать от дверей, но удержался, и только вытягивал шею, пытаясь заглянуть за угол.

— Да, слышал! — крикнул он в рацию. — Похоже, что у нас!

Мимо Нины пробежали двое прохожих, и она, подчиняясь любопытству, прошла за ними.

За углом поперек улицы стоял черный банковский «мерседес». Из-под него растекался во все стороны дым. Задняя дверь приоткрылась, и оттуда показался охранник. Прикрывая голову папкой, в другой руке он держал пистолет и водил им из стороны в сторону.

К машине уже подбегали двое в одинаковых костюмах. Они старались заслонить собой человека, выбравшегося из «мерседеса». Громко сигналя, по тротуару к ним подлетела «Нива», и телохранители чуть ли не на ходу затолкали в нее банкира, а сами побежали рядом, размахивая пистолетами.

— Классно рванули! — сказал прохожий, стоявший рядом с Ниной.

— «Мерин»-то бронированный, — разочарованно ответил второй зевака. — Такой только гранатометом можно взять.

— Да подстроено это все, — авторитетно заявила бабулька в мохеровом берете. — Реклама это все. Хотели бы убить, так убили бы. Когда надо, снайпера приглашают. А когда взрывают — это для рекламы. Дурят нашего брата, ох, дурят!

«И у банкиров бывают маленькие неприятности», — злорадно подумала Нина и пошла прочь, подальше от места происшествия. Ей совсем не хотелось сразу же после освобождения снова оказаться замешанной в дело о покушении, даже в качестве свидетеля.

Но где же взять денег? На лестничной клетке она столкнулась с соседкой.

— Ниночка! Ой, куда же ты пропала? А я всю твою почту забираю. А то, если ящик полный, могут подумать, что хозяев нету, и полезут в квартиру. Так что забери, вот, журнальчики пришли, вот счета, вот письмо из ГАИ... Какой на тебе костюмчик симпатичный. Курточка, конечно, французская? Только французы так могут шить кожаные вещи. Не то что всякие турки или китайцы, да?

— Курточка? — рассеянно переспросила Нина, разглядывая конверты. — Курточка итальянская.

— Ой, ты путаешь, — соседка бесцеремонно потерла между пальцами лацкан ее куртки. — Это шуба у тебя итальянская, я помню. А куртка точно из Парижа.

— Да-да, — торопливо согласилась Нина, закрывая за собой дверь.

Увидев письмо из ГАИ, она сразу вспомнила о машине. Можно не беспокоиться о билетах, просто упасть за руль и рвануть в деревню. Но все равно — нужны деньги на бензин, на подарки, да и вообще на жизнь. Может быть, машина выручит ее другим способом — если ее продать. Тысячи две за нее можно получить. «Вольво-244» — отличный семейный автомобиль. «Надежный, как автомат Калашникова», — любил повторять Саша. Петьке так удобно было спать в дороге на просторном заднем сиденье. А самое главное, «вольво» — это гарантия безопасности. Саша потому и купил жене именно эту машину. Он был уверен, что даже если «вольво» на полном ходу врежется в бетонную стенку, то Нина отделается только легким испугом. Чего не скажешь о стенке.

Жалко продавать, но, видимо, придется.

Нина вскрыла конверт, прочитала послание из ГАИ и позвонила по указанному номеру. После короткого разговора она положила трубку и аккуратно разорвала письмо на мелкие кусочки.

Машину эвакуировали на штрафную стоянку. Чтобы забрать ее оттуда, придется заплатить сумму, превышающую ее стоимость.

Вот и все. Вопрос с машиной решен.

Нина решительно подошла к шкафу и перебрала свои вещи. Итальянская шуба. В ней Нина снималась год назад. Реклама какого-то казино. Роскошная женщина в роскошной шубе выходит из роскошной машины. Как давно это было. Да и было ли?

Она перебросила шубу через руку и вышла на лестничную площадку. Позвонила в дверь соседки и напоследок прижалась лицом к душистому нежному меху.

Соседка даже не спросила ничего, увидев Нину.

— Вот, — Нина развернула шубу. — Ты же мечтала ее купить. Покупай.

— А что случилось? Почему ты ее продаешь?

— Она мне не нужна. Мне нужны деньги.

— А сколько?

— Полторы тысячи долларов.

— Это не ко мне, — соседка отступила и попыталась закрыть дверь.

Но Нина успела подставить ногу.

— Она же стоила три! Я ее два раза надела, ты же знаешь! Она же в идеаль...

Соседка покачала головой:

— Продай за три, если можешь. Сдай в комиссионку.

— Это долго. Ну хорошо, сколько ты можешь дать?

— Пятьсот.

У Нины опустились руки, и она шагнула назад. Дверь перед ней захлопнулась.

Нина погладила мех, еще раз погрузила в него лицо. В конце концов, это всего лишь шуба.

Она нажала кнопку звонка, и соседка сразу же открыла. На этот раз в руке у нее были деньги.

— Пятьсот, — твердо сказала соседка. — Здесь. Сразу. Пятьсот.

Нина кинула шубу ей на плечо и вытянула из руки пять зеленых купюр.

— Спасибо, ты меня очень выручила, — пересилив себя, сказала она.

— Всегда пожалуйста, — ласково ответила соседка.

19

Они играли в партизан так же, как когда-то играли их родители. На роль немцев исполнителей не нашлось, поэтому партизаны прятались от деревенских коз и гусей. Они подкрадывались и забрасывали «гранатами» пугало на краю кукурузного поля.

Партизанский штаб располагался в овраге. Любой посторонний наблюдатель принял бы его за мирный шалаш из веток и останков картонных коробок. Петька Силаков, как самый младший по возрасту и званию, был начальником штаба. В его обязанности входило разводить и поддерживать костер, запекать в золе картошку и делать шашлык из черствого хлеба. Остальные партизаны — командир отряда Санька и разведчик Алешка — в это время разрабатывали планы новых боевых операций или залечивали смертельные ранения с помощью лопухов и подорожника.

В этих боевых буднях пролетело лето, и уже осень подходила к концу. Становилось все холоднее на полях и лесопосадках, но в штабе у костра всегда было тепло и уютно.

Приближалась зима, и мальчишки говорили о новогодних подарках. Санька жил у своей бабушки так же, как и Петька. Но у Петьки была хотя бы мама, а у Саньки не осталось никого на всем белом свете. На бабку надежды было мало, поэтому подарков следовало ожидать только от Деда Мороза.

— Я уже написал ему письмо, — важно сообщил Санька, имевший за плечами полтора класса начальной школы. — Попросил такой велик, о котором ты рассказывал. Как для взрослых, только маленький. Как думаешь, подарит?

Петька аккуратно подложил в огонь сухую чурочку и ответил:

— Никакого Деда Мороза нет.

— Ну да! А кто же есть? Кто же детям на Новый год подарки дарит?

— Бог.

— Ну да, скажешь тоже. Делать ему больше нечего.

— Да. Он все делает, о чем просишь. Только молиться надо как следует, и о хорошем. И он обязательно сделает.

Санька привстал, выглядывая из оврага:

— Что-то Алешки не видно. Застрял он в этой школе. Вот пойдешь в школу, узнаешь, что Бога нет. А Дед Мороз есть. Он и на елку приходит, я сам по телевизору видел. А молятся только старые бабки.

— Как хочешь, Санька, а я лучше буду молиться.

— Ты столько молишься, чтобы мама приехала, а она все не едет. Ну что толку в твоем Боге?

Петька насупился, но ничего не ответил.

— Вот видишь, — заключил Санька. — Напиши лучше Деду Морозу, пока не поздно. Это надежней.

— Нет. Я буду молиться.

— Ну и дурак, — Санька снова привстал и увидел, что к оврагу опрометью несется его разведчик. — А вон и Алешка бежит. Сейчас мы его спросим, за кого он, за Деда Мороза или за Бога.

Но Алешка был не склонен сегодня к таким серьезным дискуссиям. Не добежав до оврага, он прокричал, задыхаясь:

— Петька! Ты что здесь сидишь! Ты что здесь сидишь!

Скатившись на дно, он схватил Петьку за плечи и рывком поставил на ноги:

— Ты что сидишь! К тебе мама приехала! К тебе мама приехала! К нему мама приехала, а он сидит!

Алешка снова выскочил из оврага, размахивая кепкой и выкрикивая:

— Сюда! Сюда! Здесь он!

Петька не успел опомниться, как в овраге появилась мама. Она перепачкала свою куртку в песке, она встала перед ним на колени и крепко-крепко прижала к себе. От ее волос пахло поездом.

— Мальчик мой! — повторяла она, то прижимая его голову к груди, то снова разглядывая и целуя. — Мальчик мой любимый! Как ты вырос!

Она вдруг заплакала, как маленькая, всхлипывая и шмыгая носом.

— Мама, ты не плачь, — сказал Петька. — Смеяться надо. А ты плачешь.

Санька и Алешка переглянулись и тактично выбрались из оврага. Почесав затылок, Санька посмотрел в сторону церкви на холме и сказал задумчиво:

— Пожалуй, надо попробовать. Может, что и выгорит с великом?

Этот день надолго запомнится Саньке и Алешке. Их отряд лишился начальника штаба. Но пышные проводы заслонили горечь потери.

В Петькином доме собрались все соседи. Для мальчишек накрыли отдельный стол, заставленный бутылками разнообразной газировки, нарезанными тортами, мисками с фруктами и конфетами. До отвала наевшись бананами, Алешка еще нашел в себе силы надкусить огромный персик, а потом долго рассматривал его, словно старался запомнить на всю жизнь.

Санька наполнил огромную миску смесью спрайта, фанты и пепси. Поднять ее он побоялся и, чтобы не расплескать ни капли, оставил миску на краю стола. А сам подсел рядом и осторожно наклонил к себе, прильнув губами. Он втягивал газировку в себя до тех пор, пока его щеки не раздулись, как у суслика. С трудом оторвавшись от миски, он икнул и произнес с блаженной улыбкой:

— Вот об этом я мечтал всю жизнь...

Алешка тоже припал к живительной влаге, и тоже принялся икать, улыбаться и приговаривать:

— Кайф. Ой! Кайф...

И только Петька ничего не ел и не пил. Он сидел с друзьями за столом и, подперев голову кулачком, смотрел на маму, которая сидела среди женщин. Женщины пели свои песни, и мама пела вместе с ними, но при этом она глаз не сводила с Петьки и постоянно улыбалась ему.

А бабушка, хлопотавшая вокруг стола, порой останавливалась в дверях, устало прислонившись к косяку, и вытирала глаза уголком платка.

Когда застолье подходило к концу, Петька вдруг выскочил в соседнюю комнату и вернулся оттуда, толкая рядом с собой велосипед на толстых шинах, с блестящими рукоятками тормозов и с настоящей фарой на руле.

Увидев такое чудо, мальчишки даже икать перестали.

— Санька, вот, — сказал Петька. — Это — тебе.

Санька осторожно приблизился к нему. Наверное, ему казалось, что все это снится, и он боялся проснуться. Он коснулся пальцем звонка, и тот отозвался веселой трелью.

— Это — мне?

— Тебе, тебе. Ты же хотел такой?

— Сработало... — благоговейно произнес Санька, подняв глаза к потолку. — Ура! Сработало!

— Только ты всем давай прокатиться, — попросил Петька.

Алешка встал с другой стороны велосипеда, щупая широкие шины:

— Он даст, даст. Я прослежу, не боись.

— А ты как же, Петь? — Санька крепко взял друга за плечо и посмотрел в глаза: — Ты ж тоже хотел?

— Да что ты! Ко мне мама приехала! Мы с ней завтра домой уезжаем. Мы теперь заживем!

20

Нине и самой тогда казалось, что теперь, после стольких испытаний, их жизнь быстро войдет в прежнее русло. Да, без Саши будет нелегко. Да, придется искать новую работу. Но все эти трудности она сможет преодолеть — ради сына. Ребенок ни в чем не виноват, он не должен страдать. У него будет все, к чему он привык.

Правда, теперь в детский сад придется ездить на трамвае. Но Петька так соскучился по своим старым друзьям, что не обратил внимания на такие досадные пустяки. Он чуть не вприпрыжку рвался к знакомому желтому флигелю, где, как всегда по утрам, стояла на газоне заведующая в своем неизменном белом халате с голубым воротничком.

Из перламутровой «тойоты», опередив Петьку с Ниной, выбралась знакомая парочка — пухлая мамаша и толстячок сын.

Толстячок радостно закричал:

— Петька, привет! А говорили, что ты болеешь! Мама, смотри, вон Петя со своей мамой! Помнишь, мы ее по телевизору видели!

Пухлая мамаша зашипела, поправляя малышу задравшуюся курточку:

— Я тебе сколько раз говорила, чтобы ты с ним даже не разговаривал, чтобы ты близко к нему не подходил!

Она шипела вполголоса, но достаточно ясно, чтобы ее услышал не только сын. И Нина услышала, и нахмурилась, но быстро взяла себя в руки. Она сочувственно улыбнулась и, проходя мимо, заметила:

— Вы не беспокойтесь, он и не подходил. Нас не было. Мы только что приехали.

— Лучше бы и не приезжали, — бросила толстуха.

Заведующая, видимо уловив назревающий конфликт, поспешила им навстречу.

— Здравствуйте, Елена Филипповна, здравствуйте, Нина. Маленькое объявление...

Пухлая мамаша перебила ее, торопливо проскакивая вперед:

— Я к вам зайду потом в кабинет, мне надо с вами побеседовать. Тет на тет.

Заведующая со скрытой иронией поглядела вслед забавной парочке и повернулась к Нине:

— Все такие нервные, просто ужас. А вас, Ниночка, так давно не было.

— Пожалуй. Но теперь мы снова здесь.

— Да-да, — она с любопытством разглядывала Нину. — Вы не загорали в этом году? Странно, говорили, что вы отдыхаете в Греции... Знаете, у нас увеличился благотворительный взнос, уже давно, а место за вами оставалось...

— Сколько я должна? — спросила Нина.

— Да-да... Потом вы еще пропустили несколько праздников, к нам приходили артисты, приезжал зоопарк, это тоже все входит.

— Конечно. Я оплачу.

Удовлетворенно кивнув, заведующая потрепала Петьку по голове:

— Петя, беги в группу...

Нина едва успела обнять Петьку, но от поцелуя он ловко уклонился.

Когда за убежавшим Петькой захлопнулась дверь, заведующая заговорила совсем иным тоном:

— Тут про вас ходили ужасные слухи, Ниночка. ОМОН, криминал, психическая экспертиза... Я лично ничему не верю. Это все, конечно же, неправда?

— Это правда, — спокойно ответила Нина, доставая кошелек. — Это что-то меняет? Нам подыскать другой сад?

— Все такие нервные, просто ужас. Почему же сразу другой? При чем здесь невинный ребенок? В жизни всякое может случиться. Но вы же по-прежнему известная модель Нина Силакова. Это — самое главное.

— Сколько я вам должна?

— Лично мне вы ничего не должны, — поправила ее заведующая. — Зайдите ко мне вечером, я посчитаю вашу задолженность.

Дома Нина разыскала папку, в которой хранила все свои старые контракты. Где-то среди них, она точно помнила, должен был лежать список всех модельных агентств Москвы. Когда-то он оказался в папке только потому, что на первой странице красовался очень удачный портрет Нины. Кто же знал тогда, что спустя три года ей самой придется набирать все эти телефонные номера...

И кто же мог предвидеть, что во всех агентствах ей будут отвечать одинаково, хотя и с разными интонациями.

«Спасибо, в ваших услугах не нуждаемся», «Силакова? Нет-нет, извините, для вас у нас нет работы. И больше не звоните сюда», «Позвоните через неделю, может быть, что-нибудь появится», «Да-да, я помню, мы вас приглашали. Но это было давно. Мы вам позвоним, когда появится необходимость».

Она зачеркнула последний номер в этом списке и отбросила глянцевый проспект. Лицо, глядевшее на нее с обложки, казалось печальным. «Какой худой я была тогда, — подумала Нина, подняв проспект с пола. — И что они все во мне тогда находили? Кожа да кости. Нина Силакова, агентство "Маркиза"».

Ниже, под портретом, виднелся телефонный номер, еще не перечеркнутый. И Нина позвонила по нему почти машинально, не сразу поняв, что это номер ее собственного агентства.

«Ладно, — решила она, — последний звонок для очистки совести». Нине меньше всего хотелось бы сейчас услышать голос администратора Пестровой, поэтому она быстро проговорила:

— Будьте добры Катю Кривченко.

— Ба-а! Силакова! — после недолгой паузы ответил знакомый голос подружки. — Здорово! Где же ты пропадала все это время? Тебя из агентства выгнали.

— Катя, помоги мне. Мне очень нужна работа. Любая.

— Ну-у... даже не знаю. Тут о тебе такая волна прокатилась... про тебя и слышать нигде не хотят. Знаешь, кому нужны эти разборки — менты, киллеры. Отсидись годик, потом видно будет.

— Что ты, Катя! Какой годик! Я и так... У меня ребенок...

— Да-а, старуха. Узнать бы, кто про тебя это все распускает, язык бы вырвать... Хотя я догадываюсь. Хочешь, скажу?

— Нет. Мне все равно.

— А ты, я вижу, все такая же. Жизнь тебя еще не обломала. С работой, старуха, сейчас плохо. Страшная конкуренция. Ты лучше поищи себе что-нибудь другое. Типа уборщицы.

Еще минуту назад Нина решила, что этот звонок будет последним. Но злорадство, неприкрыто звучавшее в голосе бывшей подруги, придало ей новых сил. И Нина стала обзванивать всех своих знакомых. Теперь она была согласна на любую работу.

На столе перед ней лежала горка визиток. И после каждого звонка очередная визитка отправлялась в мусорное ведро. Никто не хотел говорить с ней.

Последнюю визитку она долго вертела в руках. Юрка Добряков учился с ней в одном интернате. Приехал в Москву одновременно с ней. Отпетый двоечник оказался прирожденным коммерсантом, и теперь занимал важный пост в холдинге из трех букв. Нина знала, что только он может помочь ей. Если захочет.

— Приемная Добрякова, — ответил приветливый женский голос.

— Соедините, пожалуйста, с Юрием Семеновичем, — попросила Нина, прочитав Юркино отчество на визитке.

— Минутку. Как вас представить?

— Одноклассница из Знаменки. Он поймет.

Голос Юрки звучал приветливо, но озабоченно:

— Нин, у меня сорок секунд. Излагай.

— Добрый, я осталась без работы. Помоги.

— Дай подумать... Нин, ты вообще телевизор типа смотришь?

— Нет.

— Тогда понятно. Ты скажи мне, все, что насчет твоего мужа говорят... Ну, ты понимаешь, о чем я. Это реально? Какой там процент правды?

— У меня больше нет мужа. У меня есть ребенок, и его надо кормить.

— Нин, перезвони вечерком. Деньгами помогу. Без процентов, на любой срок. Но работы для тебя в городе нет. Ты въехала? Все смотрят телевизор. И никто не хочет засветиться в таких связях. Ты въехала?

— Спасибо, Добрый. Надо было сразу тебе позвонить. А я, дура, столько времени потратила.

— Нин, постой...

Она бросила трубку, не прощаясь, потому что услышала, как на лестничной клетке гремит ключами соседка.

Через минуту соседка уже стояла перед распахнутым платяным шкафом и придирчиво перебирала висевшие там вещи.

— Ниночка, ты меня разоришь, — приговаривала она, крутясь перед зеркалом сразу с двумя блузками.

Зазвонил телефон. Услышав в трубке голос Добрякова, Нина выдернула шнур из розетки.

Вечером она пришла забирать Петьку из детсада гораздо раньше, чем делала это раньше: у безработицы тоже есть свои положительные стороны. Малыши еще возились во дворе, и Нина издалека услышала звонкий голос сына: « Ксюха не может быть разведчиком! Разведчик — это мужчина. Я сказал, что она будет медсестрой, значит, будет медсестрой!»

— Как изменился мальчик ваш за это время, — сказала заведующая, встречая Нину во дворе. — Я же говорю, прирожденный лидер. Как тянутся к нему дети...

— Давайте уладим финансовые вопросы, — сказала Нина, чтобы остановить эту дежурную лесть.

— Давайте. Я все подсчитала. Знаете, с учетом платы вперед, за три месяца, сумма получается немаленькая. В крайнем случае можно поставить вопрос о поэтапном погашении задолженности, но это уже зависит от попечительского совета.

— Сколько?

— Шестьсот семьдесят два доллара. В какой срок вы сможете заплатить?

— Сейчас.

Заведующая, кажется, не ожидала такого быстрого решения проблемы. Несколько раз пересчитав деньги, она сказала немного растерянно:

— Прекрасно, прекрасно. Давайте поднимемся, оформим. Сдачу вам...

— Мама! Мамочка! Ты пришла!

Петька налетел на нее, чуть не сбив с ног, и прижался горячими щеками к коленям.

— Ты рано пришла! Сейчас пойдем, я только Филиппа за себя командиром оставлю!

Он улетел, и заведующая, качая головой, посмотрела ему вслед.

— Прекрасный, прекрасный мальчик. Конечно, немного запущенный, но это ничего. Только вот... — она оглянулась и, взяв Нину под локоть, отвела ее от крыльца и доверительно понизила голос: — Вы знаете, Ниночка, появилась одна проблема. Многие родители после всех телевизионных репортажей были против, чтобы Петя ходил в наш садик. Вы же знаете, мы контингент детей подбираем особый. Но я все уладила. Я их убедила тем, что вы — известная личность и оказываете большую помощь саду. Вот. Теперь вам надо только сделать небольшой благотворительный взнос, и все. Триста долларов. И все.

«Можно подумать, она видит сквозь кошелек, — удивилась Нина. — Откуда она знает, что там лежат последние триста баксов?»

Не говоря ни слова, она отдала их заведующей.

— Мы все оформим, — пообещала та, пряча деньги в карман.

— Ничего, — сказала Нина и наклонилась, чтобы снова обнять подбежавшего Петьку. — Как-нибудь потом. Ну, ты освободился, мой генерал?

— Я не генерал, я старший лейтенант!

— Шагом марш домой, — скомандовала Нина, и они зашагали в ногу.

«Ничего, ничего, ничего, — утешала она сама себя. — Деньги мы как-нибудь найдем. Зато у Петьки все будет нормально. Не бросать же детсад из-за мелких неприятностей. Здесь у него и английский, и информатика. В конце концов, друзья. Самое главное для мальчишки — чтобы друзья были. Чтобы не терять их. А то вырастет, как я, одиночкой...»

— Мама, знаешь что? — Петька вдруг остановился. — Есть одно предложение.

— Какое?

— Я приглашаю тебя на ужин в Мак-Дональдс. О'кей?

— Сейчас посмотрю, какое у меня расписание на вечер, — Нина заглянула в кошелек. — Ну... ну... О'кей!

— Ура! Все как раньше! — Петька схватил ее за руку и, хохоча, потянул за собой.

21

На следующее утро Нина на собственном примере убедилась, что в этом мире ничего не добьешься, если у тебя нет связей.

Отводя Петьку в детсад, она увидела в песочнице неразлучную парочку — водопроводчика Коляна и мелкого хулигана Толяна.

— Ниночка! Голубка моя сизокрылая, — Колян попытался приподняться. — А мы тут без тебя совсем закисли!

— Привет, Снегурочка, — Толян подошел и протянул руку Петьке. — Здорово, боец.

Петька изо всех сил хлопнул по подставленной ладони.

— Извини, мы торопимся, — сказала Нина.

Она испугалась, что ее товарищ по неволе вдруг проговорится при Петьке. Но Толян все понял правильно.

— Если есть проблемы, ты знаешь, где меня найти, — он приподнял кепку-жириновку и вернулся к песочнице.

Когда Нина возвращалась обратно, он так и сидел на том же самом месте, уже один, скрываясь от дождя под грибком. Нина сложила зонт и присела рядом с ним.

— Я без работы осталась, — она решила обойтись без предисловий.

— Это естественно, собственно говоря. Специальность есть? Подчеркиваю, не диплом, а именно специальность.

— Нет.

— С арифметикой у тебя как? Семнадцать на шесть умножишь без компьютера?

— Сто два, — неуверенно ответила она.

— Неплохо. Есть одно место. По состоянию на вчерашнее число оно свободно. Место хорошее, работа непыльная. А главное, что хозяин — человек порядочный. Не подставит. Паспорт у тебя с собой?

Нина кивнула.

— Тогда лети сейчас же, Снегурочка. Три остановки на трамвае. Мимо шашлычной заходишь на рынок, справа у входа стоит рыбный павильон. Хозяина зовут Тигран. Скажешь ему, что ты от Анатолия Артемовича.

— И что я там буду делать, Анатолий Артемович?

— Снабжать трудящихся фосфором. Потому что без фосфора у трудящихся мозги слипаются. А фосфор — это рыба. И наоборот. Ну что ты сидишь, Снегурочка? Время-то уходит! Если твое место займет какая-то писькоструйка, ты останешься совсем без денег, и так и будешь, как последняя вешалка, ходить пешком на таких-то ногах!

Нина подивилась умению мелкого хулигана уместить в одну фразу и научно-популярную лекцию, и оскорбление, и комплимент. Она раскрыла зонт и торопливо зашагала к трамвайной остановке.

Хозяин рыбной лавки, Тигран, был сгорбленным седым армянином с крючковатым носом и пронзительными черными глазами. Он являлся по совместительству не только грузчиком, кладовщиком и продавцом, но еще и начальником отдела кадров. Критически оглядев Нину, Тигран спросил:

— Не беременная? Если чуть-чуть беременная, лучше сразу скажи, потом поздно будет.

— Как вас по имени-отчеству? — осведомилась Нина.

— Значения не играет. Я — Тигран, меня все знают. А отчество на могиле пускай пишут.

— Так вот, Тигран. Я не беременная. А вы не гинеколог, чтобы задавать мне такие вопросы.

— При чем тут гинеколог? Тут у меня тяжести, тут у меня холод, тут у меня весь день на ногах. Для ребенка вредно, понимаешь? Даже вот для такого! — он поднял из судка самую мелкую кильку и поднес ее к лицу Нины. — О детях думать надо!

Тигран вернул кильку к ее бесчисленным сестрам, вытер руки о фартук и снова раскрыл паспорт Нины.

— Анатолий Артемович случайного человека не пришлет. В торговой системе работала?

Нине пришло в голову, что она работала в системе, похожей на торговую, и до сих пор ее саму продавали, как кильку. Но рассказывать о своем прошлом не стоило, поэтому она только отрицательно помотала головой.

— Это хорошо. Не испортили еще, — сказал Тигран. — Иди переодевайся. Так и быть, беру тебя! Это первая услуга тебе. Вторая услуга — то, что санитарную книжку завтра принесешь. Смотри, не забывай мою доброту.

Так в ее жизни появился Тигран. Бывший бакинский электрик до сих пор мог с закрытыми глазами починить любую бытовую технику, от мясорубки до кондиционера. Но, перебравшись в Москву в начале девяностого года, он быстро выяснил, что здесь придется искать другое занятие. Чтобы кормить свое многочисленное семейство, Тигран занялся торговлей. На его шее сидели еще и сестры жены, и жены племянников, и все их дети. Он остался единственным трудоспособным мужчиной из бакинской ветви рода Трдатянов. Все остальные — его братья и племянники — либо погибли во время погромов, либо пропали на карабахской войне.

Тигран непрерывно ворчал, но никогда не жаловался на судьбу. Он считал, что в жизни все стремится к равновесию. И если ты поднялся слишком высоко, то рано или поздно придется опуститься на самое дно. Например, лично он в Баку жил слишком хорошо. У него была роскошная квартира в центре, была любимая работа, была постоянная халтура. Он зарабатывал столько, что жена могла не работать, да еще каждый год в августе они уезжали из бакинского раскаленного ада в прохладный рай Кисловодска. В общем, он жил слишком хорошо. «А возьми Югославию! — говорил он Нине во время таких геополитических бесед. — Я был по путевке в Дубровнике. Это вообще даже не райское место, это — суперрайское место. Они там все миллионеры были, по две иномарки, каменные дома, двухэтажные, трехэтажные, и еще ездили работать в Германию, Италию, туда-сюда шмотки возили. В общем, я по сравнению с ними был просто завокзальный нищий. А теперь по телевизору Дубровник показали — вай, мама, прямо Берлин сорок пятого года. Сами виноваты. Слишком хорошо жили».

Правда, на такие разговоры у Тиграна времени почти не оставалось. Торговля шла бойко, а Нина к тому же оказалась прекрасной помощницей.

22

Если ты не можешь заниматься любимым делом, то, по крайней мере, постарайся полюбить то дело, которым пришлось заняться.

Нина быстро втянулась в рабочий ритм. Она на равных с Тиграном таскала ледяные ящики с рыбой, а потом целый день, не присев даже на минуту, стояла за прилавком, терпеливо выслушивая представителей самой тупой расы — покупательской. «А камбала у вас откуда, из Белого моря или Баренцева?», «Мне вон ту селедочку, с черными глазами. Нет, у этой глаза синие, вы что, девушка, черный от синего отличить не можете?», «А путассу когда завезут? Что вы говорите, это путассу? Почему такая мелкая?», «Мне триста грамм хека. Нет, полкило я не могу взять, у меня денег только на триста грамм».

Иногда это было даже забавно, иногда едва не доводило до бешенства, но Нина со всеми держалась ровно и приветливо. У продавца должны быть стальные нервы. Если покупатели проходят мимо прилавка и в другом магазине покупают точно такую же рыбу, очень трудно не проникнуться к ним ненавистью. Если же они, наоборот, всей толпой устремляются к твоему прилавку, хотя точно такая же рыба продается рядом, — ненависть от этого может только окрепнуть. Но Нина гасила вспышки раздражения, вспоминая простую мамину молитву — «...и не введи нас в искушение». Злость мешала работать. А улыбка, пусть и натянутая, все же помогала сохранять спокойствие и не сбиваться в подсчетах.

Однажды она поймала себя на том, что, глядя на часы, подумала: двенадцать рублей сорок копеек московское время.

Весы, гири, ящики, пакеты — от всего исходил тяжелый рыбный дух, но и его Нина перестала замечать уже на второй неделе работы. Возможно, этот запах просто ослаб после того, как она стала после работы тщательно все мыть, щеткой, с хорошим порошком.

Она завела себе четыре белых халата, и иногда меняла их по два раза в день. Волосы, заплетенные в косу, всегда были спрятаны под шапочкой. А поверх рабочих кроссовок она еще надевала полиэтиленовые пакеты, как бахилы. Наверное, все эти мелочи были излишними, и большинство продавцов прекрасно обходились без таких ухищрений. Но Нина не могла иначе.

Вставать теперь приходилось пораньше, и забирать Петьку приходилось попозже. Заведующая детсадом вежливо удивилась, какой странный режим дня у модели Силаковой, но Нина объяснила ей, что занята на съемках, а у киношников очень жесткий график.

Однажды вечером, торопясь с Петькой на трамвай, Нина услышала за спиной настойчивый автомобильный гудок. Она невольно оглянулась и увидела, что из остановившегося «гольфа» ей приветливо улыбается незнакомая девушка.

— Нина! Нина, это ты? Ты меня не узнаешь? Садись, я тебя подвезу.

Петька подергал Нину за руку, выводя из замешательства:

— Мам, поехали, мы движение задерживаем.

Девушка открыла перед ними заднюю дверь, и они сели в машину.

— Варя? — наконец, вспомнила Нина.

Действительно, трудно было узнать в этой яркой уверенной красотке ту заплаканную девчонку, которая когда-то пришла к Нине домой. Сейчас Варя была отлично одета, и в ушах ее блестели сережки с бриллиантами.

— Ну, слава Богу, — рассмеялась девушка. — А я вот тебя сразу узнала, хоть ты и сильно изменилась. Помнишь, как ты меня к Максу отправила сниматься? Вот с той съемки все и началось. Как я тебе благодарна, Нина, ты не представляешь. Можно сказать, на улице подобрала и одним махом вывела на орбиту.

— У тебя, я вижу, все в порядке?

— Более-менее, — Варя суеверно постучала по рулю с отделкой из полированного дерева. — Ты не поверишь, я в тот же день получила первые деньги. Аванс. Потом всю ночь были съемки. Обалдеть. Рекламу мыла «Лолита» видела?

— Не помню.

— Да ладно, что мы все обо мне. Ты сама-то как? Куда пропала? Говорят, из «Маркизы» ушла? За границей работала? Меня Макс сразу после «Лолиты» увез в Португалию. Представляешь? У меня даже загранпаспорта не было, фирма все сделала за пять минут. Лиссабон, Кадис, Малага. Реклама морских круизов. Обалдеть. Жара, а меня заставляли весь день ходить в балахоне до пяток, с длинными рукавами, чтобы кожа цвет не поменяла. Весь прикол был в моей коже. Они такой кожи уже лет десять не встречали. А ты что такая бледная? Нин, ну что ты все молчишь? Давайте в кафешку заглянем итальянскую. Нет возражений, молодой человек? Тебя как зовут?

— Петя.

— Ну, почти дон Педро. Ударим по пицце, Петька? Не возражаешь?

Если бы возражения и последовали, они были бы запоздалыми и бесполезными, потому что Варя уже воткнула свой «гольф» на стоянку перед пиццерией.

Она щебетала непрерывно, и Нина чувствовала, что Варя не хвастается успехами, а искренне делится своей радостью. Что ж, Нина была рада за нее, хотя и понимала, что все не так просто. Прошло не так много времени с их первой встречи, но сейчас Варя выглядела уже старше своих семнадцати лет. И причиной тому был не только вызывающий макияж или короткая стрижка.

Правда, усевшись вместе с Петькой за игровой автомат, она вдруг на какое-то время снова превратилась в девчонку и азартно расстреливала армаду пришельцев. Но потом, уступив штурвал более меткому космическому снайперу, она вернулась за столик к Нине, и снова в ее голосе послышалась недетская усталость, и в глазах уже не светилось изумление перед раскрывшимся миром.

— Красивый у тебя мальчик. Не хочешь попробовать его у Макса? В воскресенье будет детский кастинг...

— Нет-нет, — почти испуганно ответила Нина. — Никаких кастингов.

— Что так? Ты вышла из модельного бизнеса?

— Пока не знаю. Взяла отпуск, можно сказать, — Нина задумчиво помешала трубочкой в коктейле. — Значит, Макс тебе помог?

— Это ты мне помогла. Хотя... — Варя усмехнулась. — Честно говоря, я тогда, по весне, на тебя очень обиделась. Молодая была, гордая.

— Обиделась? За что?

— Как за что? За то, что ты своему товарищу велела вернуться и со мной в квартире ночевать. Этому, как его... он сейчас на телевидении главный... Иван Бобровский! Чтобы, значит, меня одну в доме не оставлять.

— Я ему ничего такого не говорила.

— Он приехал, говорит: Нина велела присмотреть. И как взял меня в оборот. Пока свое не получил, не отстал.

Нина брезгливо поморщилась:

— Зря ты о нем вспомнила. Но я ничего такого ему не говорила. Это на него похоже. Ты держись от него подальше.

— Это пусть он держится подальше, — заносчиво ответила Варя. — Теперь я таких козлов на километр не подпускаю. Да ладно, Нин, я и не поверила ему. Козел. Стриптиз заставил показывать. Халявщик. Сплошные понты. Сделал свое дело, вскочил и умотал. Говорит, у него ночная операция с группой захвата. Надо получить бронежилет и оружие. Сейчас-то мне смешно, а тогда — уши развесила... Урод, одним словом.

— Он даже не урод, — тихо проговорила Нина. — Урод — это больной человек. А Бобровский — не человек.

— Тварь он, — Варя махнула рукой. — Забудь ты об этом. Я тебе ничего не говорила. Нин, а ты не хочешь сегодня на прием пойти, в честь приезда Пако Рабане? Весь бомонд будет. Лучший вариант попасть кому надо на глаза. Пора тебе выходить из отпуска. Вот, я тебе дарю билет, чтобы ты не думала, что я обижаюсь. Пойдешь?

Нина растерянно разглядывала яркий билет — на глянцевой твердой бумаге, с витиеватыми надписями на русском и английском. Давно ее никуда не приглашали...

— Пойди, пойди, не пожалеешь. Пора выходить из отпуска, — повторила Варя.

23

После частых визитов соседки у Нины в платяном шкафу остались только такие вещи, которые порядочная женщина не могла надеть ни при каких условиях.

Но порядочные женщины по презентациям не ходят. И Нина не долго терзалась муками выбора. Она надела узкую юбку синего твида и полупрозрачную голубую блузу. Пояс со стразами обхватил ее талию, а волосы Нина просто подняла наверх. Постояв перед зеркалом, она поняла, что этот стиль можно назвать так: «сельская учительница».

В шумном и многолюдном зале она быстро нашла свое место — у стенки, между окнами с пышными портьерами. Мимо нее важно прохаживались мужчины в смокингах и женщины в длинных платьях, но встречались тут и пунцовые мини с черными чулками, и тонкие пиджаки с укороченными рукавами. Пару раз, в окружении стайки изможденных девиц, мимо Нины продефилировал субъект в розовых джинсах и зеленой футболке с номером 13. То бы известный модельер, с которым

Нина работала пару лет назад. Сейчас он почему-то не узнал ее, хотя и оглядел придирчивым профессиональным взором.

Она уже решила, что зря явилась. Знакомых нет, а навязываться Нина не собиралась. Она давно бы ушла, но на маленькой сцене играл очень приличный джаз-квартет. Саксофон мягко выводил старые мелодии, и Нине хотелось дослушать программу.

К ней подлетела Варя, вся в блестках, в развевающемся платье с глубоким вырезом.

— Ниночка! Пришла! Стоишь, скучаешь? Ты почему ничего не пьешь? Эй, эй, почтенный!

Она щелкнула пальцами, останавливая неприступного официанта с подносом, на котором высились бокалы с шампанским. Нина и Варя чокнулись.

— За счастье в жизни! Ну, рассказывай. Где ты, что ты? Я тебе сказала, что у Макса теперь свое агентство? И студия, и агентство, и еще салон тату и пирсинга открываем. Пойдешь к нам?

— Даже не знаю, — начала Нина, но замолчала, увидев, что к ним приближается респектабельный господин.

Он издалека улыбался Варе, хотя та не смотрела в его сторону. Да, она даже повернулась к нему спиной, но почему-то сразу подобралась, неестественно засмеялась и поправила длинную челку. По всему было видно, что Варя чувствует его приближение.

Господин взял Варю под локоть, и та развернулась к нему:

— Ой, папочка, ты уже освободился? Хочешь потанцевать?

— Хочу показать тебя друзьям.

Он увел Варю, не заметив, что девушка беседует с подругой.

«Можно подумать, на мне шапка-невидимка надета», — разозлилась Нина. На свою беду, мимо как раз курсировал официант с таким же равнодушным, невидящим взглядом, как у достопочтенного «папочки». Нина цепко ухватила его за локоть и развернула к себе, не отходя от стенки. Официант поднял брови, выдержал паузу и угодливо улыбнулся.

— Вот так, — Нина поставила на его поднос пустой бокал. — Спасибо, любезный. Можешь идти.

Официант почтительно поклонился и удалился. «Хоть один мужик меня запомнит, — усмехнулась Нина, — особенно если синяки на локте останутся. А они останутся».

А тут и музыка вдруг оборвалась, и к микрофону вышел развязный конферансье. Нина, наконец, оторвалась от стены, чтобы направиться к выходу, но ее остановил мужской голос, неожиданно прозвучавший совсем рядом:

— Браво!

Она и не заметила, что у окна, скрытый от нее складкой портьер, кто-то стоял. Это был невысокий лысоватый мужчина лет сорока, плотный, с простым добрым лицом и мягкой улыбкой. Его серый костюм был слишком скромен для этой пышной вечеринки, но сидел на нем прекрасно, без единой складки. Вместо сорочки с галстуком — черная шелковая футболка. «Как у Саши», — вспомнила Нина. Ее муж обожал носить черные майки под пиджаком. Впрочем, так сейчас ходят многие...

— Как здорово вы его приструнили!

Она пожала плечами:

— Не ставила себе такой задачи.

— Подождите!

Нина остановилась.

— Мы же почти знакомы, — сказал он, заметно смущаясь. — Я вас видел раньше. Я любовался вами, тайком от вас.

— Вы обознались. Я не актриса и не модель, чтобы мною любоваться. Я рыбой торгую на рынке. Счастливо оставаться.

Она решительно направилась к выходу, но он догнал ее и пошел рядом, вежливо и уверенно раздвигая толпу.

— Как здорово! — говорил он, улыбаясь. — Просто прекрасно!

— Что же тут прекрасного?

— Что вы продавщица!

— Вот как?

— Просто я тоже... нет, я не продавец, но я тоже здесь совсем случайно... Мне так неловко тут... все такие помпезные. Не уходите, пожалуйста. Не оставляйте меня.

Он остановился под искусственной пальмой, и Нина почему-то остановилась тоже.

— Можно, я принесу вам шампанского?

— Если вам хочется...

— А вдруг вы исчезнете? Вы не уйдете? Правда? Подождете меня?

— Подожду, — пообещала Нина, улыбнувшись.

Он исчез в толпе, но вернулся подозрительно быстро, словно и не отходил никуда, с бутылкой шампанского и двумя фужерами.

— Они там отвернулись, а я бутылку — цоп! Им что, не убудет!

Они сели рядом на мраморный низкий подоконник. Бокалы и бутылка стояли между ними.

— Никогда не пил под пальмой. Меня зовут Михаил. А вас Ниной, верно? Извините, я невольно подслушал ваш разговор с подружкой. Не сердитесь?

— За что же сердиться?

— Выпьем за знакомство?

Это было забавно — пить «Моэт и Шандон», сидя, как в молодости, на подоконнике в чужом доме. А чего еще может ожидать от жизни одинокая продавщица?

— Вы только не сердитесь, но это правда. Я давно знаю вас и любуюсь вами. Вы на рынок на трамвае едете?

— Да.

— Рано утром, верно? Вы же моя самая красивая пассажирка. Я ведь — трамвайщик. Вагоновожатый, как раньше говорили. А здесь я — случайно. Нашел билет и вот, зашел посмотреть, что за зверь такой Пако Рабанн. Думал — музыкант типа Пако де Люсия. А оказалось — ерунда. Но зато я вас встретил. Фантастика.

— Где же вы нашли свой счастливый билет?

— На полу, в салоне. Вы меня не осуждаете?

— Да за что же вас осуждать.

— Что я приперся. Знаете... очень хотелось. Я ведь никогда не был в таких местах.

— Ну и как, нравится? — Нина посмотрела на часы.

— Нет. Пока вас не встретил, было скучно. Даже хотел уходить. А теперь наоборот. Теперь хочется остаться, потому что здесь вы.

— Ну а мне пора. Меня ждет мой сын. До свидания.

— Не уходите так быстро, Нина... Можно я вам позвоню?

— Зачем? Увидимся в трамвае, — она все-таки не удержалась от иронии.

Нина шла, не оглядываясь, но была уверена, что этот чудак так и смотрит ей вслед, застыв со своим шампанским на подоконнике. И от этого вечер уже не казался ей бездарно потраченным...

24

Серая «двойка» с поднятой задней дверью стояла у павильона. Тигран, еще не переодевшийся в халат, вытягивал из багажника ящики с рыбой и переносил их к прилавку. Увидев Нину, он опустил ящик и демонстративно посмотрел на часы.

— Почему опять опаздываешь на полчаса? Уже в третий раз! Делаю тебе замечание!

Нина бочком-бочком проскользнула мимо него в подсобку, торопливо надела свою униформу — белый халат и шапочку продавщицы.

— Тигран, не ругайся, мне и так стыдно. Но что я могу поделать? У меня же ребенок в сад ходит. Мы и так с ним под дверью всегда стоим, воспитательницу ждем. Я же от них завишу. А они пока проснутся, пока намажутся, пока кофе попьют. Сардинеллу привез? Вчера быстро кончилась.

— Привез, привез, — он передал ей коробку с копченой салакой. — Почему про садик раньше мне не сказала?

Нина пожала плечами:

— Ты не спрашивал.

— А у тебя язык есть? Давай так договоримся. Будешь приходить теперь на полчаса позже. Но уходить будешь на полчаса раньше! Все, без разговоров.

— Спасибо.

— Э, за что спасибо? Это я тебе спасибо должен каждый день говорить. Ты хорошо работаешь, честно. Не воруешь. Я тобой доволен. Тебя покупатель любит. Ты прирожденная продавщица.

Они вдвоем подхватили тяжелый ящик с селедкой и внесли его в зал, разместив под прилавком.

— Как твои девочки? — спросила Нина.

— Слушай, эта Сусанна двойню родила! — пожаловался Тигран. — Где голова у этой дуры, каким местом думает! Семеро детей теперь на мне! Каждому памперс купи, шоколадку купи, фломастеры купи! Рыбу они не любят, они торт «наполеон» любят. Надо второй киоск ставить. Входи со мной в долю, будем вместе работать!

Нина, перекладывая рыбу из ящиков в судки, стоявшие под стеклом прилавка, переспросила рассеянно:

— В долю?

Она все вспоминала вчерашний вечер, словно побывала в далекой стране. Примерно такое же ощущение было у нее, когда они с Сашей вернулись из Таиланда. После солнца, зелени, сверкающего ласкового моря и приветливых узкоглазых лиц вдруг снова окунуться в московскую грязь, снова увидеть суровые физиономии пограничников и хищные бегающие глазки таксистов...

Тогда она решила, что больше не будет ездить за границу, чтобы лишний раз не расстраиваться. А теперь сказала себе, что и с презентациями всякими пора кончать. Торгуешь рыбой? Вот и торгуй себе, и не путайся под ногами у таких, как Варя...

— Будешь настоящая хозяйка рыбной точки!

— Интересное предложение, — усмехнувшись, она подняла глаза от прилавка, потому что в павильоне появилась первая покупательница.

Она увидела сначала изящные сапожки и полы кожаного плаща. Ее взгляд поднялся выше, — и

Нина узнала в покупательнице заведующую детским садом.

Быстро поборов секундную растерянность, Нина улыбнулась своей натренированной улыбкой прирожденной продавщицы:

— Доброе утро, Эвелина Георгиевна. Вам какой рыбки взвесить? Очень рекомендую форель. Свежайшая.

Даже под толстым слоем тонального крема было видно, как побелело от злости лицо заведующей. Она с гневом сверлила Нину взглядом прищуренных глаз.

— Какой рыбки? Ну и ну! Хозяйка рыбной точки!

Тигран мгновенно отличал покупателя от контролера, но эта дамочка не была ни тем, ни другим. Значит, простая скандалистка, каких много ходит по рынку. Он солидно вступил в разговор:

— Слушай, дама, тебе какое дело кого мы с ней разговариваем! Покупаешь — покупай, не покупаешь — до свидания!

Заведующая поджала губы, прошипела что-то себе под нос и вылетела из павильона.

— Сумасшедшая, — объяснил Тигран Нине. — Разведенка, живет одна, ругаться не с кем, только с кошками. Такие всегда покупают всякую мелочь для кошек. И всегда скандал хотят устроить.

— Да нет, — хмуро ответила Нина, — она не сумасшедшая. К сожалению, у нее-то с головой все нормально. И с языком тоже.

— Все равно, не бери в голову. Я пока в роддом поеду, как там эта дура Сусанна, посмотрю. Апельсины ей нельзя, наверно, да? А то молоко кислое будет. Шоколад повезу.

Но уехать ему не дали. У дверей павильона стоял, поигрывая ключами, хозяин рынка, Рустам.

— Тигран, как дела?

— Э, разве у нас дела? — проворчал Тигран. — Бензин опять поднялся, доллар опять поднялся, народ совсем на базар не ходит.

— Да, брат, сам знаю, инфляция-девальвация, туда-сюда. Между прочим, сегодня за крышу будешь немножко больше давать. Десять долларов прибавишь.

— Как это больше? Зачем больше, Рустам? Почему? Еще месяц не прошел, ты опять повышение делаешь!

— Э, я что могу сделать? Менты совсем оборзели, пожарники совсем оборзели, СЭС совсем оборзели...

— Это вы со своей крышей совсем оборзели! Я и так в минусе остаюсь! Я не буду лишние деньги платить!

Рустам перестал вертеть ключи вокруг пальца и задумчиво почесал в паху.

— Слушай, зачем кричишь? Я, что ли, сказал? Хозяин сказал! Хочешь, иди с ним разбирайся.

— Некогда мне за хозяином ходить! — Тигран сел за руль, завел двигатель и прокричал в открытое окно: — Он мне не хозяин! У меня Бог хозяин. А он — мальчишка! Ему надо, пусть он ко мне ходит! А мне рыбу продавать надо, а не ходить туда-сюда!

Рустам наклонился к нему:

— Мы с тобой давно работаем, ты наши законы знаешь. Зачем на принцип идешь? Подожди, не уезжай, хозяин сюда идет. Только ты спокойно с ним говори, брат.

— Э, я тебя не понимаю, брат, — Тигран заглушил мотор, но из машины не вышел. — Кто хозяин рынка? Рустам. Кто сюда деньги вложил? Рустам. Кто все закупки, все проверки, все ремонты через себя пропускает? Опять Рустам. Ты хозяин тут. А Егор этот кто? Мальчишка. Бандитская шестерка. За что мы должны ему деньги давать?

— Аполитично рассуждаешь, э, — вздохнул Рустам и пошел к соседнему павильону.

Тигран вылез из «двойки» и встал на пороге своего магазинчика, скрестив руки с непреклонным видом.

Нина тихо сказала:

— Зря ты с ними споришь. Боюсь, так не то что второй киоск поставишь, а и этот потеряем.

— Слушай, я продавщицу взял или комментатора! — взорвался старик. — Я сам себе начальник! Я сам буду комментировать! А твое дело селедку людям взвешивать!

Нина не стала с ним спорить, тем более что у прилавка уже стояла старушка, горестно разглядывая рыбное изобилие на витрине.

— Мне бы, внучка, вот эту ледяную, одну штучку, только не такую, а какая поменьше.

— А эта не подойдет?

— Нет-нет, поменьше, поменьше.

— Тогда подождите минутку.

— А мне спешить некуда, внучка. Мне восемьдесят третий годок пошел. Ты поищи, поищи.

Ящик с «ледянкой» оказался, как назло, в самом низу штабеля, и Нине пришлось все переставлять, чтобы до него добраться. А добравшись, надо было еще вызволить самую маленькую рыбку, оторвав ее от ледяной глыбы.

Наконец, отпустив старушку, Нина увидела, что у служебного выхода, рядом с «жигуленком» Тиграна происходит серьезный деловой разговор.

Рустам с отсутствующим видом ковырял асфальт носком туфли. Тигран стоял по-прежнему гордо и независимо, скрестив руки на груди, но сейчас почему-то казалось, что он стал еще меньше ростом. Наверное, он выглядел таким щуплым на фоне своего собеседника, высокого и плотного парня с толстой шеей, на которой блестела золотая цепь. Позади парня стояли еще трое таких же «быков».

— Короче, отец. Не хочешь платить — дело твое. Можешь сворачивать лавочку, — сказал парень, и Нина узнала голос Егора. — Остаток аренды получишь у Рустама. Закрывай точку. Чтобы после обеда тебя здесь не было.

Нина сама не ожидала, что так обрадуется появлению Егора. Она шагнула к выходу, улыбаясь и поправляя шапочку:

— Егор!

Он оглянулся, его брови удивленно приподнялись.

— Нинок! Ты что здесь? Ты что в таком виде?

— Работаю вот, — она обвела рукой павильон. — Жить-то надо!

— А ну, иди сюда, красавица!

Егор сам шагнул к ней, обнял, чмокнул в щеку:

— Куда ж ты пропала, а? Мы тебя искали, искали, всю ментуру перетрясли, а ты вон где зарылась! А ну пойдем, покумекаем.

Уводя Нину под локоть с собой, он бросил Тиграну:

— Подменишь ее пока. Считай, что разговора не было.

Они зашли в шашлычную. Рустам сам открыл перед ними дверь и засуетился, отдавая какие-то команды повару и официантке. Через минуту на столике перед Ниной появилась зелень, бутылка вина и ваза с виноградом.

— Про то, как ты под следствием была, знаю, Нинок, — понизив голос, сказал Егор. — Мы ситуацию контролировали. Сунули, кому надо, на кнопки нажали, процесс пошел. Дело твое закрыли, перевели в больничку, и вот тут мы тебя потеряли.

— Не в больницу меня перевели, а в психушку, — спокойно поправила Нина. — Но дело прошлое. Не хочу об этом. Сейчас у меня все в порядке. А ты что? Чем занимаешься? Тоже, я смотрю, на рынке?

— Я, в общем... как бы тебе сказать... в общем, я в нашей структуре за этот рынок отвечаю. Типа учет и контроль. Ну, там, решаем вопросы с поставками и все такое. Чтобы проблем не было у покупателей. Слушай, тебя этот чурка не обижает? Ты только скажи!

Нина даже руками замахала:

— Да ты что? Какой же он чурка? Тигран такой культурный человек, специалист. Он беженец. Он очень хороший, он добрый, вы его не трогайте, Егор! Прошу тебя!

— Ладно, какой базар. Раз ты о нем просишь.

Егор, снисходительно улыбаясь, откинулся на спинку стула и щелкнул пальцами. Словно из-под земли, рядом со столиком вырос Рустам.

— Иди, скажи этому армяшке. Пусть остается. Аренду ему опусти в два раза. Скажи, скидка ему, как беженцу из горячей точки. Но платить будет — лично ей, — и палец Егора, украшенный толстым перстнем, нацелился в грудь Нины. — Запомни ее, и всем своим скажи. Нинок — мой человек.

— Ты что! — она почувствовала, что краснеет, и опустила лицо. — Зачем ты так! Неудобно.

Егор властным жестом припечатал ладонь к столу:

— У меня, Нинок, все по понятиям. Порядок должен быть четким. Вот, возьми мою визитку. Денег дать? А? Беспроцентно, на любой срок. Дать?

— Спасибо, Егор, не надо.

— Сиди, ешь, отдыхай и не торопись никуда. А мне пора. Звони, не стесняйся.

Он встал и, кивнув на прощание, вышел из шашлычной, а Рустам семенил за ним.

Нина подождала, когда они скроются из вида, и тоже поднялась из-за стола. Официантка, не говоря ни слова, мгновенно унесла обратно и зелень, и вино.

Тигран стоял за прилавком, препираясь с каким-то прилично одетым покупателем:

— У меня миллион девушек работали, я всех не помню! Блондинка, высокая? Все блондинки, все высокие. Нина, ты блондинка? Вот, пожалуйста, еще одна. Вы на базар зачем пришли, рыбу покупать или блондинок?

Приличный покупатель оглядел Нину и сказал:

— Рыбу, конечно, рыбу...

Тигран уступил Нине место у весов и, ворча, направился в подсобку.

— Слушаю вас, — сказала Нина, протирая прилавок. — Какой вам рыбы взвесить?

Покупатель растерянно оглядел витрину.

— Э-э... самой маленькой.

— Самая маленькая — килька.

— Да? Ну, пусть будет килька.

— Сколько?

— Э-э... ну, килограмма два.

Обычно кильку покупали строители-молдаване. У них это считалось лучшей закуской, но и они брали на целую бригаду не больше килограмма. Нина, стараясь скрыть улыбку, протянула покупателю увесистый пакет.

Когда он ушел, второпях отмахнувшись от сдачи и держа мешок на отлете, Тигран выглянул из подсобки и сказал:

— Не знаешь, какой сегодня день по гороскопу? Бывает день уродов ненормальных? Наверно, сегодня как раз такой. Скажи, Нина, почему все чокнутые сегодня к нам идут? То эта скандалистка в кожаном пальто, то Рустам, теперь этот... Как думаешь, если человек носит костюм за тысячу долларов, зачем ему два кило кильки?

— Ну, Тигран, может быть, у него после покупки костюма уже на другую еду денег не осталось.

— Нет, Нина, нет. Килька — это не просто так, — Тигран многозначительно поднял палец к небу. — Я старый, я знаю.

25

Два килограмма кильки пряного посола проделали путь через всю Москву в черном «мерседесе». Этот ароматный пакет беспрепятственно миновал пост наружной охраны «Нефтемашбанка», пересек внутренние турникеты и, сопровождаемый удивленными взглядами охранников и снующих по коридорам клерков, добрался до двери с табличкой «Председатель правления».

У секретарши в приемной затрепетали ноздри, реагируя на странный запах, но она привыкла сдерживать эмоции.

— Свободен? — спросил человек с килькой, кивнув на дверь председателя правления.

Секретарша кивнула и нажала кнопку селектора:

— Воронин прибыл.

Человек с килькой прошел в кабинет и вытянулся у порога по стойке «смирно».

— Установил? — спросил председатель правления, не отрываясь от монитора, на котором медленно вырастали, обгоняя друг друга, разноцветные столбики диаграммы.

— Установил, Михаил Анатольевич, — Воронин щелкнул каблуками. — Все установил. Адрес, телефон, детский сад ребенка, место работы. Рыбный отдел, второй ряд, седьмой контейнер.

— Чем это пахнет? — спросил председатель правления.

— Тюлькой. Пришлось купить, чтобы не расшифровываться.

— Тюлька, брат Воронин, осталась в незалежной Украине. А это у тебя килька. Рыбу сдай в столовую. И иди договариваться насчет трамвая. Машину подашь сразу после переговоров.

— Понял.

Председатель правления Нефтемашбанка Михаил Анатольевич Колесник ни под какими пытками не сознался бы, где, когда и при каких обстоятельствах он впервые увидел лицо женщины, которую по его приказу разыскивал по всем рынкам Воронин, начальник службы безопасности.

А увидел он Нину впервые года три назад, случайно глянув на экран телевизора, где шла реклама колготок. Надо сказать, что Колесник вообще не смотрел телевизор, за исключением криминальных новостей. Всю необходимую информацию он получал от своей собственной службы новостей, а если хотел посмотреть кино, то включал видеомагнитофон. Спортом он не интересовался. Новомодные ток-шоу Колесник смотрел только первые три минуты: ему надо было зафиксировать участников, чтобы следить за их перемещениями по разным уровням политической элиты. А выслушивать чужие мнения — увольте. Итак, Михаил Анатольевич практически никогда не смотрел телевизор. Исключение составляли, как уже было отмечено выше, криминальные репортажи.

Дело в том, что в последнее время Колесника весьма занимала тема заказных убийств. Его предшественник на посту председателя правления скончался тихо-мирно от неизлечимой болезни, успев передать все дела и переоформить всю собственность на родственников, чтобы им не пришлось возиться с наследственными тяжбами. Однако, навещая его в стокгольмской клинике, Колесник получил от умирающего точные данные о том, кто и как устроил ему эту «неизлечимую болезнь». Узнал он и об ответных мерах, предпринятых финансовой империей, в которую входил Нефтемашбанк. Примерно через два месяца после вступления в должность Колесник прочитал на новостной ленте, что в Ницце, на собственной яхте, скончался от острой сердечной недостаточности бывший партийный функционер. Империя нанесла ответный удар, и так был установлен мир. Хрупкий и шаткий, но этот мир длился уже несколько лет.

Естественно, об уходе столь важных фигур не сообщалось в криминальных репортажах. Телевидению доступен только самый нижний уровень, так сказать, стычки на передовой. И для Колесника уголовная хроника была чем-то вроде фронтовых донесений. Скажем, репортер сообщает: «Застрелен временно неработающий Иванов, его труп обнаружен в обгоревшем «ягуаре» неподалеку от собственного коттеджа в Подмосковье». А Михаил Анатольевич делает вывод, что корпорация Икс, которая негласно принадлежала покойному, скоро сольется с холдингом Игрек. Следовательно, акции холдинга надо срочно скупать, пока они не подскочили в цене. Так что репортажи помогали принимать решения. Кроме того, сам вид трупов, крови, суетящихся оперативников — все это немного подстегивало кровеносную систему и не позволяло расслабиться на таком опасном рабочем месте.

Итак, однажды Колесник в компании сослуживцев оказался у включенного телевизора. Просмотрев репортаж из «криминальной столицы», он уже отвернулся от экрана, но вдруг увидел там женское лицо потрясающей красоты.

«Колготками интересуетесь?» — насмешливо спросил деловой партнер из Думы. — «Вот куда уходит наше национальное достояние, — отшутился Колесник. — Вы посмотрите, какое одухотворенное лицо. Какие глаза. А эта линия скул, а высокий чистый лоб. Типично русская красота. Ей бы Рафаэлю позировать, а она демонстрирует итальянские колготки». — «А вы бы хотели, чтобы она с такой попкой рекламировала красноярский алюминий», — съязвил думец. — «Нет, — серьезно ответил Колесник. — Я бы хотел, чтобы эта женщина учила моих детей». — «Не знал, что у вас есть дети». — «Их и нет». — «Вот потому-то ей и приходится перебиваться рекламой колготок».

Шутки шутками, а после того разговора Михаил поручил одному из своих аналитиков предоставлять ежемесячную подборку всей новой рекламы, выполненной с участием российских моделей. Раз в месяц он получал видеокассету и дискету с фотоматериалами. К тому времени, когда он столкнулся с Ниной на презентации, у него накопилась довольно объемистая коллекция.

В первые секунды он испытал сильнейшее разочарование. Конечно, он понимал, что до сих пор видел не столько саму Нину Силакову, сколько результат совместной работы дизайнеров, гримеров и прочих специалистов. В жизни она выглядела совсем не такой яркой и обворожительной. Но это было еще не самое страшное открытие. А вот то, что она оказалась почти на полголовы выше его, буквально подкосило Михаила. И он ни за что не решился бы к ней подойти, если бы вдруг не сообразил: другого шанса не будет. Какая-то неведомая сила подтолкнула его, оторвала от стенки и направила к Нине. И слова сами собой слетали с языка. Когда она ушла, он за голову схватился: что за бред он нес! Какой еще трамвайщик! Как теперь выкручиваться? Однако дело сделано, слово сказано. И, если Нине нужен трамвай — нет проблем. Будет трамвай.

«Хорошо еще, что я не представился капитаном дальнего плавания», — подумал Михаил и нажал кнопку селектора:

— Там должны подойти люди на совещание.

— Уже подошли.

— Пусть проходят.

Перед началом совещания, когда все приглашенные расселись у стола, в кабинет вошел специалист-радиотехник со своей аппаратурой и прошелся вдоль стен, поводя длинной антенной. После чего на окнах были опущены жалюзи. Борьба с подслушиванием была традиционной в офисе

Нефтемашбанка. Но сегодня специалист работал особенно тщательно, потому что предстояли совершенно секретные переговоры.

— Вот последние цифры, — Михаил выложил на стол листок бумаги.

Все четверо гостей по очереди, передавая друг другу, взглянули на него и вернули Колеснику.

— Ваше мнение?

— Это прогресс.

— Ни фига не прогресс. Будем сбивать дальше.

— Не будем дергаться. Подержим паузу. Если потянуть время, они сами сбавят цену.

— Надо брать немедленно. У них есть другие покупатели.

Речь шла о покупке нефтяной компании. Дело тянулось уже слишком долго, и все должно было решиться в течение недели. Сегодня надо сделать окончательный выбор. Еще не поздно было отказаться от борьбы. Проигрыш в споре за обладание компанией может повлиять на рейтинг банка. Но отказ от участия в таком споре будет истолкован конкурентами как признак слабости. Значит, следовало во что бы то ни стало заполучить эту несчастную компанию, хотя и без нее банк вполне мог бы обойтись.

— Белый Дом дает добро, — сказал Михаил. — Охотный Ряд будет тормозить. То есть поддержка нейтрализуется.

— А что у противника?

— Дума за них. Белый Дом обещал им не мешать.

— Противник сделал свои предложения продавцам?

— Наш пакет предложений им больше нравится, — сказал Колесник. — Проголосуем? Я — за то, чтобы принять их цену.

— За.

— Против.

— Против.

— За.

— Большинство — за, — подвел итог Михаил. — Через неделю выходим на большой сбор с нашим решением. Спасибо, товарищи.

Гости сдержанно попрощались и удалились.

Колесник сжег листок с условиями сделки и позвонил Воронину:

— Есть трамвай?

— Пока нет, но мы работаем в этом направлении.

— Ты не работай, ты мне трамвай достань, — сердито приказал Михаил. — Вопрос жизни и смерти, понял?

— Разобьюсь в лепешку, но достану, Михаил Анатольевич.

— Ладно, пока не разбился, подгоняй машину к пятому подъезду.

26

Чем больше денег затрачено на то, чтобы сохранить информацию в тайне, тем дороже обходятся услуги тех, кто эту тайну раскрывает. Юрий Павлович Шепилов, он же Шепель, заплатил пятьсот долларов только за то, чтобы узнать: Нефтемашбанк снова опередил его. Ненавистный банкир провел совещание. Во время предварительного голосования его голос оказался решающим. Банк выделит деньги на покупку компании.

Шепель мужественно перенес неприятное известие. Заплатив за информацию, он даже нашел в себе силы улыбнуться и ущипнуть информатора за попку. Девица, раздобывшая ему эти сведения, игриво взвизгнула и задержалась на выходе, глядя на Шепеля через плечо. Если бы он ущипнул ее еще раз, она бы осталась для последующих щипков, шлепков и так далее. Больше того, из чувства благодарности она могла бы и сама его отшлепать и защипать до экстаза, что проделывала в этом кабинете уже неоднократно. Но сегодня у Шепеля не было настроения тратить время на сексуальные утехи.

— Пошла, пошла, — поторопил он ее, открывая дверь кабинета. — Кит, прими даму. Егора потом ко мне.

Девицу принял телохранитель по кличке Кит. Он довел ее до дверей, остановил, посмотрел на монитор охранной видеосистемы и только после этого нажал красную кнопку. Дверь отворилась, и девица проскользнула за нее.

Кит повернулся к Егору, сидящему в холле с журналом в руках. Журнал уже полчаса был открыт на одной и той же странице, и Егор тупо уставился на белый коралловый островок посреди лазурного моря. Под одинокой пальмой лежала мулатка. Никаких источников воды, еды и одежды поблизости не наблюдалось. Но было очевидно, что Егор сейчас предпочел бы оказаться на этом малонаселенном и неблагоустроенном острове, а не сидеть в квартире Шепеля и ждать, пока он его вызовет.

— Заходи, — промычал Кит.

Егор уронил журнал, поднял его и положил мимо стола. Снова поднял и оставил на кресле. Встал, одернул пиджак и пригладил волосы. Зачем-то посмотрел на часы.

— Где он там? — послышался из кабинета голос Шепеля.

Переступив порог кабинета, Егор увидел, что Шепель стоит возле огромного аквариума, в котором не было воды. По песчаному дну среди камней и сучьев лениво ползали две жирные зеленые ящерицы, ловко слизывая неповоротливых желтых тараканов, которых Шепель по одному вытряхивал из пластиковой коробки.

— Не нажрались? — ласково спросил Шепель у ящериц. — У, падлы ненасытные.

Он закрыл коробочку и оставил ее рядом с аквариумом.

— Как думаешь, Егор, — спросил он, глядя на ящериц. — Слышат они друг друга? Я про тараканов и этих, игуан. Прикинь. Сидят тараканы в своей коробке и слушают, как за стенкой кто-то хавает их дружбанов.

— Прикольно, — Егор хихикнул.

— Тебе, бляха-муха, смешно, а им, может, плакать охота. Вот так оно все и бывает. Ты иногда на календарь смотришь?

Егор сразу потускнел и опустил голову, предпочитая не отвечать.

— Я тут на днях был в Думе, — задумчиво произнес Шепель. — Видел банкира нашего. Егор, я просто глазам своим не поверил. Идет, улыбается, веселый такой. Как будто два месяца не прошли уже давным-давно. Как будто ему не полагается сейчас спокойно гнить на Ваганьковском. Нет, идет, живее всех живых. Что скажешь? Прикольно, да?

Егор, не поднимая головы, пробормотал:

— Я все четко сработал. Я не виноват, что мне эти черпушники фуфло прогнали. Шепель, ты ж сам с ними разбирался! А я все четко... была бы мина нормальная, а так... так у него тачку только подкинуло и развернуло. А я...

— А ты не знал, что тачка бронированная?

— Не бронированная! — Егор ожил. — Палыч, я все четко просветил. Брони не было. Когда ставят бронезащиту, то меняют всю подвеску и движок, а они ничего такого не делали. Но ты знаешь, что там было? Днище медью закрыли! Прикинь, сняли медное днище с брежневской «Чайки» и себе поставили. Взрыв ее не пробил, только прогнул! Вот козлы!

— Меня твое медное днище не колышет, — оборвал его Шепель. — После того прокола можно было сто раз дело сделать.

— Да? А ты знаешь...

— Цыц, гаденыш!

Егор испуганно замолк.

— Ты знаешь, на какие бабки я попадаю из-за твоего медного днища? Ты мне такие комбинации срываешь, Егор... Да что с тобой толковать. Тебе это пустой звук — конъюнктура, лаг капиталовложений... Пожрать да поспать — вот твой образ жизни. Между прочим, рынок-то тебе доверили не просто так. Это вроде как аванс. Смотри, вертать придется. Да еще с неустойкой.

От таких слов Егор побледнел, но быстро собрался и, откашлявшись, заговорил:

— Я свою работу сделаю. Но и ты, Палыч, объективно смотри. Бережется банкир. Очень. Особенно после взрыва. Теперь у него реальная броня поставлена, гранатометом не взять. Передвигается мало, всегда разными маршрутами. Ночует на трех квартирах, плюс дача, плюс часто остается в офисе. Контактов — никаких. Мне бы еще месяц...

— Исключено. Неделя.

— К нему не подлезть. Отовсюду пасут.

— Я эти разговоры слышу всю жизнь. Всех пасут, Егор, всех. Однако если человек заинтересован в результате, то результат будет. Думаешь, Пашу Капыша не пасли в Питере? Думаешь, Маневича не пасли? А Дерюгин, что, не берегся? Однако же Сашка его сделал! А от тебя я только разговоры слышу. Про медное днище, бляха-муха.

— Палыч, это не разговоры, а конкретная обстановка такая, — не сдавался Егор.

Шепель сел за роскошный министерский стол, отодвинул бронзовый бюст Ленина и раскрыл широкий планшет в кожаной обложке.

— Конкретная, говоришь? — он жестом поманил Егора к столу и поставил перед ним стакан с карандашами. — Изобрази обстановку, если она такая конкретная. Валяй, в цветах и красках.

Первый карандаш в пальцах Егора переломился, второй остался без грифеля, и тогда Егор стал чертить фломастером.

— Это — его дом на Сретенке. Посты здесь, здесь, а также в подъезде, этажом ниже, этажом выше. Вот — хата на Соколе. Тут, тут и тут — постоянная вахта, в три смены. Хата на Кутузовском — это, сам понимаешь, глухой номер. Там даже систему охраны не вычислишь. Система на системе сидит. Что остается? Рабочее место. Вот банк. Три подъезда на разные стороны. Улицы просвечиваются с обеих сторон. Когда отъезжает, движение блокируют своими тачками. Канализация под контролем. Вентиляция под контролем. Гараж тоже. Посты здесь и здесь и на крышах — вот тут.

— Зря я с тобой связался, — сказал Шепель. — Ты даже рисовать не умеешь. Все карандаши мне переломал. Штатовские были, между прочим, карандашики. Ну, что ты там еще накалякал, Репин ты хренов?

— Мне остается что? Остается дача, — с воодушевлением продолжал Егор, не замечая издевки. — Дача в лесу. Это плюс. Лес в охранной зоне — это минус. На территорию не пройти — две системы охраны, плюс собаки, плюс патрулирование. Остается последний, единственный вариант. Банкира можно завалить в одном случае — когда он выйдет на балкон своей дачи. Вот балкон, вот точка для огневой позиции. Отсюда, из леса. Это я сделаю. Без вариантов. Это будет результат. Но как я могу гарантировать, что он на этой неделе поедет на дачу! И даже если поедет, и я там буду — но вдруг он в этот раз не выйдет на балкон! Поэтому я и говорю — дай хотя бы две недели.

Шепель долго рассматривал нарисованные схемы, вертя блокнот перед собой по столу. Ему вдруг пришло в голову, что банкир тратит на свою безопасность слишком много денег. С чего бы он так дорожил своей жизнью? Семьи у него нет — только мать-старушка да сестра в Америке. Никаких особых радостей в его жизни не видно — банкир не посещал казино, не имел любовниц, не увлекался ни охотой, ни дайвингом, ни яхтами... Да ничем он не увлекался. На фига ему столько бабок? Которые он к тому же так бездарно тратит на спасение собственной шкуры! Нет, здесь дело нечисто, понял Шепель. Банкир — кукла. Живая мишень. За ним кто-то стоит. Кто-то, кому очень хочется хапнуть ту самую нефтяную компанию, о которой давно уже мечтает Ю.П. Шепилов. Вот кто настоящий-то враг, а вовсе не банкир. Но до этого врага Шепелю в жизни не добраться.

Короче, глухой номер. Выбросить и забыть. Но что делать с этим отморозком Егором?

«А пусть попробует, — подумал Шепель. — Чем черт не шутит. Вдруг у него выгорит? А не выгорит — спишем».

— Хорошо, Репин, — сказал он. — Через две недели решающее правление банка. Если через две недели банкир будет дышать, то ты дышать не будешь.

Егор громко сглотнул.

— За что?

— Кому много дано, с того много спрашивают. А тебе было дано много. Самое главное — я в тебя поверил. Как в Сашку Ветра. Очень грустно будет, если я ошибся. Очень грустно. Кит, проводи.

27

Нина привыкла к тому, что обо всех внезапных проверках, неподкупных комиссиях и неожиданных визитах начальства на рынке узнают заранее и всегда успевают приготовиться. Что-то припрятать, что-то подправить, кого-то вызвать на работу, а кого-то, наоборот, отправить домой. В общем, рыночная разведка всегда работала четко. Поэтому ее очень удивило появление среди покупателей двух дюжих молодцов в строгих костюмах, профессионально вертящих обритыми головами и переговаривающихся по скрытым микрофонам.

«Если это телохранители, то где же тело, которое они охраняют?» — удивилась Нина. Однако ей пришлось тут же вернуться к своим обычным проблемам, потому что перед прилавком накопилась очередь. Пока в очереди стоят три-четыре человека — это нормально, и даже полезно. Небольшое скопление народа приманивает остальных покупателей. Но именно небольшое. Потому что народ сейчас пошел избалованный, дорожащий своим временем. И если к прилавку вытягивается хвост, то большинство покупателей пройдет мимо.

Рассчитавшись с очередной привередливой старушкой, Нина увидела, что к прилавку пробивается какой-то мужик в оранжевом жилете. Она не сразу узнала в нем своего нового знакомого, с которым выпила по глотку шампанского на презентации. Кажется, его зовут Михаилом?

— Здрасьте, Нина. А я к вам. Прямо с работы.

Она кивнула ему и переспросила у дамы в шляпе:

— Селедочки, говорите? Норвежской или каспийской?

— Ой, душечка, все равно, только пожирнее. Парочку, на полкило.

— Нина, я на секундочку забежал.

Нина порылась в пластиковом ведре, выбирая пару пожирнее. На самом деле все селедки тут были абсолютно одинаковы и по жирности, и по мясистости, и даже по цвету глаз. Но она всегда немного задерживалась, перебирая рыбу, потому что это было приятно покупателям.

— Шестьсот грамм. Ничего?

— Ой, ну ладно, такие они аппетитные. Спасибо, душечка.

Она отсчитала сдачу и на секунду повернулась к Михаилу, который протиснулся к прилавку:

— Хотите рыбы?

— Хочу, но не рыбы, — засмеялся он.

У него была очень приятная улыбка, добрая, теплая, доверчивая.

— Я вот... Пришел, чтобы пригласить вас сегодня вечером покататься на моем трамвае.

Очередь, которая уже начинала роптать из-за вторжения какого-то работяги, мгновенно затихла. Нина тоже застыла от удивления:

— Что?

— Я с начальством уже договорился! В девять часов. На остановке возле вашего детского сада. Я буду ждать! Обязательно! Не опаздывайте! Двадцать один ноль-ноль. Нельзя держать линию! А то мне влетит!

Последние слова он произнес, уже убегая.

— Слышь, мужик! — крикнул ему вдогонку парень из очереди: — А можно мне тоже прийти? С девушкой!

— Нет, нельзя! Трамвай работает только для Нины и ее сына!

Его оранжевый жилет затерялся в толпе покупателей.

— Круто, — сказал парень. — Девушка, а я не сойду за вашего сына?

— Кто бы мог подумать, — вздохнула покупательница, критически оглядывая Нину. — В наше время — и такая романтика. Судака мне.

Судака так судака. Спасибо за покупку. Кило триста минтая. Спасибо, приходите еще. Две трески безголовых. Спасибо за покупку. Филе хека. И снова минтай, и снова треска, и так до самого вечера. Все как обычно. Вот только сегодня до самого вечера Нина не переставала улыбаться. Смешной он, этот Михаил. Неужели он думает, что она придет на остановку, чтобы покататься на его трамвае?

Нина и сама не ожидала, что ее хорошее настроение так быстро пропадет, как только она приблизится к детскому саду. Белый халат заведующей мелькнул за стеклянной дверью на входе и быстро удалился куда-то.

Заглянув в группу, Нина увидела, что ее Петька сидит в стороне от детей, один. Он не сразу заметил ее, увлекшись рисованием. Но стоило ей скрипнуть дверью, как Петька вскочил и, захватив рисунок, подбежал к ней:

— Мам, смотри, это наш штаб в деревне, это Санька на велике, а Алешка в шалаше сидит, вот его глаза блестят, видишь?

— Вижу, вижу, — Нина присела перед ним и увидела под глазом Петьки широкую ссадину. — А это откуда? Упал?

Петька насупился и ничего не ответил. Значит, не упал. Значит, случилось что-то такое, о чем ему не хочется рассказывать. А соврать для мамочкиного спокойствия — этому искусству малыш не обучен...

Нина за руку подвела его к воспитательнице.

— Добрый вечер, Ирина Борисовна. Почему у Пети подбит глаз?

Молодая, но уже расплывшаяся поперек себя дамочка в круглых очках хладнокровно ответила:

— Почему? Очевидно, потому, что его подбили.

— Почему это случилось?

— Потому что наши дети не любят, когда им врут, — с достоинством ответила воспитательница. — Не так воспитаны, понимаете? А ваш Петя врал, что его мама — известная модель. В то время как его мама — рыбная торговка.

Петька топнул ногой:

— Вы врете! У нас журналы... Маму по телевизору... Она пока не работает, но она...

Нина взяла сына за плечо и приказала:

— Помолчи, пожалуйста. Некрасиво перебивать женщину.

— А что она врет?

— Послушайте, Ирина Борисовна, — спокойно сказала Нина. — Если вам кажется, что мой сын говорит неправду, то это ваше дело. Но почему вы позволили детям избить его?

Воспитательница задохнулась в порыве благородного негодования:

— Избить?! — она развернулась к остальным детям, с интересом следившим за их беседой. — Кирилл, Яша, Илюша! Дети! Сюда!

Трое мальчишек понуро выстроились перед воспитательницей, и Нина увидела, что у каждого на лице либо ссадина под глазом, либо шишка на лбу, либо губа расквашена. Каждая травма была аккуратно обработана йодом.

— Вот, пожалуйста! Полюбуйтесь! Это — дело рук вашего сына!

— Кто начал первый? — поинтересовалась Нина.

— Дело не в этом, — отмахнулась воспитательница.

— Почему же? Вы знаете, что такое самозащита? Если эти мальчики напали на Петю, он имел право защищаться, не так ли?

— Никто на него не нападал, — заявила воспитательница.

— Петя, кто начал драку? — спросила Нина, присев рядом с сыном и глядя ему в глаза.

Петька опустил голову и тихо произнес:

— Филипп.

— Кто-кто?

— Ну, Филипп, у него мама такая, ну, упитанная, на «тойоте».

— Ах, на «тойоте», — Нина вспомнила толстуху, с которой раньше постоянно сталкивалась на входе в детсад. — И что, он первым тебя ударил?

— Нет. Он ударил Кирюшу. А Яшка позвал Илюху, и они втроем навалились на Филиппа. А он мой друг.

— Значит, вы были вдвоем?

— Два на три, — Петька поднял голову. — Но Филипп тяжелый, так что можно считать, что три на три.

— Молодцы, — сказала Нина.

Воспитательница воскликнула:

— Группировки мне тут создают! Филиппа это вообще не касалось, а он полез драться, потому что дети назвали вашего Петю вруном! Вы бы слышали, какие слова они тут употребляли! Волосы дыбом! И козлы, и уроды, и пасть порву! Волосы дыбом!

— Гелем пользуйтесь, — посоветовала Нина. — Или лаком. Чтоб волосы дыбом не вставали. Пойдем, Петя.

Она чувствовала, что готова вцепиться в эти самые волосы, стоявшие дыбом от химической завивки. Но бедная Ирина Борисовна ни в чем не виновата. И дети не виноваты. Во всем виновата только она сама, Нина, рыбная торговка, которая пристроила своего сына в такой элитный детский сад.

И так будет всегда. Куда бы теперь ни пошел ее сын, он будет сыном рыбной торговки. И ему придется расквасить еще не один нос, и самому получать синяки и шишки, пока он не поймет, что драться — бесполезно.

Ничего, в следующем году он пойдет в школу, там будет попроще. Садик, какой-никакой, а дал ему хоть что-то. Английский, знакомство с компьютером. И друг у него теперь есть. Еще неизвестно, каким этот Филипп вырастет дальше, но сейчас он повел себя вполне достойно.

Петька шагал рядом, угрюмо пиная ногами камешек.

— Ну, чего загрустил, — потормошила его Нина. — Есть одно предложение. Пойдем в МакДональдс!

Петька молча помотал головой. Нина остановилась:

— Есть другое предложение. Пойдем в итальянское кафе, где игровой автомат, помнишь?

— Не хочется. Мам, теперь у Филиппа будут проблемы, да?

— Я думаю, что проблемы будут у Ирины Борисовны, — усмехнулась Нина, вспомнив мамашу этого толстяка Филиппа. — Слушай, Петька. Есть третье предложение. Поехали кататься на персональном трамвае!

Петька поднял голову, и глаза загорелись:

— На каком трамвае?

— Который повезет только нас с тобой.

— А разве так бывает?

— Иногда. Очень редко. Один раз в жизни.

28

Пробравшись через рыночную толпу, Михаил скинул оранжевый жилет, расстегнул синюю рабочую робу, и Воронин помог стянуть ее, потому что роба была надета прямо поверх делового костюма.

— Гони к Белому Дому, — приказал Михаил, садясь в «мерседес». — Министры ждать не любят. Кстати, как насчет трамвая?

— Пока нет информации, — ответил Воронин. — Но я держу процесс на контроле.

— Смотри, брат, двадцать часов московского времени — последний срок.

Воронин кивнул и посмотрел на часы.

Разговор с министрами был очень важным, как и любые другие разговоры, в которых участвовал

Михаил Колесник. Но сегодня за всеми цифрами, процентами и коэффициентами постоянно просвечивал один и тот же вопрос — успеет ли Воронин достать трамвай?

И, спускаясь по ступенькам Дома правительства, он сразу же спросил:

— С трамваем договорился?

— Михаил Анатольевич! — замялся Воронин. — Вы же всегда требуете прозрачности операций и законности сделок. Так я вам докладываю, вполне прозрачно. Если хотите, чтобы все было законно, то трамвая нет.

— Что? — Михаил остановился у машины. — Ты сам-то понимаешь, что сказал?

— Нет трамвая, — повторил Воронин. — Депо категорически отказывается. Ни за какие деньги! Не выпустим, говорят, нельзя и все!

— С кем разговаривал?

— С главным инженером, с директором, с председателем профкома.

— Директор знает, что его парк обслуживается нашим банком?

— Все он знает, — махнул рукой Воронин. — И все понимает. Но это же не таксопарк. Это трамваи, они по рельсам ходят. И если рельсы заняты, то трамваи стоят.

— Ты меня убиваешь. — Колесник круто развернулся и зашагал обратно в Белый Дом. — Хорошо, если Михалыч еще сидит у министра...

— Да подождите, Михаил Анатольевич, — Воронин удержал его за локоть. — Поехали. Рельсы рельсами, но мы-то не с рельсами договоримся, а с людьми. Поехали скорее.

— Куда?

— Как куда? В ближайший гастроном! Будет у нас трамвай. Только это очень непрозрачная и не очень законная будет сделка. Ничего, если так?

— А что делать, если эти бюрократы нам выбора не оставили? — проворчал Колесник, садясь в машину.

— Вы со сторожами умеете договариваться? Я бы сам пошел. — Воронин потер подбородок. — Но все эти работяги думают, что я мент. Сам не знаю, почему. А у вас внешность располагающая. У вас получится. Вы, главное, начните, завяжите разговор, а мы поддержим.

— Давно я со сторожами не договаривался, — сказал Михаил. — Лет тридцать. Когда последний раз арбузы с бахчи таскал. Да и тогда ведь не договорился, получил палкой по жопе. Ладно, попробуем.

Через полчаса его «мерседес» и два автомобиля охраны остановились у трамвайного парка.

Михаил вошел в проходную. Сторож, лежавший на диване, растерянно поднял голову:

— Вы, это, к кому?

— Здорово, хозяин, — Колесник по-хозяйски уселся на единственный стул.

— И ты будь здоров, коли не шутишь, — сторож сел, продев ноги в разношенные кеды.

— Да какие тут шутки. Трамвай нужен.

— Да-а... у всех свои проблемы. Купить, что ль, хочешь? Это тогда к начальству.

— Зачем купить. Нет. Взять напрокат. Часика на два, не больше.

— Это к начальству, — солидно повторил сторож и закурил папиросу.

— Начальство — это ты, — показал на него пальцем Михаил. — Ты — ночной директор. Дай трамвай на два часа.

— Нельзя.

— Почему? У тебя есть инструкция. Разве там написано: «Давать трамвай напрокат запрещается»?

— Такого, конечно, нет...

— Литр «Немирова». Два литра. Три. Четыре литра.

Сторож закашлялся, поперхнувшись дымом.

— Ящик, — твердо сказал Михаил, вставая со стула. — Закусь моя. Воронин, заноси продукт.

В сторожку бесшумно ворвались двое телохранителей с пакетами. Сторож встал. На столе перед ним появились банки с огурцами и помидорами, колбаса, хлеб, зеленый лук, пакет с соленой капустой. Сторож сел. Телохранители испарились, а в сторожку вошел Воронин с коробкой водки «Немиров».

— Та самая? — севшим голосом спросил сторож. — С перчиком?

— Та самая, с перчиком, — подтвердил Михаил. — Ну что, брат? Возьму я трамвай? На два часа, не больше.

— Только на два часа, — откашлявшись, просипел сторож и быстро запихнул коробку с водкой под диван. — Так... Я посплю пару часиков... Номер три ноля пятнадцать. Проснусь, трамвая не будет, заявляю в угон.

— Ты постой, не засыпай так сразу, — вмешался Воронин. — Ты покажи хоть, на какие там кнопки нажимать.

Сторож подозрительно глянул на него:

— Что, вас там, в Эм-Вэ-Дэ, Мэндэвэ, не учат трамваи водить?

Михаил расхохотался. А Воронин только руками развел:

— Ну, что я говорил? Да не мент я, не мент! Это у меня рожа такая с рождения!

29

Нина и Петька шли вдоль сквера, направляясь к трамвайной остановке, когда вдруг у них за спиной раздалась веселая трель звонка.

Петька оглянулся первым и сказал:

— Так вот он какой, персональный трамвай!

Двигаясь по вечерней улице, в городской темноте, испещренной огнями окон и витрин, этот вагон был похож на фургон бродячего цирка. Увешанный елочными гирляндами и разноцветными шариками, он ярко светился изнутри, и свет из его огромных окон лежал теплыми квадратами на темном асфальте улицы. Не доехав до остановки, он встал, моргая фарами, и двери его распахнулись как раз перед Ниной и Петькой.

— Мама, ну что ты стоишь! — Петька потеребил Нину за руку. — Не бойся, заходи!

— Энергичнее, граждане пассажиры! — прозвучал металлический голос из динамика. — Следующая остановка — светлое будущее!

Салон трамвая был украшен цветами. Из магнитолы, стоявшей на одном из сидений, лилась чудесная музыка — и Нина сразу узнала те самые джазовые мелодии, что слушала на презентации.

У водительской кабинки стоял накрытый скатертью столик с тортом, шампанским, кока-колой и соком.

— Это для нас? — тихо спросил Петька.

Нина не успела ответить, потому что из динамика послышалось:

— Уважаемые граждане! Напоминаем, что передние места, торт и напитки предназначены для пассажиров с детьми. Убедительно просим вас своевременно наполнять стаканы и угощаться хлебобулочными изделиями во избежание штрафа!

Обнаружив, что на столике заботливо приготовлены и блюдца, и вилочки для торта, и даже салфетки, Нина подтолкнула Петьку к столу. Но он не потянулся даже к любимой кока-коле, а просто вертел головой по сторонам и счастливо улыбался.

— Так вот он какой, персональный трамвай!

Нина оставила его и подошла к кабине водителя. В зеркале заднего вида она видела улыбающееся лицо Михаила.

— Вам нравится? — спросил он, когда она встала рядом

— Да. Спасибо. Сын просто счастлив.

— Я тоже, — сказал он. — Не хватает только одной детали для полного счастья.

— Какой же?

— Глотка шампанского.

— Но вы же за рулем.

— Разве это руль?

Она взяла со столика шампанское и обнаружила, что бутылка уже открыта. Захватив пару пластиковых стаканчиков, Нина вернулась в кабинку.

— Вот чем хорош трамвай, — сказал Михаил. — Не надо рулить. Он сам знает, куда ехать. Мы можем только ускорить его движение или затормозить, но он обязательно пройдет свой путь, от точки А до точки Б. У него не кончится бензин, не проколется колесо, его не остановит злой гаишник...

— Да, — кивнула Нина, — и его никто не угонит.

Михаил рассмеялся и чокнулся с ней:

— За вас, Нина. Желаю, чтобы на вашем жизненном пути были только счастливые остановки.

— Спасибо. Это профессиональный тост вагоновожатых?

— Нет. Это пожелание лично от меня. Я не всегда был вагоновожатым. Минуточку...

Он подвигал рукояткой на пульте, и трамвай плавно остановился под светофором. А потом так же плавно тронулся, когда загорелся зеленый свет. При этом на лбу Михаила выступили мелкие капельки пота, и Нина своим платочком вытерла их.

— Спасибо. Нина. Вы настоящий штурман. Очень душно здесь, — пожаловался Михаил. — И никак не могу привыкнуть к этим кнопкам. Проще водить танк, честное слово.

— Вы и танки водите?

— Было дело, — кивнул он. — И танки, и вездеходы. Вот, пришлось сменить профессию. Как и вам. То есть... Я хотел сказать, вы же не всегда работали на рынке?

— Какое это имеет значение?

— Абсолютно никакого. Главное, чтобы вам нравилась ваша работа. Самое страшное — когда делаешь то, что тебе не нравится. Жизнь должна доставлять человеку удовольствие каждую секунду. Поэтому надо делать только то, что тебе нравится. Нин, а что, шампанское уже кончилось? Вы забыли о своих обязанностях. Штурман должен следить, чтобы стаканчики были наполнены.

— У меня тоже пустой стаканчик! — послышался Петькин голос, и мальчишка протиснулся в кабину, встав между Ниной и Михаилом.

— Ну, ты уже большой, и сам можешь налить сок.

— Я хочу с вами!

— Законное желание, — сказал Михаил. — Давайте выпьем за знакомство.

— Петр Силаков, — важно сказал Петька.

— Михаил Колесник.

— Очень рад знакомству. Вы мне понравились.

— Взаимно.

— Тогда дайте я что-нибудь тоже в микрофон скажу.

Михаил ловко приподнял Петьку и устроил у себя на коленях, повернув к нему поближе головку микрофона.

— Следующая остановка — мамина! — произнес Петька. — Граждане пассажирчики, приготовьте для проверки не билеты, а конфеты!

Он расхохотался, а Михаил взял его ладошку и положил на рычаг управления:

— Тормози, Петя. Вот так... Вот так... Отлично! А теперь звонок. Вот так! И — полный вперед!

Глядя на этот слаженный экипаж, Нина подумала, что давно уже не слышала, чтобы Петька так беззаботно смеялся.

— А можно мне тоже позвонить? — спросила она. — Я всегда мечтала об этом!

— Садись, мамочка! — Петька соскочил с колен Михаила и сделал приглашающий жест. — А можно, я по вагону побегаю?

— Можно, — сказал Михаил. — Нина, ну, что же вы стоите?

Глядя, как Петька взбирается по поручням и, повиснув на руках, раскачивается, как обезьянка, Нина улыбнулась:

— Странный вы человек.

— Что же во мне странного?

— Все. Ваши манеры. Ваша уверенность. Начальственная уверенность. Ваша обувь. Такие туфли стоят не меньше трехсот долларов. Зарплата трамвайщика позволяет?

Михаил растерянно опустил взгляд на свои ноги.

— Да я, знаете... я ведь это... я у соседа занял... хотел вот впечатление произвести.... У меня сосед... он водитель у одного режиссера, и я... Нина, вы хотели позвонить в звонок. Не отвлекайтесь.

Он взял ее ладонь в свою, положил на звонок, но тут же приподнял, поднес к губам и поцеловал. Его губы оказались теплыми и мягкими, и у Нины закружилась голова. Она попыталась выдернуть ладонь, но не слишком сильно, и он удержал ее.

— У вас божественные руки, — произнес он своим тихим низким голосом, от которого голова Нины закружилась еще сильнее.

«Не надо было мне пить столько шампанского», — подумала она.

— Если будет всемирный конкурс рук, то вас к нему не допустят.

— Это почему?

— Потому что не нашлось бы достойных противниц.

Он еще раз прижал кончики пальцев к своим губам, но вдруг выпустил ее руку и сказал тревожно:

— Минуточку!

Впереди, на путях, прямо перед трамваем, стоял человек в оранжевой куртке. Михаил резко затормозил.

На соседних путях застыл сломавшийся трамвай, у которого суетились рабочие в оранжевых жилетах. Увидев подкативший вагон, они, размахивая руками, кинулись к нему:

— Братан, разводку дай!

— И реле! Реле третьей группы!

— Да что сидишь, как болван! Быстрее! Разводку давай! Да двери-то открой!

Михаил растерянно открыл двери и, встав с места, спросил:

— Как вы сказали? Простите, что дать?

— Да разводку! Разводку из биндюги! Быстрее!

— Да что сидишь! У нас замыкание, а он сидит!

Внезапно они замолкли, оглядывая салон.

— Ни хрена себе... Вино пьет... Бабу катает... Биндюгу не открывает. Да ты, парень, вообще, кто такой? Ты почему на нашем маршруте?

— Сейчас я вам все объясню, — уверенным тоном заявил Михаил, выбираясь из кабины и заслоняя собой Нину.

— Постой. Это какой вагон? Это же пятнашка. Он вообще в депо должен стоять!

«Попались, — с веселым страхом подумала Нина. — Кажется, нам пора домой».

Она потянула Михаила за руку и бросилась по салону к открытой задней двери. Михаил на ходу подхватил под мышку Петьку, висевшего на перекладине, и втроем они спрыгнули с задней подножки.

— Держи! — раздались крики за спиной. — Братва! Бей их! Милиция!

Нина быстро сориентировалась. Оглянувшись на бегу, она увидела, что Петька сидит на руках Михаила и грозит кулаком догоняющим их трамвайщикам.

— Не уйдут! Держи угонщиков!

— За мной! — крикнула она Михаилу и свернула во двор.

— Нина, не стоит... Не стоит беспокоиться! — слегка задыхаясь от бега, говорил он. — Сейчас мы все... Мы все уладим!

— Быстрее, быстрее, сюда!

— Да стойте же вы!

Он с силой ухватил ее за плечо и остановил.

— Нет причин для паники, — успокаивающе заговорил Михаил, но Нина вдруг увидела за его спиной черную машину, влетевшую во двор.

Оттуда выскочили двое здоровенных амбалов с бритыми головами. Держа двери распахнутыми, они выжидающе смотрели на Нину.

— Ну, долго стоять будем? — спросил один.

От его голоса у Нины почему-то сначала ноги подкосились, а потом словно крылья за спиной выросли. Не помня себя от испуга, она развернулась и потащила Михаила за собой — мимо мусорных баков, вдоль забора, а вот и дырка в заборе — здесь она проходила каждое утро, срезая угол по пути на остановку — и бегом, бегом через школьный двор, и снова мимо мусорных баков. Ворота закрыты! Кто только додумался закрывать их на ночь! Но эта преграда не остановит Нину. Она живо подвинула к воротам тяжеленный бак, влетела на него и перемахнула на другую сторону.

Михаил, подчиняясь азарту побега, тоже вскочил на бак, передал Нине Петьку, а потом занес ногу над воротами. Но он оказался не таким ловким, как Нина, и бак опрокинулся под его ногами со страшным грохотом. Михаил повис на створке ворот, болтая ногами, но вот, наконец, смог перевалить свое грузное тело и тяжело спрыгнул.

— Быстрее, быстрее, — Нина помогла ему подняться, а Петька сам запрыгнул к нему на руки. — Нам через дорогу!

Они перебежали улицу. Вот и песочница, а вот и родной подъезд.

Все, спасены. Сердце Нины бешено колотилось, и она никак не могла попасть ключом в замочную скважину.

— Классно покатались! — счастливо произнес Петька, когда они наконец остановились в прихожей за захлопнутой дверью.

30

Короткая прогулка на «персональном» трамвае, завершившаяся так неожиданно, привела к печальным последствиям для костюма Михаила. Его пиджак и брюки были испачканы известкой. Кроме того, присаживаясь на стул, он поморщился и непроизвольно схватился за колено.

— Ушибся? — спросил Петька. — Мам, давай зеленку!

— Ничего, пройдет, — Михаил потрепал его по голове. — Главное, что все целы и все вместе. Когда убегаешь, главное, друзей не растерять по дороге.

— Я все почищу. Переодевайтесь. — Нина достала из шкафа и протянула ему тренировочный костюм.

— Не стоит беспокоиться, — Михаил встал, неловко отряхивая рукав. — Я привык сам справляться с такими проблемами.

— Да вас в метро не пустят в таком виде. Идите в ванную, умойтесь и переоденьтесь, — приказала Нина. — А ты, дружок, пей свой кефир, чисть зубы и шагом марш в кровать.

— Строгая у нас хозяйка, — Михаил подмигнул Петьке.

— Строгая, но ужасно справедливая. — Тот тоже попытался подмигнуть, но пока он умел это делать только двумя глазами одновременно.

Сидя на кухне и слушая, как шумит вода в ванной, Нина пыталась унять свое непонятное волнение. «Не надо было мне пить так много шампанского», — укоряла она себя, и сама понимала, что дело не в шампанском.

Михаил вышел, приглаживая влажные волосы.

— Нина, я не успел вас предупредить... Не надо было так волноваться. Та машина, во дворе...

— Я не сомневаюсь, что вы бы справились с ними, — остановила его Нина. — Но женщины — они как лошади. Пугливы и спасаются бегством.

— Поэтому вы бросили свою работу? — осторожно спросил он. — Испугались и спаслись бегством? Если вам неприятна эта тема, не отвечайте. Мне просто хочется знать о вас все. Какой вы были в детстве, о чем мечтали, где были и где мечтаете побывать. Вы для меня — загадка. Прекрасная и манящая тайна, скажем так. Мне почему-то кажется, что вы пережили какое-то потрясение, которое перевернуло всю вашу жизнь. Это так?

— Может быть, так, — еле слышно проговорила Нина.

— Но я хочу сказать, что жизнь никогда не переворачивается окончательно. Знаете, как устроены спасательные шлюпки? В самый страшный шторм они могут даже перевернуться, но все равно примут правильное положение. И поплывут себе дальше, к надежному берегу. Могу я посмотреть вашу ладонь? — неожиданно спросил он.

— Посмотрите, — она протянула ему руку.

У него были сильные, мягкие и удивительно теплые пальцы. Он водил ими по линиям ладони и говорил что-то о судьбе, о жизни, о холме Венеры. Нина плохо слушала его. Она и сама знала все о своей судьбе, но сейчас ей был необходим этот мягкий заботливый голос, и ей хотелось, чтобы он не замолкал ни на минуту.

Но он все же замолчал, когда притянул ее пальцы к своим губам.

— Вот видите, — сказала она, не отнимая руки. — Вы и так все обо мне знаете. А я о вас не знаю ничего.

— У нас будет еще много времени. Вы узнаете все, что захотите узнать. От вас я не смогу ничего скрыть.

Он поцеловал ее запястье, и подсел ближе, и взялся за другую ее руку, а Нина гладила его по щеке, по виску, где поблескивали несколько седых волосков, и вдруг его губы оказались прямо перед ее лицом, и она закрыла глаза...

Они замерли в долгом поцелуе, наклонившись друг к другу над кухонным столом. Наконец, Нина оторвалась от него и встала.

— Нет, подожди, — прошептал Михаил и тоже встал и обнял ее, с силой прижимая к себе.

От его рук и широкой выпуклой груди в Нину словно вливалась какая-то сила, и она тоже сжала его в объятии. Ее руки обвили его шею, и губы слились жарко и жадно.

— Иди сюда, — шепнула она и провела его в спальню.

Включив ночник, она откинула одеяло и сказала:

— Ложись. Я сейчас.

Ей не хотелось при нем рыться в вещах, отыскивая пеньюар, поэтому она вернулась из ванной, завернувшись в длинное полотенце. Нина выключила свет, и он разочарованно протянул:

— Зачем? Я так хотел тобой полюбоваться...

Она заглушила его слова поцелуем, и он послушно подвинулся и был ласков, терпелив и нетороплив...

Нина сама себе удивлялась. Впервые в жизни она не ждала, не уступала, не подчинялась — она вела себя с Михаилом так, как Саша вел себя с ней. Она ласкала его и направляла его руки туда, куда требовало ее тело, но он и сам угадывал все ее желания, и им не нужны были слова...

Только когда он, уже немного задыхаясь от нетерпения, вдруг замедлил свои движения, она поняла его и прошептала: «Ни о чем не думай. Сегодня мне можно...»

Потом, лежа на его руке, она слушала его тихий голос и целовала его мягкие пальцы, один за другим. Пальцы сами сменяли друг друга на ее губах, потом скользнули по скулам, по щекам, по шее...

— Ты безумно красива даже в темноте, — проговорил он.

— Нет, я толстая и бледная, — призналась она в том, что мучило ее все последнее время. Ей и в самом деле было страшно видеть свое тело в зеркале. Нина знала, что вышла из формы, но ведь ей не для кого было сохранять красоту.

— Ты худая, как цыпленок, и твоя кожа светится в темноте, — сказал он.

— Спи, — приказала она ему, как маленькому.

— Вот еще. Я боюсь закрыть глаза даже на секунду. А вдруг открою — а тебя нет. Я не переживу, если ты исчезнешь.

— Я не исчезну.

— Честное слово?

— Честное пионерское.

Его рука осторожно выскользнула из-под ее головы, и он прошлепал босиком в ванную, прикрывшись ее полотенцем.

Когда он вернулся, в спальне горел ночник.

— Хотела тобой полюбоваться, — смеясь, сказала Нина. — У тебя красивые ноги.

— У тебя тоже ничего, — ответил он, неожиданно сдернув с нее одеяло.

Она села в постели, поджав колени к груди.

— Кошмар. До чего я дошла. Вот никогда не думала даже, что смогу целоваться с посторонним человеком.

— Какой же я посторонний. — Он сел на постель, и положил ее ноги себе на бедра, лаская ее колени. — Мы теперь с тобой повязаны одной ниточкой. Мы ведь с тобой теперь подельники. Совместный угон государственного транспортного средства. Совершенный по предварительному сговору и с особым цинизмом. Как думаешь, много нам светит за угон трамвая?

Она не дала ему договорить, потому что его мягкие широкие губы слишком сильно манили ее, и Нина снова притянула Михаила к себе...

31

Работа на рынке имеет свои достоинства — ты всегда можешь принести домой безупречно свежие, отборные овощи, фрукты и зелень. Не говоря уже о рыбе.

Нина нарезала тонкой соломкой очищенные яблоки, морковь и огурчики, все перемешала в своей любимой черной миске. Полила соком лимона и заправила сметаной. Сверху украсила ломтиками помидора, не забыв их посолить и поперчить.

На вкус помидоры оказались сладковатыми, и Нина решила, что они прекрасно подойдут для болгарского омлета. Она ошпарила один, самый красный, томат и сняла с него шкурку. Нарезала кружками и бросила в шипящее масло на сковороде, где уже поджаривались красные стружки сладкого перца. Туда же отправился зеленый лучок. Пока зелень жарилась, Нина взбила яйца с молоком, добавив чуть-чуть муки и соды. Осторожно, чтобы не расплескать кипящее масло, залила взбитой массой пассированную зелень и быстро переставила сковороду в духовку. Вот теперь от нее требовалось внимание — надо было уловить момент, когда корочка на омлете станет достаточно румяной. Но тут зазвонил телефон.

— Будьте добры, Михаила Анатольевича.

— Вы не туда попали, — Нина бросила трубку и кинулась к духовке.

Телефон зазвонил снова, но Нина успела вынуть сковородку с омлетом и установить ее на деревянную подставку.

— Барышня, я всегда попадаю туда, куда надо. Позовите Михаила Анатольевича. Немедленно.

Женский голос в трубке звучал сухо, но никакого раздражения в нем не было. Можно подумать, что на другом конце провода привыкли к тому, что Михаила Анатольевича подзывают к трубке только после долгих уговоров.

— Ничем не могу помочь, — ответила Нина. — Здесь нет никакого...

Она осеклась на полуслове, вспомнив, что в ее постели сейчас нежится человек, которого зовут Михаил. Этой ночью она не спросила о его отчестве, как не спрашивала вообще ни о чем.

Почему бы ему не оказаться Михаилом Анатольевичем?

— Простите, — сказала она. — А кто его спрашивает?

— Изольда Артуровна. Я его секретарь.

— Боюсь, что он не может сейчас подойти, — понизив голос, сказала Нина.

— Не понимаю, вы боитесь или он не может? — с едкой иронией спросила секретарша. — В таком случае передайте Михаилу Анатольевичу, что члены правления банка прибудут, как он и назначил, к девяти часам. Машина за ним уже выходит.

Нина заглянула в спальню и увидела, что Михаил сидит в постели. Он улыбался, глядя на нее.

— Тебе звонила женщина с оперным именем. Я не запомнила, извини. Что-то из Вагнера, что ли.

— Изольда, — рассмеялся он. — Что говорит?

— Правление банка прибудет к девяти. И машина выходит за тобой.

— Что у тебя на щеке? — спросил он, показывая пальцем. — Дай я вытру.

Она доверчиво наклонилась к нему, а он притянул ее к себе и принялся целовать. Так они и целовались в постели, пока снова не зазвонил телефон. Нина попыталась взять трубку, но Михаил все не отпускал ее.

И тут рядом с ними прозвучал голосок Петьки:

— Слушаю вас, Силаков.

Нина, ахнув, вскочила с постели и, поправляя халат, выскочила на кухню. А сонный Петька тут же забрался на ее место в постель и, устроившись рядом с Михаилом, передал тому трубку:

— Тебя.

Михаил подмигнул Петьке и ответил в телефон:

— Слушаю, Колесник. А, Вова... да-да, голубчик, выезжай. Ну, куда-куда... — закрыв трубку рукой, он спросил у Петьки. — Слушай, мы сейчас где? Территориально.

— Как где? Дома.

— А-а, ну да, действительно. Домой выезжай, голубчик. Да нет, не на Сокол. Спроси у Воронина, он в курсе.

Прислушиваясь к его голосу, Нина расставляла посуду на столе. Она отгоняла тревожные мысли, стараясь сосредоточиться на обычных домашних хлопотах. Ей было хорошо и стыдно оттого, что так хорошо. Возможно, Михаил женат. Возможно, они больше никогда не увидятся. Возможно, она будет страдать без него. Все возможно, но сейчас ей хорошо. А воспоминания о прошедшей ночи кружили ей голову, как шампанское...

Умытые и причесанные, Михаил и Петька встали в дверном проеме.

— Разрешите приступить к приему пищи?

— Вольно, — смеясь, скомандовала Нина. — Приступайте.

— Когда ты успела все вычистить и нагладить? — спросил Михаил, садясь к столу. — Может быть, у тебя есть знакомые ночные гномики, которые все делают, пока хозяйка спит?

— Нет, — сказал Петька. — Мама сама все делает.

Нине было приятно смотреть, как дружно они уплетают салат и омлет.

— Мама всегда на завтрак готовит салат, — приговаривал Петька, не сводя глаз с Михаила. — От свежих овощей человек становится сильным. И быстро растет.

— Давай, брат, нажмем на овощи. Я тоже хочу вырасти.

Петька оглядел его придирчивым взглядом и сказал:

— Ты и так длинный. Хватит уже.

— Петя, не приставай с разговорами, — приказала Нина. — Ешь быстрее, а то мне уже пора на работу.

Михаил глянул на часы:

— Не волнуйся. Я вас отвезу. Петь, посмотри в окно, стоит машина у песочницы? Такая черная и квадратная.

Петька выскочил из-за стола и вскарабкался на подоконник:

— Стоит! Черный джипяра! То есть, мама, я хотел сказать, джип. Дядя Миша, это твой «гелендваген»?

— Молодец, разбираешься. Нет, это не мой, это с работы.

— А кем ты работаешь?

— Финансистом работаю.

— Тогда я тоже буду фи-на-насистом, когда вырасту. Мам, поехали скорее!

Михаил, вставая из-за стола, поцеловал Нину в щечку:

— Спасибо, все было очень вкусно. Какие планы на вечер, душа моя?

— Никаких.

— А на жизнь?

— Тем более.

— Отлично. Значит, ближе к вечеру обсудим ряд предложений. Есть у меня несколько интересных идей.

— Еще что-нибудь угнать собираешься? Троллейбус?

— Нет. Не троллейбус. Проект касается молодой женщины с очень умным ребенком. Но поговорим об этом позже. Вечером.

Нина так давно не ездила в хороших автомобилях, что, оказавшись в салоне «гелендвагена», даже растерялась. Внутри стоял чудесный запах кожи, которой тут было обтянуто все, что только можно, включая потолок. Все рукоятки, кнопки и рычажки были отделаны деревом. А больше всего поразило Нину то, что сзади, вместо обычного дивана для пассажиров, в этой машине стояли два отдельных кресла. Петька чуть не утонул в глубокой скрипучей коже, но самостоятельно пристегнулся, а Михаил показал ему, какие кнопки нажимать, чтобы кресло приняло удобное положение. Естественно, всю дорогу до детского сада Петька только тем и занимался, что регулировал свое сиденье.

Впереди «гелендвагена» все время держался черный «вольво». Он первым остановился у ворот детского сада, и из машины вышли двое крепких бритоголовых парней.

— Узнаешь? — Михаил повернулся к Нине со своего «командирского» кресла. — Эти орлы вчера заставили нас побегать.

— Им надо поработать над имиджем, — смутившись, ответила Нина.

— Слышу речь профессионала, — одобрительно улыбнулся Михаил. — Петька, готов? На выход!

— Первый, пошел! — сам себе скомандовал Петька и выпрыгнул из машины.

Нина смотрела через опущенное стекло, как он вприпрыжку бежит между клумбами, догоняя толстяка Филиппа. Вот они пошли в обнимку, голова к голове, о чем-то сговариваясь. А на крыльце детсада застыла заведующая, переводя изумленный взгляд то на Петьку, то на пару черных машин у ворот.

— Morning! — звонким дуэтом приветствовали ее мальчишки.

Петька остановился на крыльце, и обернувшись к машинам, прокричал:

— Мамочка, любимая, до вечера!

Нина помахала ему из окна машины, и заведующая тоже приветливо заулыбалась ей и даже присела перед мальчишками, приглаживая их чубчики, а потом — ого, какая забота! — взяла за ручки и лично повела в группу. И Нине стало понятно, что вчерашняя драка забыта, инцидент исчерпан, и сын рыбной торговки снова стал чудесным ребенком.

Кортеж проехал в ворота рынка. Никогда еще Нина не проделывала свой обычный путь от дома до работы с таким комфортом. Михаил первым вышел из машины, чтобы открыть дверь Нине и подать ей руку.

Ей было немного неловко. Казалось, что все грузчики, продавцы и охранники, все редкие первые покупатели во все глаза следят за каждым ее движением. Однако, оглянувшись, она увидела, что никому на рынке до нее нет никакого дела. И даже Тигран разгружал свою «двойку», упорно не замечая двух машин, остановившихся у его павильона.

Единственный человек, с кем Нина успела обменяться взглядами, был Егор. Он стоял у стеклянных дверей шашлычной, наполовину скрытый бамбуковой занавеской, и смотрел на Нину с веселым изумлением. Она не удержалась, и подмигнула ему, на что тот ответил по-своему, подняв большой палец и одобрительно кивая.

«Даже Егор рад за меня, — подумала Нина. — Зря я считала его тупым отморозком. Он же не виноват, что попал в такую компанию. И в конце концов, если на каждом рынке должен быть свой «смотрящий», то ведь Егор не самый худший из них».

— Доброе утро, Тигран.

— Иди переодевайся, Нина, скорее, — старик крякнул, поднимая тяжелый ящик. — Мелкого минтая привез. И аргентинку недорогую. Бабульки набегут, много работы будет.

Он скрылся в павильоне, и Нина, как бы извиняясь за него, сказала Михаилу:

— Вот такой у меня хозяин. Но он добрый, ты не думай. Просто — деловой до ужаса. Ничего, кроме своей рыбы, не замечает.

— У тебя нет хозяина, — тихо проговорил Михаил, держа ее руки в своих. — Ты сама себе хозяйка. И моя тоже. Ну, до вечера?

— До вечера.

Говоря, что хозяин рыбного павильона не замечает ничего, кроме товара, Нина явно недооценила способности бокового зрения Тиграна. Как только «вольво» и «гелендваген» выкатились за ворота рынка, старый армянин распрямился над прилавком и, провожая машины мрачным взглядом, спросил у Нины:

— Увольняешься, да?

Нина, поправляя шапочку перед зеркалом, пожала плечами:

— И в мыслях такого не было. Чем я тебя не устраиваю?

Она быстро раскладывала товар, тихонько, про себя, напевая мелодию, которая все утро неотступно преследовала ее.

— Хитрый у тебя мужик. — Тигран поставил еще один ящик под прилавок. — Сам на джипе, охрана впереди на «вольво». Все думают, в джипе шестерки сидят. Хитрый. Он кто, бандит? Банкир? Депутат?

— Он? Простой советский финансист, — рассеянно улыбаясь, ответила Нина.

— Увольняешься, — мрачно заключил Тигран. — Можешь мне поверить. Я двух сестер замуж выдал. И трех племянниц. Я это теперь спинным мозгом чувствую.

32

Сергей Воронин любил скромно называть себя начальником охраны, хотя его должность в банке официально именовалась гораздо вычурнее — помощник руководителя департамента защитных и профилактических мероприятий. Служба безопасности входила в этот департамент наряду с противопожарным отделом, отделом санитарного контроля и прочими интересными подразделениями, которыми командовали настоящие профессионалы — бывший чекист, бывший пожарник, бывший начальник СЭС и тому подобные отставники и пенсионеры, сохранившие дружеские связи в государственных структурах. А Воронин считался простым клерком, координатором, который доводил до этих профессионалов пожелания высокого начальства. На самом же деле у Сергея Воронина была всего лишь одна задача — обеспечение личной безопасности председателя правления.

Надо признать, что с этой задачей он до сих пор справлялся вполне успешно. Особой своей заслугой Воронин считал то, что заставил начальника гаража установить на представительском банковском «мерседесе» медный лист толщиной в полсантиметра, прикрывающий днище. Машина немного потеряла в скорости и увеличила расход бензина. Зато, когда под ней взорвалась мина, никто не пострадал.

Но техника техникой, а с людьми работать гораздо сложнее. Воронин чуть не поседел в ту ночь, когда прикрывал Колесника во время прогулки на трамвае. А сколько матюков ему пришлось выслушать и произнести в ответ, когда он усмирял толпу разбушевавшихся работяг из ночной путеремонтной бригады! Однако все это были только цветочки. Воронин, еще когда покупал ту проклятую тюльку, уже предполагал, что интрижка, затеянная Колесником с этой манекенщицей, изрядно попортит ему нервов.

Так оно и вышло. Целую ночь председатель правления находился на неохраняемом объекте. Пара телохранителей, конечно, дежурила в «вольво», припаркованном поблизости от дома манекенщицы. Но такими силами столь важных персон не охраняют.

А теперь вот пожалуйста — заезд на рынок, в это осиное гнездо криминала. Воронин едва дождался, пока Колесник сядет рядом в «гелендваген». Он резко рванул с места, чтобы поскорее покинуть опасную зону. И тут у Колесника зазвонил мобильник.

Поглядывая в одно из зеркал, Воронин видел лицо командира. Судя по брезгливой гримасе, разговор был неприятным.

— А, опять ты... Ну и что? Да пошел ты в жопу. Надоел.

Колесник выключил телефон и передал его Воронину.

— Поменяй номер. Как думаешь, где может быть утечка? Почему мне звонят люди, которым я не давал свой номер?

— Понял вас, Михаил Анатольевич. Отработаю утечку. Кто это был, если не секрет?

— Маньяк. Тот самый, который звонил после взрыва.

— Опять угрозы? Надо было соединить со мной, ну что же вы так... — огорчился Воронин.

— Ну, и о чем бы ты с ним беседовал за счет фирмы?

— Личная беседа много информации дает. Я, конечно, не эксперт-психолог, но все же могу отличить реальную угрозу от простого шантажа. Он вас шантажирует?

— Да нет. Просто говорит, что мне недолго осталось жить на этом свете.

— А как говорит? В грубой форме? Или отвлеченно?

— Да что ты привязался? — рассердился Колесник. — Отдай трубку. Пока живой, позвоню еще одному козлу.

Он снова взялся за телефон и долго искал нужный номер.

— Бэ... бэ... Бо... вот. Соедините меня, пожалуйста, с Иваном Бобровским. Как представить? Ну, скажите, что из Нефтемашбанка. Он поймет...

«Бобровский, — мысленно повторил Воронин и быстренько попытался вспомнить все, что имел на журналиста. — Телевидение. Черный пиар. Замечен в криминальных связях. Имеет прикрытие в прокуратуре».

— Иван? Приветствую, Колесник... Понимаю твою радость. Ну что же, пожалуй, я готов выступить в твоей передаче... Нет, никаких сенсаций.

Надо сказать кое-что во всеуслышание, с экрана телевизора... Нет, дорогой, в течение месяца меня не устраивает. Я должен выступить на этой или на следующей неделе... Понимаю, что сложно. Да-да, понятно. Но ты все-таки постарайся. Сдвинь там что-нибудь, не мне тебя учить... Хорошо, объясняю. Перед решающим правлением мне надо выступить публично. Чтобы все обозначить. А то у некоторых есть иллюзия, что если меня не будет, то решение изменится... Да, я готов выслушать твои условия... Добро. При личной встрече так при личной встрече.

Колесник выключил телефон и вернул его Воронину.

— Все. Меняй номер. Оформи на свое имя. Если опять будет утечка, сам с этим дебилом поговоришь.

— Не беспокойтесь, Михаил Анатольевич. Меры будут приняты. Все обеспечим.

— Ты обеспечь мне, чтоб через две недели я выступил на правлении. Понял? Дай мне две недели жизни, вот твоя задача. А дальше пусть будет что будет. Ты понял меня, полковник?

— Так точно.

То, что Колесник назвал Воронина полковником, говорило о многом. Дело принимало серьезный оборот.

Они познакомились, когда еще оба были всего лишь капитанами. Воронин командовал комендантской ротой в одном отдаленном гарнизоне, а Колесник был замполитом полка. Полк был непростой, да и гарнизон тоже. Туда часто наезжали на охоту разные высокие начальники, включая первых лиц государства, и не только Советского. Так что при желании и определенных способностях можно было легко обзавестись нужными связями. Капитана Колесника скоро перевели в Германию, а Воронин так и дослужился до полковника в своем заповеднике.

Встретились они уже в Москве. В новой Москве. К этому времени Воронин уже несколько лет командовал частным охранным предприятием. И на предложение Колесника согласился мгновенно. Свобода и независимость хороши только для лозунгов. А в жизни всегда лучше оставаться на службе.

Воронин дорожил своей службой и знал, что как только Колесник уйдет из банка, он не продержится здесь и дня. Так что Михаил Анатольевич мог бы и не напоминать ему о самой главной задаче начальника охраны.

33

Тигран навряд ли изучал основы маркетинга, менеджмента и прочие капиталистические науки. Но свою торговлю он вел в полном соответствии с законами свободного рынка, исповедуя гибкую ценовую политику и ориентацию на строго определенный круг потребителей. В этот круг входили все старушки, бабульки и дамы в возрасте, проживающие в радиусе пяти трамвайных остановок вокруг рынка. Именно они оставляли свои рубли и копейки в своем любимом рыбном павильоне, потому что только здесь они могли найти рыбу своего любимого сорта — сорта СД. То есть Самую Дешевую.

— Тигран! Аргентинки! — в который раз взывала Нина, едва успевая отсчитывать сдачу и взвешивать товар.

Разбивая плиту замороженной рыбы, Тигран ворчал, как обычно:

— Слушай! Такая страна Россия! Аргентинку кушает! Почему астраханки нет? Например, тебе говорю!

Стрелка весов все качается, все не может определиться — 350 или 370? Так хочется ей помочь, придержать весы, но Нина не позволяет себе таких вольностей. У нее все точно, как в аптеке. И ей приятно слышать доносящиеся разговоры из очереди:

— Я всегда здесь покупаю. Не дорого. И правильный вес.

— Да-да. Да-да.

— Этот киоск — самый лучший. А хозяин кавказец. Надо же.

— Да-да. Да-да.

— А вот еще говорят — евреи, евреи... Знаете, с этим надо кончать! Вот у меня знакомый жил в Казахстане, так он говорит — казахи в сто раз хуже!

— Тигран! Минтая!

Вот среди покупателей появляются новые лица. Нина приветливо улыбнулась пышной красавице восточного типа, с двумя кучерявыми мальчишками чуть постарше Петьки:

— Здравствуй, Люсик.

— Здравствуй, Нина-джан.

Тигран вывалил на прилавок ледяные булыжники, в которых угадываются очертания рыбьих хвостов, плавников, вытаращенные глаза и оскаленные пасти минтая.

— Вы что здесь? — сердито спросил старик.

Мальчишки загалдели по-армянски, но Тигран оборвал их:

— Я не вас спрашиваю! Я вашу маму спрашиваю!

— Гуляем, да. Мальчики по тебе соскучились. Говорят, совсем дядю не видим, да!

Старик отвернулся, скрывая счастливую улыбку, и Нина подумала, что не такой он и старик. Тигран сунул руку в один карман, в другой, и улыбка погасла на его лице.

— Ну, увидели — идите отсюда! — Он повернулся к сестре и махнул рукой: — Нашли место гулять! Не мешайте работать! Идите быстрее!

Они так послушно повернулись и зашагали прочь, держась за руки, что Нина хотела уже обругать Тиграна за возмутительную черствость. Но он опередил ее:

— Слушай, дай пятьдесят рублей! Спасибо. Смотри, запиши, что я их взял!

Взяв деньги, Тигран резво, как молодой, побежал вслед за опечаленными родственниками. И вот он уже поднимает мальчишек на руки, целует их, а Люсик прячет денежку за вырез платья.

Засмотревшись на эту картину семейного счастья, Нина и не заметила, что к прилавку подошел Егор.

— Здорово, красавица. Как торговля, Нинок? Без проблем?

— Спасибо. Все нормально.

— Разговор есть небольшой. Подожду в кафе. Скажи своему, пусть подменит.

Необъяснимая тревога охватила Нину, хотя Егор говорил, безмятежно улыбаясь. Она едва дождалась Тиграна, скинула халат и поспешила к шашлычной, где обычно проводил свое время «смотрящий».

На этот раз они сидели за столиком, который был украшен только стаканчиком с грубыми салфетками. Никто не подносил им ни вина, ни зелени, как в прошлый раз. Никто не мешал серьезному разговору.

— Я бы не стал говорить с тобой об этом, — медленно, как бы нехотя, цедил Егор, развалясь на стуле и разглядывая Нину. — Если бы не знал, какая у вас с Сашкой любовь была. Реальная любовь, такая только в кино бывает.

Нина почувствовала, что краснеет. Но она спросила твердо и спокойно, не отводя взгляда:

— А что? В чем дело, Егор? При чем здесь наши отношения с Сашей?

— Объясняю. Он был моим другом. Он был мне, как брат. И к его семье я всегда относился как к семье брата. А ты, получается, жена брата.

— Вдова.

— Да. Слушай сюда. — Егор наклонился над столом и заговорил, поглядывая по сторонам и понизив голос:— Ты знаешь, почему тебя из кичмана перевели в дурдом? Ты знаешь, почему тебя выпустили оттуда? Ты знаешь, почему нет никаких последствий?

— Ну, почему?

— Потому что Санек был мне, как брат. И неважно, Нинок, чего и сколько стоили мне твои проблемы. Ради нашей дружбы, ради меня Санек тоже пошел бы на все.

«К чему он клонит? — терялась в догадках Нина. — Намекает, что я должна его отблагодарить? Он что, в любовники набивается? Только этого не хватало».

Кровь снова бросилась в лицо, и в ушах зашумело. Однако Нина постаралась, чтобы ее голос прозвучал как можно равнодушнее.

— Я тебе что-то должна за это?

Егор усмехнулся, очевидно поняв ход ее мысли.

— Что за базар. Это я должник. Я остался должен Сашке. Знаешь, все живые ходят в должниках перед покойниками.

— Тогда я тебя не понимаю. — Нина твердо положила ладони на стол перед собой. — Егор, хватит ходить вокруг да около. Ты меня знаешь, я тебя знаю. Говори, в чем дело.

Егор закурил, продолжая насмешливо улыбаться. Попробовал выпустить дымное кольцо, смешно округлив губы. Но ничего не получилось, и он разогнал дым ладонью.

— Ты-то меня знаешь, а я вот тебя, оказывается, совсем не знал. А у тебя, оказывается, такие друзья... Классный мужик Миша Колесник. Крутой, богатый. Как он, ничего?

Нина не ответила, отвернувшись к окну.

— Да без базара, Нинок! — снисходительно ухмыльнулся Егор. — Я ведь не против. Жизнь продолжается. Ты еще молодая, еще очень даже ничего. Что ж тебе, одной бедовать? Я не против, я, наоборот, за. И Колесник человек хороший. Жаль только, до свадьбы не доживет.

— До чьей?

— Ни до чьей. Не жилец он, Нинок. Жить ему осталось неделю, максимум две. Шлепнут его скоро. Вот и все, что я хотел тебе сказать, — так, по старой дружбе. Чтобы ты не очень-то на этого мужичка закладывалась.

Егор встал, потягиваясь.

— Петьке привет передай. Классный у вас с Сашкой пацан получился.

Он направился к выходу мимо Нины, которая сидела, оцепенев. Снова и снова отдавались в ушах слова: «Не жилец... Не жилец... Жить ему осталось неделю... неделю...»

Она вскочила и догнала Егора на крыльце.

— Постой. Ты знаешь кто?

Егор, усмехаясь, молча оглядывался по сторонам.

— Говори, не молчи, — повторила она тихо, но требовательно. — Что надо? Денег? Так не бывает, чтобы просто убить, и все. Что-то же от него нужно! Говори! Говори!

Он быстро завел ее обратно и снова усадил за столик.

— Да не ори ты, дура. — Егор уже не улыбался. — Черт меня дернул тебе сказать... Ничего от него не нужно. Ладно, так и быть, слушай. У него есть коллекция картин. Крутая коллекция. Но там есть пара картинок, которые очень нужны другому коллекционеру. Очень серьезному. Этот дядя держит под собой половину Москвы. Въезжаешь в тему? Он эти картинки заказал. Колесника попросили продать, по-нормальному, за хорошие бабки. Мишаня отказался в грубой форме. Все эти коллекционеры — двинутые по фазе. Тогда наш дядя приказал их забрать. И их для него украдут. Обязательно. И, если в этот момент Колесник окажется дома, его, само собой, конкретно шлепнут.

— А если не окажется?

— А куда он денется? В квартиру среди бела дня не полезешь, за ней секут. Картины будут брать ночью. А ночью он обычно дома.

— А если его не будет? Если я... если я позвоню и скажу, что его нет дома, смогут они... Егор, я тебя умоляю. Зачем же убивать... Ведь можно же, когда его не будет...

— Уже очень долго люди ждут. Он все время дома. Даже на дачу не едет.

Нина, задыхаясь, стиснула ладонями виски. Она пыталась сосредоточиться, но все закружилось перед глазами. Надо предупредить Михаила. Он не послушает. Он спросит, откуда ты знаешь. Надо заставить его уехать. Его не должно быть в городе. Надо увезти его отсюда. Куда? В деревню, к маме?

— Ну, еще немного... Я попрошу, скажу Петьке воздухом подышать... Уговорю его нас на дачу... А? Я уговорю его...

Егор ответил с сомнением в голосе:

— На дачу — дело хорошее... Если уговоришь, конечно. А если не срастется что-нибудь? А как люди узнают, что он на даче? «Наружку» за ним держать, что ли? Следить за ним, что ли?

— Я буду следить, я! Дай мне их телефон! Как только мы на дачу приедем, я им позвоню! Им же самим так удобнее будет.

— Ага, удобнее. — Егор насмешливо прищурился. — Если б у меня даже был их телефон, этот вариант — глухой. Ты прикинь. Они после звонка полезут, а там засада. Очень удобно. Нет, Нинок, давай не будем мудрить. Просто прими к сведению, что я сказал. И не планируй с ним летний вояж на Канары.

Но Нина уже не могла отступить. Найденное решение казалось ей единственным возможным выходом. Черт с ними, с картинами. Потом разберемся. Сейчас главное — спасти Михаила. Спасти. Увезти его на ночь из города.

— Смотри, Егор, как можно сделать, — заговорила она, взяв себя в руки. — Узнай, где находится его дача. Когда мы туда поедем — а мы туда обязательно поедем, я тебе ручаюсь, — так вот, перед отъездом я звоню тебе. Ты берешь кого-то из этих людей и едешь с ним на дачу. Когда он увидит, что мы там — пускай звонит своим, и они делают свое дело. А ты им скажешь, что это ты сам все вычислил, выследил и все такое. А, Егор?

Он долго не отвечал, наморщив низкий лоб и почесывая бровь.

— Голова... Тебе, Нинок, надо к какому-нибудь авторитету в консультанты податься. Как ты реально все расписала. И мы с тобой чистыми остаемся. И чувак твой живой. И люди при своем интересе. Все вроде срастается. Только не знаю я, согласятся ли они. Уж больно серьезные люди. И ждали долго. Прямо даже не знаю...

— Но ведь так лучше, ты же сам сказал... И ты меня не первый год знаешь... Я же...

— Да-да, конечно, Сашкина вдова и все такое... Ладно, Нинок, не обещаю. Но для тебя — попробую. — Он порылся в нагрудном кармане и выудил свою визитку: — Моя мобила. Если уговоришь его на дачу поехать, звякни. Может, что и получится.

Вернувшись за прилавок, Нина не могла думать ни о чем другом. Надо спасти Михаила. Надо вывезти его на дачу. Время тянулось мучительно медленно.

К вечеру поток покупателей схлынул. Тигран, пересчитав деньги и поколдовав с калькулятором, протянул Нине пачку купюр.

— Что это? — удивилась она.

— Хозяин велел тебе отдавать.

— Не выдумывай, Тигран. Убери. А с Егором я разберусь. Все будет в порядке.

Но Тигран был не из тех, кто привык подчиняться женщинам.

— Возьми, я прошу. Егор не Егор, значения не играет. Считай, что это — премия. Мне приятно было с тобой работать.

— Почему «было»?

— Потому что я тебе объяснял уже! Потому что это все очевидно! — Он аккуратно запихнул пачку в карман ее халата.

— Тигран, не выдумывай. Ты лучше отпусти меня пораньше сегодня, — попросила Нина. — Срочные дела появились.

— Иди, иди куда хочешь. Если завтра увидимся, значит — до свидания. Если не придешь, то прощай.

34

Заведующая детсадом Эвелина Георгиевна, наверное, еще днем заняла свою позицию перед воротами. Завидев Нину, она издалека заулыбалась ей и направилась навстречу.

— Знаете, голубушка, — она подхватила Нину под локоть, сопровождая к крыльцу. — Во-первых, я хочу вам сказать главное — нам совершенно неважно, кем работают наши родители. Продавщицы они, или врачи, или дворники, или банкиры. Главное, знаете, как в анекдоте? Ползут два кирпича по крыше, один другому говорит — сейчас вниз упадем. А тот ему отвечает — ерунда! Лишь бы человек хороший попался! Так и у нас. Знайте это. Второе — воспитательница в вашей группе получила строгий выговор. Такого безобразия больше не повторится. Третье. Петеньку уже забрали.

Нина остановилась:

— Как забрали? Без меня? Как вы могли... Кто?

— Вы не догадываетесь кто? Ну, не волнуйтесь. — Эвелина Георгиевна дружески потрепала ее плечо. — Мы бы не отдали Петю, если б он сам не кинулся ему на шею.

— Кому на шею? Где мой сын?

— Здесь, они только что были где-то здесь. Да вот же их машина!

Вдоль забора вокруг детского сада медленно катил черный «гелендваген». Он остановился у ворот, двери распахнулись, и из машины вылетел сияющий Петька. За ним показался не менее довольный Михаил, одетый не в свой обычный серый костюм, а в джинсы и белую ветровку.

— Мама! — подпрыгивая, летел к Нине Петька. — Я сам рулил вокруг детского сада! Сам! Понимаешь!

Забыв попрощаться с Эвелиной, Нина подхватила Петьку на руки. Но он уперся ей в грудь и соскользнул на землю:

— Мама, ты что! Я не маленький, хватит носить меня на ручках. А мы с Мишей едем на дачу! Прямо сейчас! Ты с нами поедешь?

От неожиданности Нина растерялась и не сразу нашла, что ответить. Подойдя с Петькой к машине, она неуверенно улыбнулась Михаилу:

— На дачу? Да я бы с удовольствием. Если меня возьмут.

Петька затеребил Михаила за руку:

— Давай маму тоже возьмем! Я тебя прошу!

— Да я и сам хотел тебя об этом просить!

— Мама! Садись! Поехали!

— А надолго ли?

— Как захотим, — ответил Михаил, подсаживая Петьку, который залез на заднее сиденье и тут же принялся его регулировать. — У меня два дня выходных.

— Тогда и у нас тоже! Правда, мама? Поехали!

Нина все еще не решалась сесть в машину. «Вот все и решилось само собой, — подумала она. — Вот мы и едем на дачу. Осталось только позвонить Егору».

— Как все у вас быстро делается... Петя, нам надо собраться, наверно. Взять что-нибудь...

— Ничего брать не надо. Там у меня есть все, и даже больше, — сказал Михаил.

— А работа? Мне надо на работе предупредить...

— Твой Тигран Арутюнович уже все знает.

— Что знает?

— Что тебя скорее всего больше не будет.

— Как не будет? Как же я...

Вместо ответа Михаил забрал у нее пакет с зонтиком и положил в машину. А Петька засмеялся изнутри:

— Как, как! Вот заладила! Мам, не стой на дороге, не задерживай движение!

«Ладно, позвонить можно будет и с дачи», — решила Нина и опустилась в мягкое кресло.

— Пристегнуть ремни! — скомандовал Петька. — Миша, посадка окончена!

— Вас понял, — по-военному ответил Михаил, и «гелендваген» тронулся, пропустив вперед «вольво» с охранниками.

Глядя на пролетающие мимо окон дома, Нина подивилась тому, как быстро они едут. В те далекие времена, когда ей самой приходилось сидеть за рулем, поездки по Москве превращались в короткие рывки между пробками. А сейчас они без задержек выбрались на шоссе и понеслись в крайнем левом ряду, обгоняя всех.

Михаил то и дело поворачивался к ней. Его взгляд был ласковым и вопрошающим. Нина понимала, что всему виной ее напряженность, но тут уж она ничего не могла с собой поделать. Не могла она сейчас расслабиться и смеяться так же беззаботно, как Петька. Наверное, Михаил догадался, что ее что-то тревожит, и не приставал с расспросами, обмениваясь шуточками с Петькой.

Автомобили свернули с шоссе на узкую, но ухоженную дорогу в лесу. Мелькнул за окном поднятый полосатый шлагбаум. За медными стволами сосен виднелись высокие зеленые заборы, над которыми высились крутые черепичные крыши коттеджей. Через некоторое время обе машины свернули на дорожку, мощенную булыжником, и остановились перед глухими металлическими воротами. На длинном кронштейне ожила зеленая видеокамера, повела объективом туда-сюда. Охранники в «вольво» коротко посигналили, и ворота вздрогнули, а потом медленно откатились в сторону.

За воротами оказался такой же лес, по которому они только что ехали, только более редкий, светлый и ухоженный. Среди деревьев белел двухэтажный дом с верандой, длинным балконом и круглой башенкой с флюгером над конической серебряной крышей.

Неведомо откуда появились четыре крупные собаки, с черными спинами, белой грудью и рыжими подпалинами на боку и морде. Они неторопливо и молча бежали рядом с машинами, которые замедляли ход и, наконец, остановились у крыльца дома.

Петька завозился на своем месте, пытаясь открыть дверцу, но Михаил остановил его:

— Подожди, брат. Видишь, собаки.

Из дома вышел человек в военной форме без погон. Он свистнул, и собаки сбежались к нему.

— Это рокфеллеры? — спросил Петька, потрясенный статью и устрашающим видом псов. — Самые лучшие собаки — рокфеллеры. Так Филипп говорит, у них дома живет такой, его все боятся.

— Нет, брат, это не ротвейлеры, — сказал Михаил. — Это простые таджикские азиаты. Подарок друга. Меня-то они знают, а тебя еще нет. Могут и съесть ненароком.

Тем временем охранник взял псов на сворку и отошел с ними в сторону.

— Здравия желаю, Михаил Анатольевич, — зычным басом сказал он. — Всем семейством приветствуем.

— Здорово, старшина. — Михаил вышел из машины и помог выбраться Нине. — Давай познакомим твое семейство с новыми людьми. Это люди хорошие, добрые. И гостить тут будут часто.

Охранник провел пальцем по пышным усам и обратился к Нине и Петьке, как бы прощупывая их придирчивым взглядом:

— Здравствуйте, люди хорошие и добрые. Подойдите поближе.

Нина никогда не боялась ни собак, ни лошадей, ни даже мышей и крыс. Выросшая в деревне, среди всякой живности, она привыкла относиться к любому живому существу без лишних эмоций. К тому же она верила, что звери способны читать человеческие мысли. Поэтому ей даже не надо было говорить, например, со своим жеребцом Брегетом — тот и без слов ее понимал.

Приближаясь к этим великолепным псам, Нина мысленно повторяла: «Хорошие собаки, сильные, красивые. Особенно вот эта девочка, с тигровыми полосками на боках. Ах ты красавица...»

— Нюхать, нюхать, — приказал охранник собакам. — Свои, свои.

Псы обнюхали Петьку и Нину. Глядя в их черные, вечно голодные глаза, Нина с трудом удержалась, чтобы не погладить тигровую девочку по мощной холке. Охранник расстегнул сворку, и собаки разбрелись по двору.

— Вот и познакомились, — сказал Михаил. — Старшина, я заселяюсь на пару дней. Помоги ребятам разгрузить багажник, и все свободны до понедельника.

Он взял Петьку и Нину за руки и повел их к дому:

— Милости просим, гости дорогие. Давайте осмотрим наши владения.

Они уже поднялись на крыльцо, когда водитель «гелендвагена» окликнул Михаила:

— Командир, я пока тут с ребятами побуду.

— Не торопишься домой, полковник?

— Воздух тут замечательный. Надышался я городской копотью, хоть легкие провентилирую.

— Ну что ж, вентилируй.

Войдя в дом, Нина тихо спросила:

— У тебя все работники военные? Старшина какой-то суровый, полковник... И даже собаки какие-то боевые.

— Старшина — бывший пограничник, стоял на КПП между Западным и Восточным Берлином. А полковник просто мой друг. Ты еще не видела мой арсенал, — усмехнулся он. — Надеюсь, у тебя нет аллергии на военных?

— Да нет, просто как-то странно.

— А мне нравится, — заявил Петька. — Я когда вырасту, тоже буду военным.

— Привет! Ты же хотел стать финансистом, — напомнил Михаил.

— Сначала надо в армии отслужить, — серьезно ответил Петька. — Ты же отслужил? И папа мой отслужил, и у Филиппа брательник тоже. Все мужчины служат в армии. А что такое «арсенал»?

— Сейчас увидишь.

Они прошли через просторный холл с камином, перед которым растянулась огромная медвежья шкура. На стенах тут и там висели лосиные и оленьи рога, а в простенке между окнами парило чучело огромного гуся.

— Это трофеи прежнего хозяина, — пояснил Михаил. — Моя совесть чиста, я стреляю только по волкам и шакалам.

Петька первым побежал по лестнице на второй этаж. Михаил задержался, подавая Нине руку.

— Ты грустишь или мне показалось? — негромко спросил он. — Я тебя чем-то обидел?

— Почему ты так решил?

— Потому что ты молчишь. Когда я обижаюсь, я так прямо об этом и сообщаю. А вы, женщины, наоборот. Замыкаетесь в себе, дуетесь. Нина, не забывай, я — мужчина. То есть тупое и грубое существо. Не стесняйся мне указывать на мои ошибки, договорились?

— Я же тебе уже объясняла, — сказала Нина. — Женщины — как лошади. Пугливы и спасаются бегством. И еще молчаливы. Ты где-нибудь видел говорящую лошадь?

— Обожаю лошадей. Хочешь, покатаемся? — он взял обе ее руки и поднес их к губам, поцеловав пальцы.

Звонкий Петькин голос сверху заставил их вздрогнуть:

— Ух ты! Можно, я постреляю!

Нина взбежала по лестнице, обогнав Михаила, и увидела сына, зачарованно стоявшего перед высоким шкафом. За стеклом поблескивали вороненые стволы нескольких ружей.

— Мой арсенал. — Михаил открыл шкаф и снял с полки самую миниатюрную винтовку. — Хочешь пострелять? Нет проблем.

— Прекрати, ни в коем случае, не надо, — сопротивлялась Нина, удерживая Петьку, но тот тянулся к оружию. — Ну что за глупости...

— Не бойся, это пневматическая винтовка, — успокоил ее Михаил. — Ничего страшного, если мальчишка познакомится с ней. Но смотри, брат, это ведь не игрушка, ты понимаешь?

— Еще бы, — солидно кивнул Петька.

Нина обвела взглядом ряд винтовок и спросила:

— Так ты коллекционер? Собираешь оружие?

— Не только.

— А что еще? Картины? — она испугалась, что выдаст себя, и добавила: — Монеты? Марки?

— Я коллекционирую хороших людей, — улыбнулся Михаил. — Пойдем на балкон, Петька. Там у меня оборудована отличная огневая позиция.

«Ничего у них не выйдет, у этих людей, — с облегчением и радостью подумала Нина. — Как же я могла забыть, что его охраняют? Нет, эти людишки не на такого напали. Ничего у них не выйдет. Но все же хорошо, что я вывезла его на дачу. Осталось только позвонить Егору, и пусть они там творят что хотят».

— Пока вы стреляете, я позвоню, — как можно беззаботнее сказала она. — Есть тут городской телефон?

— У камина. В город через девятку, — подсказал Михаил и вышел с Петькой на балкон.

Нина спустилась к телефону и достала из кармашка джинсов визитку Егора.

— Алло, Ирка, ты? — громко спросила она, когда Егор взял трубку.

— Нинок? Молодец, конспирация. Ну что, как?

— Меня не будет в городе на выходные. Я на даче.

— Нормально, — обрадовался Егор. — Быстро ты его обработала. И сколько вы там пробудете?

— Эту ночь точно.

— Я уже говорил с людьми. Они в принципе согласны. Есть одно условие.

— Какое?

— Простое. Надо его показать.

— Как я могу?

— Значит, так. Здесь до дачи час-полтора ходу... Через полтора часа выведи его на балкон. Подъедет человечек... Он вас увидит, сразу отзвонит, и все, люди работают. Но имей в виду, если что не так — и тебе, и мне будет очень хреново.

— Я поняла. Договорились.

Она положила трубку. Выждала секунду и набрала первый попавшийся номер. После первого же гудка дала отбой. Этим нехитрым приемом Нина решила подстраховаться от бдительных охранников. «А вдруг, — подумала она, — этот усатый старшина-пограничник сейчас зайдет и проверит, куда это звонила новая гостья? Нажмет кнопку «redial» и соединится с Егором. Вот будет весело-то». О том, что телефонный разговор мог вообще прослушиваться, она старалась не думать.

35

Они долго катались верхом по холмистому полю, которое раскинулось за забором дачи. Петька сидел на коленях у Михаила, и все колотил пятками по бокам гнедой смирной кобылы, норовя обогнать Нину, которая скакала рядом на сером в яблоках жеребце.

Когда же Нина, незаметно придержав жеребца, немного уступила им, оба издали торжествующий индейский клич.

«Петьке хорошо будет с ним, — подумала она, и тут же одернула себя. — Почему это "будет"? Ему хорошо сейчас, это главное. И Михаилу хорошо с нами. Сейчас. Здесь и сейчас. А что там дальше будет... Это неважно. Не надо загадывать».

Так, уговаривая себя, она неспешно скакала за ними на прекрасном коне, наслаждаясь прекрасным видом. Все прекрасно, если не думать о будущем.

Что она знала об этом человеке, который сейчас играл с ее сыном? Только то, что он добрый, сильный, веселый. Богатый. Занимает высокое положение в обществе. Ласковый, хотя и не слишком искушенный любовник.

Любовник — вот слово, которое покоробило Нину даже в мыслях. Он любовник, она — любовница? Ну да, ведь он наверняка женат. Люди такого ранга не бывают свободными.

Она нахмурилась и послала жеребца вперед, догнав и перегнав своих «индейцев».

Навстречу им по полю неспешным шагом двигалась кавалькада из пяти всадников. Впереди на двух вороных ехали седой загорелый старик с длинными усами и девочка лет двенадцати, оба в голубых спортивных костюмах и жокейках. Они держались в седле прямо и свободно. Метрах в пяти за ними двигались трое насупленных смуглых бородачей в камуфляже. Те сидели на своих кобылах не слишком уверенно. Когда они поравнялись с Ниной, ей так и хотелось подсказать, как она это делала раньше, на базе: «Не горбись! Плечи опусти!». Но это желание моментально пропало, как только Нина заметила, что у каждого из-под расстегнутой куртки виднеется рукоятка пистолета.

Старик и девочка с любопытством глянули на Нину и молча кивнули в ответ на приветственный возглас Михаила. Смуглые телохранители тоже оглядели Нину, безо всякого интереса, а на Михаила не обратили никакого внимания.

Когда молчаливые наездники остались далеко позади, Нина спросила:

— Кто это?

— Наш сосед, генерал Соколов. Его внучка. И его охрана.

— Генерал Соколов? Знакомая фамилия.

— И крайне редкая, — иронично заметил Михаил.

— Что-то я про него слышала, что-то было о нем по телевизору.

— Его отставка наделала много шума. Теперь — простой пенсионер. А двигал армиями. Ну, не нагулялись еще? Петька, это у кого в животе урчит — у тебя или у меня?

— У мамы!

— Ну, значит, аппетит мы себе нагуляли, пора за стол. Нина, холодильник в твоем распоряжении, но есть еще и погребок.

Вернувшись в дом, Михаил быстро приготовил Петьке постель на диване возле балкона и снова занялся с ним стрельбой из воздушки, а Нина осталась на кухне. Ей хотелось приготовить на ужин что-нибудь особенное, но так, чтобы не тратить много времени. Она пожалела, что не успела ничего спросить у Михаила о его кулинарных пристрастиях. Можно просто изжарить огромную яичницу с беконом и зеленью. Голодный мужчина будет в восторге от такой еды. Но на завтрак у них уже был омлет. Михаил может заподозрить, что она не умеет готовить ничего, кроме яичницы. Нет, надо что-то придумать.

Она оглядывала кухню, пытаясь найти хоть какую-нибудь подсказку — и нашла ее. Но совсем не ту, какую хотела.

В углу на полочке стояли несколько книг, лежала пара журналов, а между ними разместилась цветная фотография в изящной деревянной рамке. Очаровательная женщина с девочкой лет шести на коленях. Они были сфотографированы на фоне какой-то зелени, за которой просматривалось море. И мать, и дочка были загорелыми и белозубыми, как на рекламе курортов.

Фото было любительским, хотя и неплохим. В углу виднелась впечатанная дата. Снимок был сделан этим летом. Как раз когда Нина была в неволе...

«Так вот почему он так уверенно держится, — поняла Нина. — Отправил жену с дочкой на юг, к теплому морю. А сам ходит по всяким презентациям, заводит необременительные знакомства. Интересно, он всех своих любовниц возит сюда, на дачу?»

У нее пропало желание заниматься готовкой. Она просто нарезала сыр, ветчину, открыла красную икру, баночку маслин и помыла помидоры. В конце концов, любовница не обязана быть хорошей хозяйкой. Не для того ее сюда привезли.

Она поднялась наверх, чтобы позвать к столу своих мужчин. Те расположились на балконе, где в специальном штативе была закреплена винтовка, из которой стрелял Петька. Остановившись у оружейного шкафа, Нина засмотрелась на них. Михаил, стоя на одном колене, то поправлял Петькин локоть, то слегка шлепал по сгибавшейся ноге:

— Ногу не гнуть! Опора жесткая! Плечо плотнее к прикладу! Ну, видишь мишень в прицеле?

— Вижу! Только у меня мушка все время прыгает. Я стою, а она прыгает. Почему?

— Потому что ты дышишь. Это нормально, брат. Все люди дышат. Я же тебе говорю, когда нажимаешь на спуск, останови дыхание, не дыши.

— Если не дышать, человек умирает.

— Ну, за пару секунд ничего с тобой не случится. Готов? Стреляй.

Раздался хлопок выстрела, а потом что-то звякнуло. Нина видела, что они стреляют в сторону дерева, на ветвях которого висели жестяные банки. Одна из банок после выстрела стала раскачиваться, и Петька радостно воскликнул:

— Попал! Миша, можно, я маму позову? Пусть посмотрит, как я стреляю!

— Не надо ее беспокоить, — сказал Михаил. — Ей сейчас трудно. Пусть привыкнет к новому месту, пусть пока одна побудет...

Услышав его слова, Нина остановилась. Ей было немного стыдно подслушивать, но искушение оказалось слишком сильным, и она встала за шкаф, слушая их тихие голоса.

— Одной еще труднее, — по-взрослому вздохнув, проговорил Петька с интонациями своей бабушки. — Хорошо, что я есть. А то без папы маме совсем трудно стало.

— А где папа?

Помолчав, Петька ответил неожиданно просто:

— Папа умер. Но мама говорит мне, что он уехал в Грецию и у него там все хорошо. Чтобы я не переживал. Ты только не выдавай, что я знаю.

— Не выдам. Но знаешь, обычно мамы говорят совсем наоборот.

— А моя мама лучше обычных.

— Верно, брат. Гораздо лучше.

У Нины защипало в глазах, когда она увидела, как Михаил неловко, стесняясь, гладит Петьку по голове.

— Давай еще постреляем? — сказал он дрогнувшим голосом.

— Нет, пойдем лучше есть, — рассудительно ответил малыш. — А то мама совсем расстроится. Мы же сможем еще когда-нибудь пострелять?

— Ты же знаешь, что сможем.

— Ладно, давай последний разик!

Петька снова приложился к винтовке. Михаил отошел в сторону:

— Теперь сам. Все сам.

Винтовка хлопнула, и банка отозвалась надтреснутым щелчком.

Нина сказала, выйдя из-за укрытия:

— Молодцы! Всех ворон распугали. Прошу к столу, товарищи солдаты.

Она старалась держаться спокойно, естественно, словно ничего не случилось. Просто одинокая женщина приехала в гости к женатому мужчине. Обычная история.

— Нина, а ты почему ничего не ешь? — вопрос Михаила отвлек ее от тяжелых мыслей.

— Как говорится, «ужин отдай врагу», — ответила она. — Петя, к тебе это не относится, тебе пока рано думать о фигуре.

— А я и не думаю, — ответил Петька с видом очень занятого человека, который жалеет о том, что вынужден отвлекаться на еду. — Я уже ем. Вот этот сыр вкусный! Мама, почему ты его никогда не покупаешь?

— Буду покупать. Пей йогурт.

— Я не хочу. Я уже поел. Спасибо. Очень вкусно. Миша, можно я пойду наверх, пострелять по банкам?

Нина хотела его остановить, но Михаил опередил ее:

— Конечно, можно. Заряжать ты умеешь. Когда кончатся пули, позови меня, я дам еще.

Перехватив тревожный взгляд, которым Нина проводила сына, Михаил положил свою руку поверх ее ладони:

— Душа моя, не беспокойся. Это абсолютно безопасное занятие. Кстати, ты кое-что забыла принести с кухни. Нет-нет, сиди, я сам.

Он принес шампанское, бесшумно открыл и разлил по фужерам. Сев рядом с Ниной, он бережно обнял ее за плечи и чокнулся с ней:

— Ну, за нас?

— За кого это, «за вас»? — не удержавшись, спросила она, но тут же попыталась смягчить резкость. — За тебя с Петькой? Как вы быстро столковались. Я ревную. Он уже даже разрешения спрашивает не у меня, а у тебя.

— Это нормально. Нормальная мужская дружба. Но выпить я хочу прежде всего за нас с тобой, —

он смутился. — То есть и за Петьку, конечно, тоже. За нас троих. Чтобы у нас всегда все было так хорошо, как сегодня.

— Тост принимается, — Нина постаралась улыбнуться, чувствуя, что ее губы дрожат.

«Всегда, — мысленно повторила она. — Всегда, когда жена будет в отъезде».

— Я не успел извиниться перед тобой за этот бардак на кухне. Сама понимаешь, дом давно не знает женской руки. А старшина, конечно, хозяин исправный, но... Но он — не хозяйка.

— А что, твоя жена сюда не ездит? — невинно поинтересовалась Нина.

— Кто? Моя жена? С чего бы ей сюда ездить? — с неприязнью спросил Михаил. — Я даже не знаю, где она сейчас.

— Зато я знаю, — сказала Нина, чувствуя, что шагает в пропасть.

Ее, что называется, понесло... Сейчас все рухнет. Ну и пусть. Пусть все кончится, но больше не надо будет притворяться. Пусть...

— Что ты знаешь? — изумленно спросил Михаил, отодвинувшись от нее.

— Она сейчас на море. С дочкой. Извини, я видела фотографию на кухне. Твой бдительный старшина забыл ее спрятать. А может быть, и не забыл.

— Фотографию? На кухне?

Он расхохотался так, что расплескал шампанское на скатерть.

— Извини, милая... Душа моя, ты не слишком наблюдательна. Все в один голос говорят, что мы с сестрой похожи, как близнецы. Хотя она на семь лет моложе. Неужели ты не заметила никакого сходства?

Нина, ошеломленная его словами, закрыла лицо ладонями.

— Глупенькая... — Он обнял ее и погладил по голове, как маленькую. — Представляю, какие логические цепочки ты уже понастроила. Отправил жену на юг, ходит по ночным клубам, возит молоденьких девочек в свое гнездо разврата... Я был женат так давно, что об этом пора и забыть. Жена ушла от меня к любовнику. Мы развелись еще при социализме. Они сейчас живут в Англии, больше я ничего об этих людях не знаю. А сестра с мамой живет в Штатах, в Техасе. У нее муж — настоящий ковбой, у них маленькое ранчо, и мы с тобой обязательно их навестим. Ну, открой личико!

— Мне стыдно, — Нина никак не могла посмотреть ему в глаза.

— А мне смешно.

— Значит, ты один?

— Один во всей Вселенной, как анчар у Пушкина.

— Мне надо умыться, — сказала она, пряча улыбку. — Лицо горит.

— Проводить тебя в ванную?

— Может, я и дура, но не до такой же степени. Сама найду, — она встала, резко отодвинув стул, и рассмеялась, припав к его плечу. — Какая же я дура!

В этот момент у Михаила на поясе зачирикал мобильник. Он, извиняясь, развел руками и взял трубку.

Нина, направляясь к ванной, слышала, как он говорит с кем-то:

— Слушаю, Колесник. О, вот как. Рад, что ты так оперативно отреагировал на мое предложение. Да, я готов обсудить твои условия... Конечно, можно. Я на даче. Давай, Иван, записывай дорогу...

Холодная вода казалась Нине слишком теплой. Но, наверное, даже лед сейчас не смог бы унять жар, которым пылали ее щеки. Ей было стыдно за свои глупые слова, но еще больше стыдилась она своей радости.

Умывшись, она поднялась к Петьке, пока Михаил продолжал разговаривать по телефону.

За окнами было уже темно, но Петька старательно, как учил его Михаил, целился из винтовки в темноту.

— Мам, это ты? Смотри, сейчас стрельну.

Нина крепко обняла его сзади и прижалась пылающим лицом к его прохладным шелковистым кудрям.

— Мама, ну что ты вздыхаешь? Тебе плохо?

— Наоборот, хорошо. Только я очень боюсь.

— Когда хорошо, надо не бояться, а радоваться. И ты не бойся. Никого не бойся. Мы с Мишей тебя всегда защитим. Он меня научил стрелять. Смотри, вон видишь, блестит на елке?

— Нет, малыш, не вижу. Уже темно. И это не елка, а береза. Хватит. Простынешь. Пора спать.

Она подвела его к дивану, поправила подушку. Постельное белье было хрустящим, накрахмаленным и источало тонкий лимонный запах.

— Туалет, ванна знаешь где? Быстро, умываться и спать. И чтобы ни звука отсюда, договорились?

Петька, надувшись, схватил лежащее на постели полотенце и мрачно вышел. Нина вынула винтовку из подставки, поставила на место в шкаф. Закрыла балконную дверь и окно. Подумав, сдвинула шторы и включила ночник у дивана.

Оглядев просторную комнату, она подумала, что Петьке будет хорошо здесь спать, особенно под легкий шорох начавшегося дождя, который стучал по стеклу.

Петьке будет хорошо здесь. И у Нины с Михаилом все будет хорошо. Главное — пережить эту ночь.

«Я сделала все, что могла», — подумала она.

Теперь ей оставалось только дождаться нового дня, и Нина знала, что не сможет заснуть этой ночью.

36

Эта ночь обещала быть бессонной не только у Нины.

Егор, получив от нее подтверждение отъезда банкира на дачу, сразу же стал собираться.

Свою «восьмерку» он держал не на стоянке, а в гараже у знакомого старика. Гараж был большой, и, кроме машины Егора, там стоял и стариковский «Запорожец». Как раз за этим допотопным агрегатом размещались стеллажи со всяким хламом, которому давно полагалось гнить на свалке, а его все копили и копили, называя гордым словом «запчасти». Вот здесь-то и была у Егора заветная полка.

Он поставил на пол канистры и банки, стряхнул с полки пыль и, отогнув крепежные скобы, снял ее со стеллажа. На заднем ребре этой «доски» оказались два почти незаметных замочка. Егор откинул их и поднял крышку футляра, замаскированного под полку. В зеленом сукне обивки покоилась разобранная снайперская винтовка. Ствол отдельно, приклад отдельно, глушитель, прицел и патроны — на крышке. Все на месте.

Это было оружие Ветра. Новенькая винтовка еще ни разу не участвовала в деле. Шепелю она досталась прямо со склада, и Ветер пристреливал ее вместе с Егором, заодно обучая тонкостям снайперского искусства. Как и любому другому оружию киллера, винтовке предстояло сработать только один раз. Егор уже наметил сточную канаву, куда сбросит ее после завершения охоты на банкира.

Он захлопнул футляр и спрятал его в спинку заднего сиденья «восьмерки». Все было приготовлено давно. Натуральная машина киллера.

А Егор уже считал себя настоящим киллером.

Да, с миной под «мерседесом» у него вышла незначительная промашка. Но Егор и ее использовал для психологического давления. На следующий день после неудачного подрыва он позвонил банкиру и заявил, что это было последнее предупреждение. «Не суйся, куда не надо, и останешься жить», — многозначительно сказал Егор банкиру, хотя не имел ни малейшего представления о сути разборки между ним и Шепелем. Втайне он еще надеялся, что банкир, напуганный взрывом, одумается и уступит, Шепель получит то, что хотел, тогда и Егор не прогадает, останется «смотрящим» на рынке, да еще и премию потребует.

Но когда Шепель вызвал его к себе домой, Егор понял, что премией тут не пахнет. Банкир попался неуступчивый. Решать вопрос придется вполне конкретно. И вот сегодня все будет чики-чики.

Он хорошо изучил все подходы к банкирской даче. Считалось, что она находится в охраняемой зоне, как и весь поселок. Но на самом деле каждый коттедж охранялся отдельно, а название «охраняемая зона» осталось от старых времен, когда поселок назывался генштабовским и на въездах в него действительно дежурила охрана. Теперь же на шоссе перед поселком стояла стеклянная будка, в которой сидел пенсионер. Мимо него спокойно мог пройти целый танковый полк, он бы и не почесался, так и продолжал бы решать свои кроссворды. Но будка эта по-прежнему называлась КПП — контрольно-пропускной пункт.

Пролетев мимо будки, Егор скоро свернул с дорожки в лес и оставил машину между кустами орешника. Здесь он давно уже облюбовал высокую березу, с которой хорошо просматривался двор банкирской дачи. Отсюда Егор несколько раз наблюдал за поселком, продумывая различные варианты. Но самым лучшим способом оставался один меткий выстрел. Главное — выманить под этот выстрел живую мишень.

Он забрался на березу и устроился между двумя толстыми ветвями. Его немного беспокоил начавшийся дождь. Но, посмотрев в прицел, Егор обрадовался — для такой оптики ни дождь, ни туман не составляют помехи.

Да, Ветер знал толк в оружии. Интересно, для кого он приготовил эту винтовку? Прикольно получилось. Знал бы Сашка! Вот он приготовил патроны, и что теперь? Теперь пуля полетит в того, кто занял его место в Нинкиной кровати... Егор суеверно сплюнул через левое плечо, а потом на всякий случай еще и перекрестился.

Если бы Сашку не убрали, Егор никогда не смог бы так высоко подняться. Так и ходил бы в шестерках. И сдали бы его при случае, как сдают других пацанов ментам. Или подставили бы под пулю при разборке. Нет, это очень хорошо, что все так вышло.

А самое-то главное — никто никогда не узнает, на чем погорел Ветер. Все так и будут думать, что это менты его вычислили. Ну и пусть себе думают.

Егор устроился поудобнее, поднял капюшон и посмотрел на часы. Что-то эта сучка тянет. В окнах дачи зажглись огни, иногда по занавескам проплывала чья-то тень, но на балкон никто не выходил.

А нам спешить некуда, успокоил себя Егор. Все равно Нинка его выведет. Баба напугана реально, должна отработать по полной программе. Будем ждать.

Чтобы хоть немного развлечься, Егор решил последний раз позвонить по номеру, которым снабдил его Шепель. Он получал огромное удовольствие от этих звонков своей жертве. Однако, кроме простого кайфа, такие мероприятия нужны и для дела — они выводят объект охоты из равновесия, объект начинает суетиться, совершать ошибки, и тем самым облегчает работу для киллера.

Он набрал номер и с наслаждением сказал в трубку:

— Ну что, жаба, дышишь еще? Дыши, дыши, недолго тебе осталось воздух портить. Ты у нас на мушке. Бегай не бегай, хоть в Кремле прячься, мы тебя и там зароем. Каждый твой шаг у нас на контроле, ты понял? Думал, на даче отсидеться? Сиди, сиди. Один хер — ты покойник. Все, больше звонить не буду.

Ему очень хотелось видеть, каким было сейчас лицо того, кто выслушал эту тираду.

Егор был бы безмерно изумлен, если б ему это удалось. Потому что вместо лица банкира он бы увидел кривую ухмылку начальника его охраны.

Воронин, вопреки приказу Колесника, не торопился менять номер этой телефонной трубки. Он надеялся, что «маньяк», который так досаждал командиру, позвонит еще. Тогда можно будет установить с ним контакт и постепенно вычислить координаты. Уловка сработала, правда, только на пятьдесят процентов. Маньяк позвонил, но контакт не состоялся.

Дождавшись окончания разговора, Воронин посмотрел на часы. «Мы прибыли на дачу чуть больше часа назад, — рассуждал он. — И этот маньяк уже в курсе. Значит, либо у него здесь есть свой человек, либо он сам находится неподалеку и ведет скрытое наблюдение. Либо и то и другое. На основании этих данных принимаю решение. Прочесать местность. Зафиксировать все автомобили, въехавшие в охранную зону. Пробить в ГАИ владельцев. И глаз не спускать с манекенщицы».

Он попытался вспомнить, какие слова в речи «маньяка» показались ему важными. Были такие слова, были. «На мушке». Это может свидетельствовать о способе нового покушения. Возможно, будут стрелять. «Хоть в Кремле укройся». Очень важная фраза. Еще одно свидетельство в пользу версии о снайпере. Да, скорее всего на этот раз Колесника попытаются ликвидировать не взрывом, а пулей. И это будет пуля, выпущенная из снайперской винтовки.

Воронин удовлетворенно потер ладони. Задача постепенно упрощалась. Если в дело вступает снайпер, значит, надо проверить все удобные снайперские позиции вокруг дачи, только и всего. «Эх, была бы в моем распоряжении комендантская рота или хотя бы один взвод!» — вздохнул Воронин, поняв, что поисками позиции, как и прочесыванием местности, ему придется заниматься в гордом одиночестве.

Он вставил магазин в свой пистолет, накинул плащ с капюшоном и приступил к выполнению своего плана.

37

Сидя в кресле у горящего камина, Михаил поправлял поленья длинной кочергой на витой рукоятке. Вид у него был задумчивый и огорченный. Но, услышав шаги Нины на лестнице, он быстро смахнул с лица эту унылую маску, и улыбнулся по-детски доверчиво.

— Уложила своего вояку?

— Еле-еле, — Нина встала за ним, положив руки ему на плечи. — Неприятный разговор был?

— Не обращай внимания. Всегда неприятно заниматься рабочими вопросами, когда настроился на совершенно другое.

— И на что же ты настроился?

Он потянул ее за руку и усадил к себе на колени. Это получилось у него просто и естественно, словно так они сидели всю жизнь — вдвоем у камина, в широком кресле.

— Настроился на тебя. Да и настраиваться не надо было, ведь мы с тобой работаем на одной частоте, как сказал бы радист. Собственно, тянуть нечего. Я знаю, как ты можешь мне ответить. Да, мы знакомы только третий день...

— Второй, — поправила Нина.

— Даже второй, — согласился он и продолжил: — Да, у каждого из нас есть груз прошлого, есть обязательства перед будущим и так далее и тому подобное. Но я всегда верил своим ощущениям. Я, извини, материалист, хоть сейчас это вышло из моды. Если я вижу, что человек умирает без воды, то я не буду молиться о дожде, а просто протяну ему свою бутылку. Извини, увлекся. Так вот... Не хочешь ли попробовать пожить вместе? Давай проведем вместе отпуск и потом примем окончательное решение. Я думаю, у нас может получиться...

— У нас и так неплохо получается, — тихо проговорила она.

— О да, — он осторожно погладил ее лицо. — Это было, как во сне. Сумасшедшая ночь... Все случилось так внезапно. Как молния...

— Внезапно? — Нина опустила голову на его плечо и призналась: — Я знала, что все будет именно так. Как только увидела этот трамвай... Уже знала, что не отпущу тебя. Кошмар какой-то... Никогда не считала себя хищницей. Я до последней секунды не верила, что ты приедешь. Потому что так не бывает. И вдруг — трамвай с цветами, с шариками, с шампанским...

— А я не верил... Нет, я боялся поверить, что ты придешь на остановку. Нет, я боялся, что ты что-нибудь перепутаешь или просто не поверишь — и не придешь. Да тысячи причин могли нам помешать...

Зазвенел телефон у камина. Михаил досадливо вздохнул и поднял трубку.

— Слушаю. Кто? Быстро же он добрался. Хорошо. Пожалуйста, проводи.

Нина догадалась, что Михаил ждет какого-то нового гостя, и принялась собирать посуду со стола.

— Черт бы побрал эту работу, — проворчал Михаил, подходя к окну. — Вот видишь! Я же говорю, тысячи причин! Вот, едет человек для важных переговоров. И важных, и срочных, не перекинешь на понедельник... Ничего, милая, я надеюсь, разговор не затянется.

— Я не помешаю? Может, мне лучше уйти?

— Посиди с нами, — Михаил подмигнул ей и добавил, понизив голос: — Когда гость видит молодую хозяйку, он не станет слишком долго задерживать хозяина.

— Но на переговорах иногда не нужны свидетели.

— А у меня есть один трюк. Для разговора увожу людей в бильярдную. Так что ты нам не помешаешь. Пойду встречу человека. Э, да там, похоже, дождик зарядил...

Он вышел, натянув на плечи ветровку и подняв капюшон.

Нина посмотрела на часы. Скоро надо будет вывести Михаила на балкон. Показать. Плохо, очень плохо, что пошел дождь. Попробуй придумать правдоподобный повод, чтобы выйти из комнаты...

И вдруг она почувствовала, что пол уходит у нее из-под ног. За дверью послышался знакомый голос, и на пороге появился Иван Бобровский...

Нина, покачнувшись, схватилась обеими руками за спинку кресла.

Иван же, если и удивился, то не подал вида. Только произнес небрежно:

— Вот так встреча. Не знал, что ты уже вышла из психушки.

Сразу за ним вошел Михаил, его ветровка блестела от мелких дождевых капель.

— Прошу вас познакомиться. Ниночка, это Иван Бобровский. Если его лицо тебе кажется знакомым, то тебе это не кажется. Его знает вся страна. Думаю, ты много раз видела его и до этой встречи. Иван, это Нина.

Бобровский, распуская галстук, оглядел столовую:

— Мило у вас тут, очень даже мило. А церемонии ни к чему, Михаил Анатольевич. Давайте без протокольных излишеств. Мы с Ниной знакомы. Даже одно время общались. Правда, давно. Москва — маленький город. В сущности, большая деревня. Очень мило у вас. Это все ваши трофеи?

Он бесцеремонно обвел пальцем оленьи рога на стенах, и при этом, как бы случайно, его жест закончился на Нине.

— Да нет, какой из меня охотник.

— Ага, значит, в этом доме до вас жил Уланов, прежний глава банка, я угадал? Говорят, тот пропадал на охоте чаще, чем сидел в Москве.

— Он был заядлым охотником.

— Михаил Анатольевич, я решил не тянуть с нашим разговором. Значит, так. Есть возможность эфира через два дня. Давайте обсудим условия.

— Конечно, обсудим. Но сначала давайте поужинаем.

Иван не заставил себя упрашивать и, потирая руки, подсел к столу.

— Голоден, не скрою. С удовольствием бы и выпил. Да вот проблема — назад еще ехать...

— Зачем же вам ехать? Да еще в такую погоду. Дом большой. Для таких гостей у меня всегда наготове комната, так что вы нас не стесните нисколько. Выпейте спокойно, переночуйте, а с утра...

— ...а с утра да по солнышку! — мечтательно зажмурился Бобровский. — Вот за это спасибо! С удовольствием! Михаил Анатольевич! Нина! А водочки у вас в таком случае нет? А то что-то продрог... Ниночка! Как же так? В такой вечер и без водки?

— Должна быть водка. — Михаил прошел в кухню, хлопнул дверью холодильника. — Так, здесь только вино. Одну минутку, принесу из погребка.

Нина осталась наедине с Бобровским. Она сидела, равнодушно глядя в огонь. Она старалась казаться совершенно спокойной, но это давалось ей с огромным трудом. Краем глаза она видела, что Иван намазывает толстый слой икры на кусочек хлеба, и при этом возбужденно причмокивает.

— А ты ловко пристроилась, — заметил он вполголоса.

Нина не отвечала. Ей был мерзок сам звук его голоса, и она не собиралась продлевать эту пытку, поддерживая светскую беседу.

Иван громко сглотнул слюну.

— Икорка-то душистая... Нин, ты что-то сегодня не в форме. Все еще дуешься на меня, что ли? А напрасно. Я тебя давно простил, претензий не имею. А мог и засадить лет на десять. Шучу, шучу. На пять, не больше.

Он, наконец, надкусил свой бутерброд, уронив несколько икринок на лацкан пиджака. Ловким движением пальца Бобровский собрал эти икринки и отправил в рот, облизав палец.

— Ну-ну. Не дуйся, старуха, тебя это не красит. Давай-ка лучше, по старой дружбе, устроим романтическое рандеву. А? Мы с Мишей для разговора-то удалимся. А ты пока мне постель приготовишь. Да там, в постельке, меня и подождешь, поняла? Я ему бумаги подсуну, а пока он в них разберется, мы с тобой покувыркаемся слегка.

Нина, глядя в огонь, тихо проговорила:

— Нет, ты не урод. Ты просто не человек. Вот в чем твоя беда, Иван. Руки-ноги человеческие, а внутри — что-то другое.

— Ой, много ты знаешь про мои руки-ноги, и про все, что между ними, — хохотнул Бобровский. — Я ведь неспроста предлагаю. Хочешь, чтоб Миша ничего про тебя не узнал? Тогда будь послушной девочкой. Короче, загляни, договоримся. Михаил Анатольевич, чудно, чудно! — Бобровский, не сделав ни малейшей паузы, встретил Михаила аплодисментами. — «Немиров»? Как вы угадали мою тайную любовь? Позвольте, я сразу же и выпью.

Он даже не дал бутылке опуститься на стол, выхватив ее из руки Михаила. С треском свернув пробку, плеснул в фужер и одним махом его опустошил.

— Вот так! — Бобровский с блаженной улыбкой откинулся на стуле. — Михаил Анатольевич, мне даже неловко, вы-то себе не налили...

— Я, к сожалению, перед вашим приходом выпил шампанского, смешивать не буду. Вы попробуйте ветчинки, Иван Ефимович...

— С превеликим моим удовольствием! Только имейте в виду, когда я сыт и пьян, я уже не джентльмен и могу заснуть прямо-таки фэйсом в салате. Ха-ха!

— Так, может быть, пожалеем салат? — Михаил поддержал шутливый тон Бобровского. — Комната ваша открыта, второй этаж, последняя дверь. Как только потянет в салат, смело отправляйтесь в свои апартаменты. А переговоры перенесем на утро, на свежую голову.

— Премного благодарен. За что люблю «Немиров», так это за полное отсутствие даже намека на похмелье. Но я бы еще грамм четырнадцать хлопнул... Вот так. Апартаменты, департаменты... А что, господин Уланов занимал этот особнячок как арендатор или как владелец?

— Спросите что-нибудь полегче, — улыбаясь, развел руками Михаил. — Мы ведь с ним даже почти не были знакомы.

— Вот как? А я слышал, что вы, наоборот, чуть ли не в одном полку служили, — говорил Бобровский с набитым ртом. — Выходит, врут мои источники?

— Ой, врут, — сокрушенно покачал головой Михаил.

Они продолжали перекидываться непонятными для Нины фразами, в которых незнакомые фамилии чередовались с именами, известными каждому избирателю. Она машинально кивала в ответ на вопросы Михаила, улыбалась после анекдотов Бобровского, но в голове ее стучала одна и та же мысль: «Надо выйти на балкон, надо показать Михаила. Еще немного, и будет поздно».

— Как душно, — она встала из-за стола. — Вы не обидитесь, если я вас покину? Постою на балконе.

— К чему такие реверансы, — поморщился Бобровский. — Ниночка, у нас нет от тебя секретов.

— Я просто хочу на воздух.

— А мы, пожалуй, заглянем в бильярдную, — предложил Михаил. — Играете, Иван Ефимович?

— Гонял я шары по молодости лет, гонял. Ну пойдемте, посмотрим, гремят ли еще шары в шароварах... А потом сразу баюшки-баю...

Бобровский выпил еще, а потом, вставая вслед за Михаилом, повернул к Нине свое покрасневшее лицо с бусинками пота на носу, и нагло подмигнул, кивнув в сторону лестницы на второй этаж.

«Он с ума сошел! — похолодев, подумала она. — Неужели он думает, что я могу...»

Мягко затворилась дверь бильярдной, и Нина осталась в столовой одна.

«Снова он становится на моем пути, — подумала она. — За что мне такое наказание? Сколько еще мне придется вытерпеть от этого выродка?»

Она собрала посуду и понесла ее в кухню. Но, не дойдя до мойки, оставила ее на столе и без сил прислонилась лбом к холодному кафелю стены.

«Он не отстанет от меня. Он хотел меня всю жизнь. Все эти годы он хотел только одного — переспать со мной... Он не отстанет от меня...»

Нина и сама не заметила, как оказалась на лестнице. Она прошла мимо комнаты, где спал Петька, и с тоской, словно прощаясь, оглянулась на призрачный отсвет ночника в толстом матовом стекле закрытой двери.

Последняя комната по коридору. Дверь приоткрыта.

Камин, резной шкаф, кресло. Широкая низкая тахта укрыта мохнатым пледом.

Нина почувствовала, что силы оставляют ее, и, хватаясь за стенку непослушными руками, опустилась на тахту...

38

Михаил Колесник давно уже подумывал о том, что Нефтемашбанку пора бы обзавестись собственной телекомпанией. Начиная переговоры с Бобровским, он рассчитывал осторожно прощупать почву с учетом такой перспективы. Дела у «ТВ-Медведь» шли неважно, компания держалась на плаву только благодаря могущественным покровителям. Но впереди были выборы, и их результаты могли оставить «медвежат» у разбитого корыта. А банк — он всегда останется банком.

Конечно, Бобровский — фигура слишком мелкая, чтобы обсуждать с ним такие вопросы. Но через него можно было бы получить сведения о настроениях в компании да и подготовить прямой выход на руководство. А пробным шаром как раз может стать внеплановое участие Колесника в ближайшем выпуске «Криминального экрана», или как там у них называется эта передача...

Они стояли у разных концов бильярдного стола. Иван облокотился о стол и с интересом наблюдал, как Колесник расставляет шары.

— Михаил Анатольевич, если вы всерьез полагаете, что я буду играть, то это просто наивно.

— Извините, привычка. Как только попадаю сюда, сразу хватаюсь за кий. Но что же, слушаю вас, Иван Ефимович. Какие у вас условия?

— Очень простые. — Иван взял со стола шар и, подкидывая его, прошелся по комнате. — Сначала о том, чего хотите вы. Вы хотите получить эфир в удобное для вас время. В дальнейшем вы хотите пользоваться поддержкой нашей компании. А если не пользоваться поддержкой, то, по крайней мере, не подвергаться атакам со стороны других средств массовой информации. Я угадал ваши желания?

— Во многом, да.

— Все эти удовольствия я вам могу гарантировать. Переходим к вопросу о том, чего хотим мы. Я веду журналистское расследование некоторых процессов. Сейчас меня весьма интересует схватка вокруг одной нефтяной компании, которая хочет кому-нибудь отдаться. Женихов много, но вы —

самый перспективный. Хотя есть вполне достойные конкуренты. Так вот, за мои скромные услуги я хочу получить от вас всю переписку вашего банка с этой компанией. А также подготовленный договор покупки с проставленными суммами. Уверяю вас, это в ваших же интересах.

Михаил Колесник скрестил руки на груди:

— Это исключено. Даже странно, что вы могли подумать такое.

— Ничего странного. Это только на первый взгляд исключено. На первый, очень поверхностный взгляд. А если вдуматься...

— Слушай, Бобровский, ты хоть сам понимаешь, что сказал? Похоже, что нет. Похоже, что ты с чужого голоса поешь. Кто тебя подослал? Кому нужны эти цифры? — Михаил с любопытством оглядел журналиста. — Колись, шпион-неудачник. На кого работаешь?

— Минутку, минутку, — запротестовал Бобровский. — Что за тон? Вам еще нужен эфир или уже нет?

— Уже нет. И спать ты здесь не будешь. Сматывай удочки и катись к едрене фене, — смеясь, сказал Михаил. — Вот артист...

Он ожидал, что журналист оскорбится, но тот мило улыбнулся и уселся в кресло, закинув ногу на ногу.

— Ты волну-то не гони, — сказал Бобровский. — Думаешь, я просто так, с кондачка к тебе приперся? У меня все ходы записаны. Эти документы мне нужны, и я их получу. Ты мне их отдашь. Далее. На моем рабочем столе стоит магнитофон со вставленной кассетой. Там записано, где я и куда поехал. Это так, на всякий случай.

Колесник покачал головой:

— Не только подонок, но еще и идиот. Губительное сочетание качеств.

Бобровский невозмутимо достал сигарету и закурил.

— Это тебе только так кажется. На самом деле губительное сочетание качеств наблюдается именно в твоем случае. Ты и соответственно твой банк плотно связаны с криминалом. Да-да, нам все известно, — он стряхнул пепел на ковер. — Конкретно, наблюдается сращение с так называемой группой Шепеля.

— Какой такой Шепель? — Михаил подкатил второе кресло и сел напротив Бобровского.

Со стороны это выглядело, наверное, как милая беседа двух старинных приятелей.

— Ах, мы не знаем никакого Шепеля? — Бобровский поцокал языком. — Беда с этими «белыми воротничками». Не знать подлинных хозяев жизни? Это позор. Ладно уж, я готов совершенно бесплатно предоставить некоторые данные. Так вот, это тот самый Шепель, у которого на содержании находится один из твоих акционеров. Может быть, и ты получаешь от него подачки, но у меня пока нет прямых улик. А вот акционер твой получил от него «вольво», модель эс-восемьдесят, синий металлик, оформлен на тещу, стоит на даче в Кунцево. Он пока на нем не ездит, потому что тачка, вообще-то, числится в угоне по картотеке Интерпола, но работа с документами уже ведется. Зрителям будет очень интересно узнать, как твой акционер пытается подкупить сотрудников милиции, и особенно интересно — за какие такие особые услуги криминальный авторитет Шепель подарил ему такую классную тачку. И это не домыслы. Как только вы начнете отмазываться, мы такую доказательную базу выставим — мало не покажется. Продолжать?

— Не стоит, — пожал плечами Михаил. — Быстро же тебя развезло. Надо было записать твои тексты, жаль, я поленился включить диктофон. Вот завтра бы посмеялись над этим пьяным бредом... Подъем, Ваня. С вещами — на выход. Если ты сам не пойдешь, тебе помогут. Почесал языком, и хватит. Ну что, мне вызвать провожатых?

— Погоди, погоди, еще неизвестно, кого придется провожать, — Бобровский прищурил один глаз, долго целился окурком и кинул его в камин, но не попал.

— Херовый ты снайпер, — заметил Михаил насмешливо.

Он встал и подошел к настенному телефону.

— Да, снайпер я неважный, — согласился Бобровский. — Вот у Нинки твоей муженек был — вот это снайпер так снайпер. Киллером подрабатывал. Пока его не замочили.

— Я знаю, кем был ее муж, — спокойно ответил Михаил. — У тебя все?

— Почти. Осталось совсем ничего. Кстати, о птичках. Знаешь, где сейчас твоя Нина? В моей постели. Пойди и спроси, почему она пришла туда.

— И почему же?

— Потому что она — наш человек, Михаил Анатольевич, дорогой ты мой, — многозначительно растягивая слова, произнес журналист. — Потому что ты у нас под колпаком, и мы подкладываем тебе кого хотим.

Бобровский встал и разочарованно развел руками:

— Очень жаль, что разговор вышел таким невеселым. Но это ведь только начало. Переписку можешь прислать с курьером. Мы ждем до вторника. Тебе когда эфир нужен? В четверг устроит?

Михаил не верил ни одному его слову. «Картотека Интерпола», «доказательная база» — звучит солидно, однако это только звуки, колебания воздуха. Все, что нес этот пьяный подонок, было обыкновенной попыткой шантажа без малейших к тому оснований. Так можно запугать челнока или хозяина киоска. Так можно наехать на мелкого чиновника. Игрушечным пистолетом можно напугать старушку в темном закоулке, чтобы отобрать у нее пенсию. Но кидаться с таким же «оружием» на танк? На такое способен только Бобровский.

Однако абсурдность требований и неслыханная наглость, с которой вел себя журналист, говорили о многом. Колеснику было понятно, что скорее всего за Бобровским стоят люди в генеральских мундирах. Генералы, которым давно пора уходить на покой, чтобы уступить свои кабинеты новым генералам. Генералов много, а кабинетов мало. Приходится крутиться. Приходится наезжать на банкиров, чтобы выбить из них скромную прибавку к грядущей пенсии.

А вот за сообщение о предателе ему надо вынести благодарность. Посмертно. Появление синего «вольво» на кунцевской даче не было секретом для Колесника. Но теперь ему стало понятно, где надо искать утечку важной информации.

— Ну что ты на меня уставился? — скривился Бобровский. — Не веришь про Нинку? Иди да проверь.

— Не уходи, разговор не окончен, — предупредил его Михаил и вышел из бильярдной.

— А я и не собирался никуда уходить, — насмешливо сказал журналист ему в спину.

Михаил, поднявшись по лестнице, замедлил шаги возле Петькиной комнаты. Бесшумно ступая по ковровой дорожке, подошел к последней двери и толкнул ее. В комнате было темно.

Он шагнул через порог — и едва успел пригнуться. Он даже не заметил, а почувствовал, как что-то, рассекая воздух, стремительно летит в него из темноты. Удар, треск — и кто-то накинулся на него.

Михаил увернулся от нападения, перехватив тонкие крепкие руки.

— Нина! Ты что!

— Сволочь... сволочь...

— Да ты что... опомнись! Опомнись!

Он сильно встряхнул ее, выпустил, но она тут же схватила его за горло. Ему пришлось ударить ее по ребрам и оттолкнуть от себя. Нащупав выключатель, он зажег свет.

— Все? Ты в порядке? Не ушиблась?

— Миша... Мишенька... это ты... — сидя на полу, она схватилась за голову. — А я... я думала...

Он подобрал с пола каминную кочергу и посмотрел на дверной косяк, в котором зияла глубокая щель. Если бы Нина не промахнулась на несколько сантиметров, удар пришелся бы как раз в висок.

— Боже мой! Милостивый! Я думала, это он, он... я его ждала, тогда не убила, убила бы теперь... а это ты...

Михаил встал на колени рядом с ней и прижал ее голову к своей груди:

— Успокойся. Успокойся, ничего страшного. Я все знаю, ты не виновата...

— Я не виновата... он предал... он привел милицию... тогда... они застрелили Сашу, он снимал... я бы его убила... стреляла в него, промазала... Боже мой, и теперь тоже... промазала! Слава Богу! Мишенька! Это же ты! Прости меня...

Он гладил ее, прижимая к себе, и пытался успокоить.

— Не думай ни о чем, все в порядке...

— Он... он всегда домогался меня... я его ненавижу... он как чума, он всех хочет заразить... он сказал, чтобы я пришла, иначе он все тебе расскажет...

— Что расскажет?

— Что я была в психушке, что я стреляла в него... из-за Саши.

— Успокойся, Ниночка. Запомни, в наших отношениях это ничего не меняет. И никто никогда и ничего не сможет изменить в наших отношениях. Никто. Никогда. Запомнила? Сейчас он уйдет. Я вызову машину. А потом я его накажу. Сам. Пойдем.

Он помог ей подняться.

— Я тебя не задела? — спросила Нина, ощупывая его лоб. — Милый, страшно подумать...

— А ты не думай. Можешь идти?

Не дожидаясь ответа, Михаил поднял ее на руки и понес по коридору. Он хотел отнести ее в спальню, но тут, как назло, зазвонил мобильник. Нина освободилась от его объятий и встала, держась за стенку.

— Я выйду на балкон, — сказала она, приложив ладонь ко лбу. — Задыхаюсь.

Михаил открыл перед ней балконную дверь и поднес к уху телефон. Он с удивлением услышал голос Воронина.

— Командир, есть вопрос. Человек, который к вам приехал, он один?

— Один.

— Я чего спрашиваю... Может, он с сопровождающим приехал? Не говорил ничего на эту тему?

— Может, и с сопровождающим, — подумав, ответил Михаил. — А что?

— Да тут какая-то «восьмерка» проскочила на территорию, но в поселке никто ее не видел. На КПП дед говорит, что свернула в нашу сторону. Но у нас ее нет. У соседей я смотрел, тоже нет. Вот я и думаю, командир, что неспроста у нас гости.

— Ты меньше думай, полковник. Ты лучше пришли ко мне двоих, и транспорт организуй. Отправим моего гостя домой, а то ему что-то тут нехорошо стало.

— Командир, не могу организовать. Я сейчас тут по лесу гуляю, по следу иду. Похоже, «восьмерка» в лес повернула.

— Ладно, сам ребят позову. У тебя все?

— Пока все. Нет, не все, — торопливо добавил Воронин. — Командир, вы... Просто на всякий случай. Для профилактики. В общем, занавески на окнах сдвиньте, свет минимальный, и к окнам не подходить. Как поняли?

— Вас понял. До связи.

39

Выйдя на балкон, Нина сразу почувствовала себя лучше. Легкий невидимый дождь осторожно шуршал в листве, прохладный воздух ласково гладил ее разгоряченные щеки.

Наваждение отпустило ее, исчезло, испарилось. Теперь Бобровский не казался ей чем-то ужасным. Он был смешон и гадок. Как она могла подчиниться ему? Гипноз, да и только...

Снова послышался голос Ивана. Он поднимался по лестнице, с пьяной бравадой выкрикивая:

— Да ты просто не знаешь, с кем связался! Да я вас урою!

— Тише, пожалуйста, ребенок спит, — спокойно попросил Михаил.

— Да я и тебя, и эту бандитскую подстилку, и выблядка ее...

Его голос оборвался, и Нина поняла, что Михаил ударил Ивана. Через минуту Бобровский вышел к ней на балкон, держась за челюсть.

— Шладкая парочка, — прошепелявил он сквозь разбитые губы. — Нечего шкажать, приглашили в гошти...

Михаил выглянул из-за двери:

— Ниночка, извини, пусть он постоит тут, остынет. Иди вниз. Сейчас его увезут, я схожу за ребятами.

— Я присмотрю за ним, — спокойно ответила Нина.

Наверное, по ее голосу Михаил понял, что она уже полностью овладела собой. Он ободряюще улыбнулся и сбежал вниз по лестнице.

Бобровский смочил носовой платок, проведя им по мокрым перилам балкона, и приложил к челюсти. Он пошатывался и выглядел присмиревшим.

— Сразу драться, — буркнул он. — А еще культурный человек, финансист. Солдафон останется солдафоном.

— А ты не лезь, — насмешливо посоветовала Нина.

— Вы оба — психи. Я вас обоих упеку в дурдом. На людей кидаетесь. Вы опасны для общества.

— Это ты опасен для общества. Таких, как ты, надо не бить, а убивать.

— Дура, — равнодушно ответил Бобровский, — да что ты знаешь обо мне, чтобы так судить?

— Я знаю, что из-за тебя убили моего мужа. Ты привел милицию, и они застрелили Сашу. А он был даже без оружия.

— Что за чушь! Дура ты набитая. Я привел милицию? Вот ведь дура! Да кто я такой? Хочешь знать, как было?

Нина отвернулась от него. Она хотела знать. Но она была уверена, что Бобровский никогда не скажет ей правды.

— А было так, — он зашел с другого бока, чтобы видеть ее лицо, и она почувствовала, как сильно от него несет перегаром. — В тот день, когда мы отвезли твои шмотки, ты меня высадила у метро. И я сразу рванул к этой курочке нетоптаной, которую ты поселила у себя. Покувыркались мы с ней, со всем моим удовольствием. Приятно вспомнить, даже сейчас. Ты слушай, слушай, нос-то не вороти. Хотела знать правду, так слушай. Потом я поехал в убойный отдел. Просто так, с кондачка подкатился. Думал, что-нибудь новенькое разнюхаю. А у них там аврал. Раздача патронов и подгонка бронежилетов. Идут брать матерого киллера. Вот-вот должны получить точную наводку. Я и подумать не мог, что это про Сашку твоего! Ну вот, затесался я в славные ряды группы захвата. Начальство налетело, автоматчики в касках. Круто. Мы с оператором тихонько жмемся в углу, чтоб не прогнали. Вдруг кричат: «Есть сигнал! Летим в адрес!» Мне по дружбе объясняют, что киллера сдал человек из его команды. Нашел место, где киллер прячется, и тут же позвонил в отдел. Команда — «По коням!», все — по машинам, и мы под шумок прыгаем в автобус. Темно, бардак, на нас ноль внимания. Прилетаем. Стрельба, море крови, ты в углу ревешь... Вот как оно все было. Так что я тут вообще не при делах. А ты, дура, накрутила детектив, невинного человека чуть не угробила...

«Что у трезвого на уме, у пьяного на языке, — подумала Нина. — «Да он врет и в пьяном виде, и в трезвом. Он и во сне, наверно, врет. Вся жизнь — сплошное вранье. Ну а если...? Тогда получается, что Сашу выдал Егор? Этого не может быть. Он же не знал адреса... Нет, знал. Саша сам ему продиктовал дорогу. Егор приехал. Потом как-то скомканно попрощался. Не захотел нас подвезти до аэропорта... Неужели Егор? Нет, не может такого быть!»

— Я тебе не верю, — устало сказала она. — Ты не умеешь говорить правду. Просто не так устроен.

— Да чтоб я сдох, если вру! — в сердцах выкрикнул Бобровский.

Он стоял в одном шаге от Нины. Она отвернулась и вдруг услышала странный звук. Словно кто-то хлестнул по спине Ивана мокрой тряпкой. Горячие капли брызнули на щеку Нины, и она испуганно отшатнулась. Краем глаза она видела, что Бобровский падает, как после толчка в спину. В следующую секунду что-то грубо и резко ударило ее в плечо, и Нина провалилась в черноту...

Ее окружали яркие расплывчатые огни — желтые и голубые, зеленые и красные... Они сияли и кружились вокруг нее... На миг она увидела себя в высоких зеркалах в самом начале подиума... шагнула вперед своей летящей походкой, и чудесное белое платье развевалось под теплым ветром... Аплодисменты заглушили музыку... Голоса, множество голосов, они сливаются в рокот моря... И снова чей-то голос, он настойчиво обращается к ней...

— Нина... Нина... Ты меня слышишь?

Она открыла глаза и увидела над собой склоненные лица незнакомых людей.

— Пришла в сознание... Подняли... Быстрее в машину...

Нина почувствовала, что ее невесомое тело оторвалось от земли и полетело куда-то.

Чья-то теплая сильная рука обхватила ее запястье.

— Нина, Петя останется со мной, пока ты будешь в больнице... Не беспокойся ни о чем...

— Миша! — она вдруг вспомнила все. — Миша! С тобой все в порядке? Где Петя?

— Здесь я, мам, — совсем рядом прозвучал Петькин голосок, и Нина попыталась повернуть к нему лицо, но это у нее почему-то не получилось. — Мам, я здесь, ты не шевелись, у тебя вся голова замотана, как мумия.

— Миша! — Нина увидела над собой его лицо. — Миша, это все Егор...

— Нет больше никакого Егора, — сказал он. — Не волнуйся, все будет хорошо.

— Все будет хорошо, — повторила она, снова впадая в забытье.

Неимоверное напряжение вдруг пропало куда-то, словно разжались страшные тиски, давившие на Нину в течение всего этого бесконечного дня. Все будет хорошо.

40

Нина никогда не могла ответить на вопрос, какие цветы она любит. Ее восхищала и обычная полевая ромашка, и мельчайший колокольчик ландыша, и пышная сирень. Цветы ей дарили часто, и она была рада любому букету. Но когда Нина сама покупала себе цветы, то это всегда были мелкие темно-вишневые розы.

Именно такие, какие сейчас стояли в узкой хрустальной вазе у ее изголовья. Три розы на тонких узловатых стеблях. И огромный букет на подоконнике.

Нина знала, что эти розы передал в больницу Михаил. Она терялась в догадках — как он мог так угадать? От него можно было ожидать, что палату заставят корзинами с лилиями и орхидеями. Но он почему-то выбрал именно мелкие розы... Она улыбнулась, глядя на них.

— Знаете, доктор, когда я очнулась, и увидела вокруг себя столько цветов, то подумала, что уже умерла.

Женщина-врач бережно откинула одеяло с ее плеч, отлепила пластырь, крепивший марлевую салфетку, и сказала:

— Ну что вы, голубушка. От касательных пулевых ранений теперь не умирают. Так-так... прекрасно. Шовчик аккуратный... термоожог лучше. Ваш муж передал прекрасную мазь. Думаю, даже следа не будет.

— Кто передал?

— Муж. У вас очень внимательный и заботливый муж.

Врач прикрепила салфетку обратно.

— Так что сегодня после обеда мы вас будем выписывать. Вот, муж передал вам телефон, — она положила мобильник на тумбочку.

— Спасибо, доктор. Большое спасибо. Никогда не думала, что лежать в больнице... Что мне будет жаль покидать больницу, — сказала Нина совершенно искренне. — Здесь так хорошо. Знаете, мне есть с чем сравнивать...

— Не надо сравнивать. Это — госпиталь, — сказала врач.

Как только она вышла, Нина вскочила с постели и подошла к окну. Вдыхая тонкий аромат роз, она оглядывала госпитальный двор, по-военному чистый и пустой, с побеленными бордюрами и аккуратными дорожками.

Она держала в руке трубку, потому что знала — сейчас позвонит Михаил. И она не ошиблась.

— Душа моя, тебе уже все сказали? Тебя выписывают сегодня. Все остальное лечение ты получишь дома. Как ты себя чувствуешь?

— Чувствую, что очень хочу тебя видеть. Когда ты приедешь?

— Я приеду за тобой через час. Следователь не приходил?

— Нет.

— Я договорился. Они обещали не беспокоить нас сегодня. Но следователи, это такая настырная порода... Очень хорошо. Милая, тут возник один вопрос, нужна твоя консультация. Как ты относишься к фирме Тиффани?

— Как любая женщина, — Нина рассмеялась. — Хорошо отношусь.

— Гора с плеч, — облегченно сказал Михаил. — Я уже послал тебе одежду, еще не передали?

— Нет.

— Позвони мне, если тебе что-то в ней не понравится. Я очень старался угадать твой вкус, но, ты же знаешь, мужчины ничего не смыслят в дамских нарядах...

— Зато ты угадал с цветами. Милый, почему ты выбрал именно такие розы?

— Это мои любимые, — даже не видя Михаила, Нина поняла, что он улыбается. — Просто мы с тобой любим одно и то же.

— Где ты сейчас? — спросила она, чтобы хоть еще на минуту продлить разговор. — Я слышу женские голоса.

— Сейчас я нахожусь в одном очень приличном офисе. Много компьютеров, кругом снуют курьеры, десять тысяч одних курьеров... референты в мини-юбках...

— Значит, ты не на работе?

— Сегодня работа может подождать. Сегодня... Но ты сама скоро все узнаешь. Нина, сейчас я в пиар-агентстве, обсуждаю один проект.

— Извини, не буду тебя отвлекать...

— Ты меня не отвлекаешь. Даже наоборот. Потому что тема проекта тебе тоже будет интересна. Увидимся через час.

— Я не могу так долго ждать.

— Когда принесут одежду, у тебя появится занятие, — сказал он. — Я даже боюсь, что часа тебе будет мало.

Не успела Нина положить трубку, как в палату вошла нянечка с большими пакетами.

— Одежу принесли. Недолго ты у нас куковала. Цветы заберешь или как?

— Только эти, — Нина показала на три розы. — А остальные — врачам.

Раскрыв пакет, Нина застыла от изумления. Сквозь полупрозрачную упаковку блестела зеленая, нет — изумрудная ткань. То было вечернее платье — длинное, до пола, с длинными обтягивающими рукавами, со скошенным вырезом, от которого по правой груди змеилась жемчужная вышивка.

Были в пакете и туфли, две одинаковые пары, отличавшиеся только размером. И была кожаная сумка с полным косметическим набором, способным обеспечить работу небольшой грим-студии в течение года.

Честно говоря, Нина предпочла бы покинуть госпиталь в той же одежде, в какой сюда попала, — в джинсах и кроссовках. Но она представила, сколько времени потратил Михаил, подбирая этот королевский набор, и подумала, что это неспроста. Значит, придется стать королевой.

Платье сидело на ней, словно сшитое на заказ. А вот косметическим набором Нина почти не воспользовалась. Прозрачная пудра, абсолютно незаметная на лице. Губная помада «натурального» цвета. Румяна только для того, чтобы слегка оттенить линию скул. Свои светлые брови Нина чуть-чуть подвела серо-коричневым карандашом, следуя естественному изгибу.

Хорошо, что в палате было довольно большое зеркало. Нина стояла перед ним, пытаясь увидеть себя со спины, когда дверь приоткрылась и в сопровождении медсестры в палату вошел мужчина в накинутом на плечи халате.

— Добрый день, я следователь Никитин, — торопливо представился он. — Нина Ивановна, я отниму у вас буквально две минуты. Только вы никому не говорите, что я к вам прорвался. Мне так неудобно перед Михаилом Анатольевичем, я ему обещал, что не буду беспокоить в такой день, но мне потребовалось уточнить одну очень важную деталь... если вы не возражаете, можно я присяду?

Он был молодой, со стильной трехдневной щетиной и в черной майке от Хуго Босса под просторным твидовым пиджаком. Больше похож на студента или менеджера, чем на сыщика. В руках Никитин вертел кожаную папку.

«И это — следователь? — Нина едва не расхохоталась. — Этот заискивающий тон, это робкое переступание на пороге с ноги на ногу — это следователь?»

— Присаживайтесь, — разрешила она, придирчиво поправляя рукава.

«Наверно, Михаил вспомнил, как я жаловалась на свою бледную кожу. Поэтому выбрал такое закрытое платье», — подумала она, улыбнувшись.

— Личность стрелявшего в вас установлена, — начал следователь, раскрыв папку и щелкнув авторучкой. — Некий Егор Фролов. В памяти его трубки обнаружен номер, который раньше принадлежал вам. Вы подтверждаете факт знакомства?

— Подтверждаю.

— Где, когда и при каких обстоятельствах вы познакомились с Фроловым?

— Не помню. Он был приятелем моего покойного мужа.

— Когда вы видели Фролова в последний раз?

Нина нахмурилась и устало опустилась на кровать. Ей было страшно вспоминать об этом. Она старалась как можно быстрее забыть обо всем, что случилось в тот день, выбросить из памяти навсегда, и тут вдруг этот следователь...

— Извините, — спохватился Никитин, вскакивая со стула. — Все-все, молчу. Больше никаких вопросов. Остановимся пока на этом. Когда вам будет удобно со мной встретиться? Дня через три, устроит?

— Позвоните мне послезавтра, — разрешила Нина.

— До свидания, Нина Ивановна. Кажется, я должен поздравить вас с выздоровлением? Поздравляю. Просто не знаю, что говорить в таких ситуациях.

— Спасибо. Одну минуту, — Нина остановила его на пороге. — Скажите, а тому человеку, который убил... убил этого Фролова — ему ничего не будет? Не будет проблем?

— Вы про Воронина? Что вы, да какие могут быть проблемы? Он находился при исполнении, действовал строго по инструкции. Применение оружия признано правомерным. Вот если бы он выстрелил раньше, пока Фролов только целился, вот тогда расследование могло и затянуться. А так... Нет, никаких проблем.

«Если бы он выстрелил раньше, Бобровский остался бы жив», — подумала Нина со странным чувством. Теперь она знала, что Иван не был виновен в гибели Саши. Но, к стыду своему, она не чувствовала никакой скорби.

За окном послышались короткие автомобильные гудки. Никитин отодвинул шторы и сказал:

— Ой, я пропал. За вами приехали. Это машина Михаила Анатольевича. Нина Ивановна, не выдавайте меня, договорились? Я исчезаю!

Он выскочил за дверь, едва успев разминуться с телохранителями Михаила.

— Нина Ивановна, вы готовы?

— Секундочку!

Она последний раз повертелась перед зеркалом и вручила телохранителям пакеты со своими вещами.

Нина легко сбежала по лестнице. Она уже отвыкла ходить, не держа в руке ни сумки, ни пакета, и в первые секунды просто не знала, куда деть руки. Но стоило ей оказаться в вестибюле и увидеть за стеклянной дверью черные машины и скопление людей, как сразу к Нине вернулась ее летящая походка. Она спустилась по широким ступеням и направилась к «гелендвагену», возле которого стоял Михаил.

Откуда ни возьмись, появился фотограф. Он с профессиональной бесцеремонностью вертелся вокруг Нины, снимая ее на ходу, то припадая на колено, то вскакивая на парковую скамейку.

— Что здесь происходит? — спросила Нина, когда Михаил взял ее за руки и поцеловал ей кончики пальцев.

— Ничего особенного. Пресса должна зафиксировать триумфальное возвращение модели Нины Силаковой в мир высокой моды.

— Это и есть тот самый проект?

— Только одна его часть.

— А где другая часть?

— Здесь недалеко, — загадочно улыбнулся Михаил. — Сейчас сама все увидишь.

Машины пронеслись по улицам, как всегда, словно не замечая светофоров, и остановились на площадке перед административным особняком. Поездка была такой короткой, что Нина не успела даже ни о чем поговорить с Михаилом, который сидел рядом и не сводил с нее восхищенного взгляда.

— Мы приехали. — Он вышел из машины и подал руку Нине. — Вот — вторая часть моего проекта.

Она не сразу поняла, что ее привезли прямо к загсу. А когда поняла, в замешательстве остановилась.

Михаил взял ее под руку и повел за собой.

— Не волнуйся. Все документы в порядке. Твой паспорт у меня. И на размышление нам дадут две недели.

— Две недели? Раньше давали больше.

— Тебе надо больше? Я, например, все про нас понял и уже все решил.

Приподняв подол, Нина вступила на крыльцо загса и остановилась перед дверями.

— Ну что, страшно? — тихо спросил Михаил. — Мне тоже.

— Не страшно. Непривычно, — призналась она. — Наверно, для женщины — это счастье, когда рядом есть кто-то, кто принимает решение за нее. Наверно, я просто отвыкла, что за меня принимают решения.

Она зажмурилась от неожиданной фотовспышки и первой перешагнула порог загса.

— Не пускай сюда этих папарацци, — попросила она.

— Тебе придется снова к ним привыкать, — предупредил Михаил. — Тебе ко многому придется привыкать заново.

41

Госпиталь, в котором Нина лечилась от касательного пулевого ранения, часто принимал под свой кров и более тяжелых пациентов. Некоторые из них попадали сюда в таком виде, что и не всякий морг бы их принял.

Особо тяжелый больной находился в боксе с матовыми стеклами, расположенном в отдельном крыле госпиталя, куда имели доступ только очень немногие. Этот пациент, изрешеченный автоматными пулями, был доставлен сюда в состоянии клинической смерти. Спустя несколько недель он узнал, что пережил не только клиническую, но и юридическую смерть. Человек, навестивший этого пациента, показал ему фотографию его могилы с одним скромным венком: «Александру от боевых товарищей».

Несмотря на плохие новости, пациент был рад посещению, потому что впервые за долгое время лечения он услышал человеческий голос. До сих пор ни врачи, ни санитары не отвечали ни на какие его вопросы и даже между собой не переговаривались. От этого у раненого поначалу даже создалось впечатление, что его лечат где-то за границей. Правда приглядевшись к обстановке, он быстро определил свои координаты — по инвентарным штампам.

Посетитель навещал раненого еще не раз. Однажды вместе с традиционными апельсинами он принес небольшой фотоальбом. Пациент долго перебирал немногочисленные снимки. Ему было трудно говорить с трубкой, торчащей из горла, но он все же спросил:

— А это... что? Где это она?

— Это она на рынке, торгует рыбой. Когда Нина вышла из психушки и все от нее отвернулись...

— Я могу оставить себе хоть один снимок? — спросил пациент. — Понимаю, что нельзя. Но...

— Вы правильно понимаете, — жестко ответил посетитель. И, смягчив тон, добавил: — Выздоравливайте, и тогда вы сможете их иногда видеть.

Как ни странно, после этого посещения больной действительно начал стремительно выздоравливать. Как будто неведомое высшее командование приказало всем его ранам немедленно затянуться и больше не гноиться. Срослись даже перебитые кости, а легкие хоть и уменьшились в объеме после операции, но снабжали организм кислородом даже лучше, чем до ранения. Больной выбросил сигареты и делал гимнастику — сначала лежа в постели, потом сидя, а к очередному посещению смог уже отжаться на кулаках тридцать два раза.

— Зачем я вам нужен? — спросил он у своего немногословного посетителя.

— Мы дорожим специалистами.

— Почему вы думаете, что я буду на вас работать?

— Потому что вы специалист. Вы не можете без работы.

«Врешь, — подумал пациент. — Вы думаете, что я буду работать из-за Нины и Петьки. Чтоб вы их не трогали. Расчет, конечно, примитивный. Но безошибочный».

Как раз в тот день, когда Нина выписалась из госпиталя, в боксе с матовыми стеклами состоялся очень важный разговор. Пациент уже давно перешел из категории выздоравливающих в разряд готовых к выписке. Больничную пижаму сменил шерстяной спортивный костюм. Седая борода скрыла шрамы, и только кашель иногда напоминал о нескольких пулях, когда-то прошивших грудную клетку.

— Вам не помешает просмотреть небольшую подборку по объекту, — сказал мужчина в сером костюме. — Может быть, появятся вопросы. Пока не поздно, я на них отвечу.

Он положил на стол обычный фотоальбом, где карточки прячутся внутри прозрачных пластиковых страниц.

Пациент, сидящий по другую сторону стола, не поднимая альбом, осторожно открыл его, подцепив кончиком ногтя обложку. Таким же хитрым способом, не оставляющим отпечатков пальцев, он перевернул и все остальные страницы, беглым взглядом окидывая цветные фото.

— Есть вопрос. Вот здесь, где они за шашлыком, — он повернул альбом к человеку в сером костюме. — Дудаев, Березовский, объект, а кто четвертый?

— Вы не знаете? Рыбкин.

— Кто такой Рыбкин?

— Для вас это не имеет значения, — улыбнулся человек в сером костюме. — Для вас имеют значение последние новости. А они таковы. Рядом с домом объекта был инцидент с применением огнестрельного оружия. Убит журналист, который копался в материалах по выводу из Германии. Он, вообще-то, везде копался, в том числе и по этой тематике. Мы, как всегда, предполагаем худшее. Если этот инцидент связан с объектом, значит, там сейчас все стоят на ушах. Имейте это в виду, когда будете разрабатывать подходы.

— Я всегда имею это в виду.

— Сроки мы вам не диктуем. Но не затягивайте. Объект может в любой момент ускользнуть. Тем более после случая с журналистом.

Человек в сером костюме открыл ноутбук и развернул его клавиатурой к собеседнику.

— Запоминайте последовательность. Схемы дома, первый этаж, второй, схема участка. Эф-один, эф-два, эф-три и так далее. Переход объекта на этаж или выход из дома. Набор клавиш ясен?

— Набор стандартный. Более общая схема есть?

— Шифт — эф-один. Радиус до пяти километров. Микрочип небольшой мощности.

— Могли бы поставить и посильнее.

— Зачем? Объект из дома практически не выходит. А если выйдет, то только в танке. И при поддержке вертолетов.

— Боитесь, что это случится?

— Мы ничего не боимся, — мужчина в сером костюме улыбнулся.

— Тогда — зачем?

— Раньше вы не задавали таких вопросов.

— Раньше не было таких объектов.

— Вы же сами все знаете. Знаете, кто им сейчас управляет. Объект будет участвовать в выборах. Он победит. По их сценарию через год он станет губернатором. И еще один регион попадет под власть противника. Объект будет делать все, что ему скажут, потому что очень любит свою семью. У нас нет других вариантов.

— Теперь все понятно.

— Территория вам хорошо знакома, не так ли? Вы же бывали на этих дачах? Отдыхали после командировок. А теперь вам пригодится знание местности.

— Вот почему вы меня выбрали.

— Не только. Объект вами изучен, вы знаете его вкусы, привычки, психомоторику. Знаете, чего ждать от него и его охраны. Вы не будете тратить время на подготовку. А время — это даже не деньги. Это жизнь.

— Деньги тоже не помешают.

— Это само собой. Итак, все готово. Оружие, одежда, ключи от машины, все, что заказывали, получите в двадцать втором кабинете. Там вас ждут.

Пациент закрыл ноутбук и выжидающе посмотрел на своего посетителя.

— Вы не сказали про связь, — напомнил он.

Мужчина в сером костюме осторожно положил на стол мобильник.

— Связь по этой трубке. Любая клавиша — вызов. Прослушка исключена. Трубка одноразовая в полном смысле слова. Рассчитана ровно на один звонок. По исполнению доложите, мы сообщим, где билеты и деньги. Документы у вас настоящие, так что можете не волноваться. Все будет нормально.

— Я никогда не волнуюсь.

— Никогда не волнуются только покойники.

— А я — кто, по-вашему?

Мужчина в сером костюме встал и протянул руку, прощаясь. Пациент тоже встал, но руки не заметил.

— Я выполняю задачу, и мы — в расчете, — сказал он.

— Да-да, конечно, билеты и деньги. Вы улетите в тот же день.

— Нет, я жду ответа. Мы — в расчете? Да или нет.

— Да. Мы будем в расчете. Жаль терять специалиста. Приятно было работать с вами.

42

Когда все формальные процедуры были завершены, Михаил отвел Нину в сторону и усадил на банкетку у стены.

— Пока никто не мешает, хочу обсудить третью часть проекта. Ты не будешь против, если свадебное путешествие у нас будет до свадьбы? Погуляем две недельки, отдохнем, а там — честным пирком да за свадебку.

— Хорошо. Но почему именно так? Разве нельзя поехать после свадьбы?

— Нельзя. Через две недели в Москве экономический форум, потом поездка к партнерам в Таллинн, потом командировка в Багдад.

— Так, может быть, подождем, пока круговерть уляжется?

— Она никогда не уляжется. Такая работа. Да и зачем откладывать, ждать? Зачем? Главное, что я понял за эти годы, — надо верить себе. Я себе верю. И еще я верю тебе. Я уверен, у нас все получится. И я хочу, чтобы ты тоже была в этом уверена.

Он достал из кармана небольшой футляр и открыл его перед Ниной. На золотом кольце сиял бриллиант, от которого в обе стороны расходились искрящиеся голубые капельки сапфиров. Михаил осторожно надел кольцо на палец Нины. Она не могла сказать ни слова от волнения.

— Где ты хочешь провести сегодняшний вечер? — спросил он.

— Дома. С тобой вдвоем.

— Я распорядился, Петьку заберут из детсада и привезут на дачу. Хочешь, покатаемся на лошадях? Я позвоню, и нам их разогреют.

— Ты волшебник. Ты всегда угадываешь мои желания. Я даже боюсь спрашивать, какие еще части твоего проекта мне предстоит узнать.

— Ты узнаешь все в свое время, — пообещал он. — Ты будешь жить так, как должна жить женщина, которую я люблю.

Приехав на дачу, Нина отправилась переодеваться в свою комнату. Стягивая плотно сидящее платье, она подумала, что фотографии должны получиться довольно эффектными. Весь вопрос в том, какие тексты их будут сопровождать.

В платяном шкафу она нашла новые джинсы, самые подходящие для верховой езды — легкие, свободные, не стесняющие движений. И короткие сапожки были в самый раз, с гладкой подошвой и низким каблуком. Сбегая вниз по лестнице, она заглянула в кухню и прихватила пару морковок, чтобы угостить лошадей.

Михаил уже ждал ее возле конюшни. На нем был джинсовый костюм и шляпа с закрученными полями.

— Ты настоящий ковбой.

— Ну да, пока не сяду на лошадь, — с иронией согласился он. — Мечтаю научиться верховой езде по-настоящему, чтобы не стыдно было показаться у сестры на ранчо. А вот у тебя явно есть способности к этому делу.

— Я вообще способная девочка, — она хотела подсказать ему, что стремя можно не ловить носком при посадке, а придержать правой рукой. Но удержалась, боясь задеть его самолюбие. — Миша, а здесь нас не будут снимать для прессы?

— Сюда посторонних не пускают.

— Ну, хороший журналист везде пролезет.

— Они не журналисты. — Михаил заставил, наконец, кобылу развернуться, и они выехали через ворота. — Они — пиарщики. Ребята послушные. Куда нельзя — не лезут, что прикажут — то и сделают.

— Скорее — сделают то, за что заплатят, — добавила Нина.

Михаил усмехнулся:

— Ты бы слышала, милая, как заливался их шеф, самый главный пиарщик. Когда я сформулировал задачу, он просто соколом взвился...

— Какую задачу? — поинтересовалась Нина.

— Я уже говорил тебе какую. Организовать триумфальное возвращение модели Нины Силаковой в мир высокой моды. Задача-то несложная. Объект — высокий профессионал, с богатым опытом. Прекрасные внешние данные... А он мне и говорит: внешние данные не имеют никакого значения. Если мое агентство делает пиар-кампанию для обыкновенной задницы, то через неделю все привыкнут видеть ее на экране, через две начнут узнавать на улице, а через полгода за нее проголосуют десять процентов избирателей.

— Я не хочу, чтобы за меня голосовали избиратели, — сказала Нина.

— Это просто пример, грубый, но красноречивый. Конечно, тебе не нужны эти десять процентов. У тебя будут все сто, когда ты снова выйдешь на подиум.

— Не знаю... — она задумчиво окинула поле долгим взглядом. Не знаю, Миша, надо ли мне возвращаться на подиум. Что случилось, то случилось. Назад дороги нет.

— Не согласен, извини. Всегда все можно исправить, было бы желание.

— Вот я как раз об этом. Не чувствую я особого желания туда возвращаться, понимаешь?

Помолчав, Михаил спросил:

— А к чему у тебя есть желание?

Ей показалось, что он немного обижен. «Ну вот, — огорчилась она. — Никогда нельзя говорить правду. Даже самые близкие обижаются на искренность».

Она и в самом деле не рассчитывала возвращаться в манекенщицы. Да, это была ее любимая работа. Кроме того, Нина просто ничего больше не умела делать. Ну, разве что работать с лошадьми.

— Зачем ты держишь конюшню, если катаешься редко? — спросила она. — Это же дорого. Дешевле брать лошадей напрокат.

— Никогда. Прокатная лошадь равнодушна. А я не люблю равнодушия.

— Да. Это верно. Это все равно что собаку брать напрокат. Или кого-то из близких. Бабушку напрокат. Сестру.

— Но ты не ответила на мой вопрос, — напомнил он. — К чему у тебя есть желание?

— К тебе.

— Меня восхищает твой чисто дипломатический такт, — сказал Михаил. — Но пойми меня, я хочу устроить твою судьбу так, как того хочешь ты. Для этого мне надо обязательно знать, чем бы ты хотела заниматься.

— Уж во всяком случае, не занимать чужое место, — ответила она. — Тысячи девчонок с отличными данными толпятся у модельных агентств, но они никогда не пробьются. Потому что все места заняты. Причем настоящих моделей, которые работают по-настоящему, долго, с профессиональным отношением к делу — таких можно по пальцам пересчитать. Остальные — просто чьи-то любовницы, у них смазливые мордашки, неплохие фигурки. И все. Их сняли в рекламе фирмы, которой владеет «папашка». И больше ни один профессионал с ними дела не имеет. Они иногда появляются на подиуме, если «папашка» попросит. Толку от них никакого. Но они уже заняли это место, и никого близко к нему не подпустят. Ненавижу я этот мир, Миша. Такая там грязь под всем этим блеском...

— Тогда — что?

— Что? Например, лошади. Я готова работать на твоей конюшне. Ну что ты смеешься? Я серьезно. Хорошо, не доверяешь лошадей, давай откроем семейный детский дом. Купим приличную избушку, поселим туда сирот, я буду их воспитывать. Сейчас так многие поступают. Ну что ты смеешься?

Михаил, продолжая улыбаться, сказал:

— Я не смеюсь. Мне очень приятно это слышать, потому что я и сам думал о похожих вещах. Только, хоть убей, не могу представить тебя в конюшне.

— Отчего же... — Нина хотела уже рассказать ему о том, что когда-то была чемпионом области по выездке, но тут ее внимание привлекла фигурка маленькой всадницы по другую сторону дороги, вдоль которой они двигались.

Она сразу узнала внучку генерала.

— И как не боятся таких маленьких одних пускать? Лошадь же может понести.

— Ничего, у генерала лошади смирные. И сидит она уверенно.

— Слишком уверенно. Слишком близко к дороге.

Она посмотрела на часы:

— А когда Петьку привезут?

— Не так быстро, как обычно. Видишь ли, я попросил Воронина, чтобы он поездил с мальчиком по всяким аттракционам, игровым залам и так далее. Чего его душе угодно.

— В честь чего это?

— В честь твоего возвращения домой. Просто я подумал, что нам с тобой захочется побыть вечером наедине...

— Мне уже хочется, — неожиданно для себя сказала Нина и смутилась: — То есть хочется домой...

Он наклонился к ней и обнял за талию. Их лошади шагали рядом, замедляя ход, и остановились, когда губы Михаила и Нины слились в долгом поцелуе.

Протяжный автомобильный сигнал заставил Нину вздрогнуть и оторваться от Михаила. Она словно почувствовала в этом мощном минорном аккорде скрытую тревогу. Оглянулась — и увидела, что тревога была не напрасной.

На обочине автострады стояла лошадь, и девочка, приподнявшись в стременах, махала рукой приближающимся машинам.

Мимо нее пронеслась колонна из нескольких черных длинных машин с мигалками. Снова прозвучали резкие гудки. Лошадь встала на дыбы, и девочка едва удержалась на ней, схватившись за гриву. Автомобили промелькнули и тут же исчезли за поворотом, скрытые лесным выступом. А по полю, взбрыкивая и разгоняясь, неслась лошадь, на которой как-то неловко сидела девочка.

— Куда это она? — недоуменно спросил Михаил.

Не ответив ему, Нина резко послала своего жеребца вперед. Ей уже было понятно, что кобыла, испуганная пролетевшими автомобилями, вышла из-под контроля. Она понесла. И девчонка не в силах ее остановить...

Жеребец послушно перешел на галоп и пролетел над автострадой в один скачок, только раз его подковы звонко ударили счетверенным щелчком по бетонке, а дальше под копытами снова загудела земля скошенного поля.

Обезумевшая кобыла приближалась. Высоко вскидывая задние ноги, она сбрасывала с копыт комья земли. Нина видела, что девчонка завалилась на правый бок, она чудом до сих пор не вылетела из седла. Поэтому она направила своего жеребца так, чтобы он настиг кобылу слева.

Приблизившись, она крикнула девочке:

— Повод крепче! Перехвати повод поближе к морде! Вот так, молодец! Подтянись! Хорошо! Ложись грудью к ней на шею!

Генеральская внучка послушно исполняла все команды Нины. Теперь она держалась крепче, но лошадь неслась по-прежнему стремительно. Впереди была развилка автострады, с непрерывным скоростным движением. И ее шум доносился сюда, его не заглушал ни топот копыт, ни всхрапывания несущихся лошадей.

Если лошадь понесла, ее не остановишь. Она должна остановиться сама. И Нина, продолжая скакать вплотную к обезумевшей кобыле, старалась понемногу оттеснить ее вправо. Постепенно та стала уступать натиску жеребца. Теперь она скакала не по прямой, а по дуге. Непрерывно посвистывая в такт скачке, Нина следила за кобылой и все время теснила ее. Только бы лошади не столкнулись! Только бы не сбросить девчонку из седла... Еще вправо, и еще... Дуга поворота становилась все круче, и скорость понемногу падала.

— Хоп-хоп! Хоп-хоп! — покрикивала Нина, и лошадь принялась стричь ушами в ответ на ее голос.

Бег кобылы становился все спокойнее, ровнее, и девочка в седле выпрямилась, понемногу натягивая повод.

— Молодец! — крикнула Нина. — Только не дергай!

Еще один натиск сбоку, и кобыла сбросила ход.

— Закружили мы ее, — радостно сказала Нина девочке. — Ты сама-то как, не закружилась голова?

— Нет, только ноги устали, — ответила генеральская внучка.

Лошади встали, тяжело дыша и вздымая бока. С морды кобылы хлопьями опадала пена.

— Она машин испугалась, — сказала девочка, ласково поглаживая кобылу по шее. — Это машины во всем виноваты.

— Не надо было стоять у дороги. Что ты там делала?

Девочка не ответила, низко опустив голову.

— Пошли домой, — Нина перехватила повод и повела кобылу рядом.

Михаил скакал им навстречу, неловко подпрыгивая в седле.

— Все в порядке? Все целы? Нина, все в порядке? — кричал он издалека прерывающимся голосом.

Нина и девочка переглянулись, и обе засмеялись.

— Тебя как зовут? — спросила Нина.

— Я Лиза Соколова. Мы живем у реки, последний коттедж.

— А я Нина. Хочешь, позанимаюсь с тобой? У тебя был инструктор?

— Нет. Меня дедушка учил кататься. А вы — тренер?

— Пока еще нет, — сказала Нина.

Вместе с Михаилом они проводили Лизу до ее коттеджа и только потом направились домой.

— Ты меня поражаешь, — возмущенно сказал Михаил. — Ты как это все? Ты откуда все это умеешь?

— У меня разряд по конному спорту. Потом, когда в Москву переехала, перестала заниматься. А потом вообще жизнь пошла страшно веселая. Я с тех еще пор мечтала на лошадь сесть. Я тебе сказала, а ты не поверил.

— А про разряд почему не сказала?

— А ты не спрашивал.

— По-твоему, я должен все время у тебя что-то выпытывать? Тогда держись. У меня накопилось целое море вопросов, которые я боялся задать.

— Я слушаю, — насторожилась Нина.

Но он сделал страшные глаза и прорычал:

— Ответишь в постели... Скорей, пока никто не мешает!

43

Он дошел до парковочной площадки перед универсамом и еще раз заглянул в техпаспорт. Может, он что-нибудь перепутал? Такое иногда случается в первые минуты на свободе, когда голова кругом идет от того, что нет ни решеток, ни закрашенных окон, ни запертых дверей...

Ему следовало сейчас сесть в автомобиль ВАЗ-2109, цвет «мокрый асфальт», номер... Машина под таким номером стояла в самом дальнем углу, и это действительно была «девятка», вот только была она густо-синего цвета.

«Вот и первая накладка, — подумал Саша. — У них там дальтоники работают? Хорошо, если это обычный прокол. А если нет? А если — подстава? Любой гаишник может придраться. Начнет перепроверять документы, запрашивать сводку угонов и все такое. Досмотр, а у меня ствол. Очень мило».

Проходя мимо машины, он нажал клавишу на брелоке, и «девятка» щелкнула в ответ. Машина та самая, никакой ошибки. Он сел за руль. В бардачке лежала карта Москвы, на которой синим маркером был указан самый быстрый маршрут до места, где стоит вторая машина, необходимая для операции.

Нет, они не дальтоники. Они все предусмотрели. Наверняка на этом маршруте стоят гаишники, которых предупредили — «девятку» не трогать. Он может проехать мимо них с любой скоростью, на двух колесах, на красный свет — они не заметят. А вот если он только попробует отклониться от маршрута — вот тут и могут начаться проблемы...

«Ну, это мы еще посмотрим, у кого проблем будет больше», — усмехнулся Саша и поехал совсем не в ту сторону, в какую предписывал синий маркер.

Он знал, что Шепель сейчас сидит дома. Нажимая кнопку звонка, Саша подмигнул в видеокамеру.

— Вы к кому? — раздался голос из спрятанного динамика.

— Кит, не узнаешь? — Саша пригладил волосы и повернулся перед камерой, показывая свой профиль. — Глазки-то протри.

— Ветер? Ты? Тебя не узнать. Постой, доложу шефу.

Саша терпеливо стоял перед закрытой стальной дверью. На плече у него висела легкая спортивная сумка, из кармашка которой торчала газета. Он легко мог представить, что сейчас происходит по ту сторону двери. Кит докладывает Шепелю: «Там Ветер». Шепель: «Не может быть. Он же сдох». Кит : «Не веришь, сам посмотри». Они оба наклоняются над монитором и видят Сашку Ветра, который как ни в чем не бывало стоит на лестничной площадке и терпеливо дожидается, пока его впустят.

Пропел зуммер, щелкнула задвижка, и стальная дверь дрогнула. Саша потянул ее на себя и вошел в тамбур. Дверь за ним лязгнула, закрываясь. Теперь надо было подождать, пока откроется вторая дверь, внутренняя. Вот и она распахнулась, и верзила Кит выставил перед собой руку, толстую, как бревно:

— Постой, Санек, приказано тебя обшмонать.

— Нет проблем.

Саша вошел в прихожую и повернулся лицом к стене, уперев в нее руки. Кит похлопал его по ребрам, задрал пиджак сзади, хлопнул пару раз по карманам брюк.

— Как вы тут без меня? — спросил Саша, поворачиваясь к Киту.

— Нормально. Что в сумке?

— Шмотье больничное. Я только-только из госпиталя.

— Долго же ты валялся. А мы думали, ты загнулся.

— Не совсем. — Саша протянул сумку для осмотра, при этом газета, свернутая в трубку, осталась у него в руке.

Кит подергал молнию, чтобы открыть сумку, но она заела.

Из кабинета послышался голос Шепеля:

— Ну куда вы там зарылись? Кит, принял гостя, так заводи!

— Сейчас, шеф!

Добросовестный Кит положил сумку на стул и наклонился над ней, пытаясь открыть. Саша широко размахнулся — и опустил на затылок

Кита короткую свинцовую дубинку, спрятанную в газетке.

Верзила рухнул на колени. Саша подхватил его и аккуратно уложил на пол. Мгновенно завел руки за спину и соединил их пластиковыми наручниками. Повесил себе на грудь сумку. У ее молнии был один секрет: она открывалась с другой стороны. И Саша открыл ее, и достал пистолет с надетым глушителем, и прошел по коридору к кабинету.

Шепель сидел за своим министерским столом. В одной руке он держал сигарету, другая была в ящике стола. Он открыл рот, но сказать ничего не успел, потому что пуля пробила его лоб. Шепель откинулся на спинку кресла, и голова его безвольно завалилась набок.

Саша быстро зашел сбоку, следя за дверью в соседнюю комнату, — там вполне могла сейчас находиться какая-нибудь проститутка из тех, что обслуживали Шепеля на дому. Он выдвинул ящик стола, где осталась рука убитого, и увидел, что она все еще сжимает рукоятку пистолета. Шепель был готов к разговору. Он только не знал, что разговора не будет.

Соседняя комната оказалась пустой. В углу кабинета стоял массивный приземистый сейф, отделанный красным деревом, с витыми штурвальчиками и золотым гербом фирмы-изготовителя на дверце. Если бы сюда проникли грабители, они наверняка потратили бы немало времени, чтобы добраться до содержимого этого сейфа. Но Саша не был грабителем. К тому же он хорошо знал, что Шепель держал свои деньги в другом месте.

Он присел перед стеклянной тумбой под телевизором, где стояли два видеомагнитофона и кассеты. Первый видак оказался настоящим. Вытянув из тумбы второй, Саша оторвал от него шнуры и поддел ножом заднюю стенку. На ковер высыпались пачки денег и разные документы. Саша собрал и доллары, и рубли в свою сумку, захватил и паспорта, в которые только оставалось вклеить нужную фотографию.

Вот и все. Он загасил сигарету, все еще тлевшую на столе. Подошел к террариуму. Ящерицы забились в угол и смотрели на него своими выпученными глазами. Саша открыл пластмассовую коробку и вытряхнул всех тараканов в террариум.

Подойдя к лежавшему в коридоре Киту, он пощупал у него пульс на шее. Живой. Скоро оклемается. Саше хотелось припугнуть верзилу, чтобы тот не говорил лишнего на допросах. Но Кит еще не пришел в себя, а у Саши не было ни минуты в запасе.

Он спустился к машине, забросил сумку под сиденье и поехал дальше по своим делам.

А дел у него в Москве оставалось только два — одно простое, другое — неимоверно сложное. Простое было намечено на вечер, а вот со сложным придется повозиться прямо сейчас.

Саше было бы легче ликвидировать еще дюжину Шепелей, чем незаметно передать деньги сыну. И вообще эта затея была и рискованной, и непродуманной. Он не любил браться за такие дела, где ничего толком не известно, и приходится импровизировать. Но, пока деньги не переданы, Саша не мог уехать из Москвы.

Он припарковался у детского сада и долго наблюдал за малышами. Пару раз за забором мелькала знакомая желто-зеленая курточка Петьки. К тому времени, когда за детьми должны были подходить родители, малышня устроила игру в парашютистов. Мальчишки выстроились рядком на скамейке, Петька стоял первым и командовал:

— Первый, пошел! Второй, пошел!

Он хлопал подходящего к нему пацана по спине, и тот спрыгивал со скамейки, и скрючившись, семенил в сторону, изображая свободный полет, а потом валился в песочницу. Петька десантировался последним, а потом мальчишки поползли куда-то, скрывшись за клумбами.

Саша повеселился, наблюдая, как подошедшие мамаши отлавливают десантников и отряхивают их от песка и листвы. Но веселье его моментально угасло, как только Петька выбежал за ворота детсада и ловко забрался в подкативший «гелендваген».

— Очень мило, — пробормотал Саша, выруливая из своего укрытия вслед за роскошным внедорожником.

Он допускал, что Нина без него встречается с кем-то. Ревновать было глупо. Вдова — она и есть вдова, что с нее взять. Но могла бы, по крайней мере, сама заехать за ребенком, а не посылать за ним чужого дядю.

Вопреки ожиданиям Саши, «гелендваген» направился не к дому Нины, а остановился у центра игровых автоматов. Чужой дядя завел туда Петьку, и они вдвоем принялись методично обходить все автоматы подряд. Они гоняли компьютерные болиды «Формулы-1», громили полчища галактических пришельцев, ненадолго задержались на футбольном поле и снова взялись за оружие, уничтожая несуразных монстров. Саша был уверен, что

Петька не узнает его в новом обличье, поэтому прошел в зал и незаметно наблюдал за сыном. Он скоро заметил, что человек, встретивший Петю, скорее всего просто водитель джипа, а вовсе не тот, кто претендует на роль нового папы. Значит, у Нины есть кто-то другой, покруче.

Вот Петька, отстрелявшись, отошел от игрового автомата и со скучающим видом уставился в окно. Водитель, сидевший за соседним монитором, неохотно оторвался от игры и повернулся к нему:

— Ну, ты что? Здорово у тебя получается! Ты же снайпер! Давай еще раз, а?

— Не хочу.

— А чего хочешь? Давай по мороженому?

Петька помотал головой.

— А хочешь, поедем в тир, постреляем.

— Не хочу.

— Да что с тобой? Ты, может, спал плохо?

— Да, — кивнул Петька. — Я плохо спал. Я хочу домой.

Услышав, как вяло и уныло отвечает малыш, Саша забеспокоился: «Не заболел ли? Когда это было, чтоб он от тира отказывался?»

Водитель растерянно посмотрел на часы.

— Домой еще рано... Пойдем в кино. Идет классный фильм про привидения.

— Мне уже не надо. Я уже видел.

— Слушай! — Водитель присел перед Петькой на корточки и просительно заглянул в глаза: — Нам с тобой надо побыть в городе еще часик, понимаешь? Так мама попросила. Какие еще тебе игры нужны?

— Мне не хочется играть.

— О, знаешь, что? Поехали в бильярдную. В настоящую, для взрослых. Я покажу тебе, как играть. Там требуется точность удара, сила. Это игра для настоящих мужчин, для сильных и смелых духом!

— Ладно. Если для настоящих мужчин... Поехали, — вздохнул Петька.

Они прошли мимо Саши так близко, что он мог бы погладить сына.

«Как вырос, — подумал Саша. — Как долго я его не видел. Совсем взрослый пацан. И рассуждает так, не по-детски. Когда увижу его в следующий раз, могу и не узнать».

Он знал, что этот следующий раз наступит нескоро. Когда? Саша не любил загадывать. Достаточно было того, что он решил твердо — что бы ни случилось, он должен выжить. Он должен снова увидеть Петьку, пусть даже к тому времени его будут называть Петром Александровичем.

А пока придется отложить визит до ночи. По крайней мере, теперь у Саши появилось время, чтобы обдумать и подготовить эту операцию.

44

Нина долго лежала с закрытыми глазами, слушая, как дыхание Михаила, такое прерывистое и шумное, постепенно становится ровным и спокойным. Наконец, он вздохнул и тихо спросил:

— Ты спишь?

— Нет, — прошептала она. — Я умерла.

— Тебе хорошо?

Вместо ответа она повернулась к нему и поцеловала.

— Я так хочу, чтобы тебе было хорошо со мной, — проговорил он. — Я сделаю для тебя все.

— Ты уже сделал все. Ты появился.

— Ну, я не в этом смысле... Я хочу, чтобы тебе было хорошо как женщине.

— Не беспокойся, все прекрасно.

— Честно?

— Глупый, неужели ты сам не видишь?

Он нежно гладил ее шею, отводя слипшиеся пряди волос, мокрые после душа.

— Я вижу, что ты самая прекрасная, самая нежная, самая чуткая женщина на свете. Я вижу, что ты — единственная... Поэтому я хочу, чтобы ты осталась со мной. И чтобы тебе было хорошо. Я должен быть уверен, что мы с тобой чувствуем в постели одно и то же...

«Вот что его беспокоит, — подумала Нина. — Боится показаться плохим любовником».

— Ты — чудесный мужчина, — сказала она. — Мне с тобой очень хорошо. Ты все делаешь идеально. Ты сильный и ласковый, и ты не торопишься получить удовольствие, ты ждешь меня... И вообще, хватит об этом.

— Я знаю, что женщины любят, когда мужчины после всего этого еще долго ласкают их, разговаривают... Но у меня все слова вылетают из головы, когда я обнимаю тебя...

— И пусть вылетают. Слова не нужны, если нам и без них хорошо. Кстати, откуда ты знаешь про то, что любят женщины? У тебя такой богатый опыт?

Он смущенно рассмеялся:

— Ты не поверишь. Он не очень богатый.

— Ты прав. Я не поверила, — сказала она. — Потому что ты все делаешь идеально.

— Просто я тебя люблю.

В тишине спальни вдруг тихонько пискнули его часы.

— Девятнадцать ноль-ноль, — сказал Михаил. — Скоро привезут Петьку.

Нина встала с постели, накинув пеньюар, а Михаил блаженно откинулся на спину, разбросав руки:

— Уфф, честно говоря, я как выжатый лимон... Дорогая, а что у нас на ужин?

— Ну вот, — горестно вздохнула Нина, поправляя волосы перед зеркалом. — Не успел человек выйти из больницы, как началось. Супружеские обязанности. Койка, ужин. Койка, завтрак. Койка, обед. И так до самой смерти.

— Да, тяжелая женская доля, — с притворным сочувствием поддакнул Михаил, продолжая нежиться в постели. — Утешает одно. Мы будем жить долго и счастливо и умрем в один день, поэтому я никогда не останусь без ужина.

— Даже сегодня.

Нина накрывала на стол, когда Михаилу позвонил дежурный охранник.

— Кто ко мне? Соколов? Впусти, конечно. А зачем мне здесь его охрана? Охрана пусть у вас подождет.

— У нас гости?

— Небывалый случай. К нам пожаловал генерал Соколов. Да еще со своими абреками. Пойду принесу вина из подвала.

Нина поставила на стол третий прибор и посмотрела в окно. Через двор от ворот шел генерал. В мешковатом синем костюме и голубой сорочке без галстука, застегнутой на все пуговки, он напоминал какого-нибудь председателя колхоза своим обветренным загорелым лицом с властным выражением прищуренных глаз. Собаки подняли головы, провожая его взглядом, но пропустили. Генерала они знали.

«Надо и мне с ним познакомиться, — подумала Нина. — Все-таки соседи. Не раз еще встретимся, да и внучка его — приятная девчонка. Надо будет с ней позаниматься».

Михаил, держа в руке запыленную бутылку, вошел в столовую, как раз когда генерал Соколов показался на пороге.

— Вы очень кстати, господин генерал, — широко улыбнулся Михаил, щелкнув по бутылке пальцем. — Я надеюсь, вы присоединитесь к дегустации? Кахетинское, восемьдесят второй год.

— Я пришел поблагодарить вас за спасение моей внучки.

Соколов поклонился и поцеловал Нине руку.

— Ну что вы, — сказала она. — Девочка и без меня могла справиться. Я, фактически, только подстраховала ее.

— Из ее слов я не могу составить ясную картину случившегося, — сухо сказал генерал. — Не понимаю, как наша самая смирная лошадь вдруг так разыгралась. Как вы думаете, что могло напугать ее?

Нина и Михаил переглянулись.

— Я тоже не понимаю, — сказала Нина. — Возможно, лошадь испугалась проходящих машин.

— Но что Лиза могла делать у дороги? Ей категорически запрещено там показываться. Она очень дисциплинированный ребенок. Вы видели, как она каталась? Может быть, она просто скакала вдоль дороги?

— Да, так и было, — сказал Михаил. — Я еще подумал, куда это она направляется?

Генерал на миг закрыл глаза, словно пытался что-то вспомнить. Потом помотал головой и сказал:

— Она направлялась подальше отсюда. Это была попытка к бегству. Не понимаю... Впрочем, простите меня, старика, лезу со своими бедами.

— Отужинайте с нами, господин генерал. И к тому же у нас есть прекрасный повод. Мы с Ниной...

— Благодарю, господа. В другой раз. Сейчас я должен уехать. Мой издатель просит срочно сдать рукопись.

— Если не секрет, над чем вы работаете?

Соколов горько усмехнулся:

— Все опальные русские генералы всегда работали над одним проектом. Улучшение государства Российского и армии его. Приятного вечера.

Глядя, как генерал, окруженный тремя телохранителями, проходит через двор к воротам, Михаил сказал, словно отвечая на его последнюю фразу:

— Не генеральское это дело, государство улучшать. Защищать — вот за что вам государство платит деньги. А когда солдаты начинают заниматься политикой, это всегда кончается печально. Не любит он меня. Ох, не любит.

— Почему, Миша?

— Потому что я строем не хожу. А генералы любят, чтобы все ходили строем. Вот он мечтает об улучшении государства Российского. Вышел на пенсию и мечтает. А что он для этого сделал за время службы?

— Ну, не суди его, — попросила Нина. — Что он мог сделать? Если бы началась война, он бы пошел на фронт, он бы воевал. А что он мог сделать в мирное время?

Михаил как-то странно, отчужденно посмотрел на нее.

— По-твоему, мы живем в мирное время? Извини, может, мне и не стоило бы говорить об этом... Но в стране идет война. Нина, в нашей стране идет война. И развязали ее вот такие генералы, как наш любезный сосед. Сначала вооружили Чечню до зубов, потом бросили танки в уличные бои, потом бомбили городские кварталы. Кому война, кому мать родна. А теперь, когда его отодвинули от этой кормушки, он вдруг стал опальным генералом. При этом телохранители у него — чеченцы, между прочим.

— Они больше напоминают конвоиров, — заметила Нина.

— Может быть, может быть... Тебе ничего не показалось странным? Я о том, что случилось с Лизой.

— Значит, ты тоже заметил? Показалось, Миша, показалось. Девочка не стала бы просто так выезжать на дорогу, — задумчиво проговорила Нина. — Тогда у меня не было времени на размышления. Но теперь-то я вижу все иначе. Она явно пыталась остановить эти машины. Может быть, хотела что-то передать. Может быть, пыталась уехать...

Михаил махнул рукой и сел к столу.

— Хватит об этом. Он прав — нам хватает своих забот, чтобы еще разбираться с чужими. Хорошо, что генерал не остался на ужин. Да он бы и не сел со мной за стол. Я для него — жулик, новый русский банкир. Он думает, у меня одна задача — побольше положить народных денег себе в карман.

— Про банкиров так думают многие. И основания для этого есть.

— Знаешь, как говорят в Израиле? Есть арабы и арабы. Есть банкиры и банкиры. Есть генералы и генералы.

Дверь шумно распахнулась, и в столовую забежал Петька:

— И еще есть я! И я хочу есть! Мамочка, ты уже дома! Ура!

Ужин прошел под непрерывные рассказы о событиях в детском саду, об очередной драке Филиппа с Яшей и Илюшей, а также о последних разработках в области игровых автоматов. Обычно Нина запрещала сыну болтать во время еды, но сегодня, как ни ряди, был особый случай. Выписка, помолвка. И в конце концов, наконец-то они собрались вместе за одним столом. Было бы нелепо провести такой ужин в благопристойном молчании.

Укладывая Петьку спать, Нина вдруг услышала от него:

— Я хочу завтра остаться дома.

— Что еще за новости?

— Даже не уговаривай. В детский сад я не пойду все равно.

— Но скажи мне, что случилось? Для этого есть причины?

— Ничего не случилось. Я боюсь.

Нина не верила своим ушам. Петька не мог врать. Но чтобы сознаться в том, что он чего-то испугался? Такое она слышала от него впервые.

— Чего ты боишься?

— Папы, — тихо ответил малыш.

— Что-что?

Он поднялся в постели и обвил ее шею руками, прижимаясь головой к груди.

— Мама! Мамочка! Прости меня! Я тебе не верил, я думал, ты меня обманываешь, чтобы я не плакал. А ты говорила правду.

— Какую правду?

— Что папа жив. Что он уехал в Грецию, без нас, и у него там все хорошо.

Нина осторожно развела его руки и поглядела Петьке в глаза.

— Значит, ты мне не верил? А теперь веришь? Тебе кто-то еще рассказал про папу?

— Нет. Я сам его видел.

— Сам? Где?

— Он просто приехал к детскому саду. Он смотрел на меня из машины.

Нина погладила Петьку по голове, чтобы успокоить его и успокоиться самой.

— То есть ты видел, что в машине сидит дядя, похожий на папу, и смотрит на тебя. Так?

— Нет. Это не был дядя. Это был папа. Он ходил за мной, когда мы играли на автоматах. Мама, он хотел подойти, я знаю. Но он стеснялся из-за дяди Воронина.

Она поцеловала его и уложила обратно на подушку.

— Сынок, это часто бывает, когда любишь человека. Когда много думаешь о нём, кажется, что он рядом. Ты становишься взрослым. Ну, подумай сам: ведь, если бы папа приехал из Греции, он позвонил бы мне.

— А может быть, он знает, что у тебя... что у нас теперь есть Михаил. Что мы его любим. И получается, что мы бросили нашего папу?

— Нет, — Нина закусила губу, чтобы не расплакаться. — Так не получается. Вспомни, как мы жили, когда его не стало... когда его не стало с нами.

— А может быть, он просто не мог тогда приехать к нам. Может быть, его плохие люди, какие-нибудь бандиты захватили и не пускали.

— Петька, а вот это уже сказки. Твой папа сам кого угодно мог бы захватить.

Она наклонилась, поправляя одеяло, и Петька снова обхватил ее за шею.

— Мама, полежи со мной... Ну немножечко, как в детстве...

Она, улыбнувшись, осторожно прилегла на край кровати и обняла Петьку.

— Я не знаю, как теперь быть... — прошептал малыш ей на ухо. — Я папу очень люблю... и Михаила тоже люблю. Как теперь, а?

— Он не приехал. Он не может приехать. Спи.

— А ты не уходи, пока я не засну, ладно?

45

Он беспрепятственно добрался до дачного поселка, свернул в лес и остановил свою «девятку» на просеке возле облезлого и ржавого «Москвича» с канистрами, привязанными к верхнему багажнику. Эта старенькая машина одним своим видом не внушала доверия, но двигатель завелся с пол-оборота и работал ровно и устойчиво.

«Хороший аппарат, — Саша одобрительно похлопал по рулевому колесу, обвитому разноцветной проволокой, как раньше хлопал по шее послушного коня. — Даже жалко будет бросать. Но старик, видать, славно потрудился. Славно и погибнет».

Он открыл свой ноутбук, постучал по клавишам и увидел на дисплее схему двора и красную пульсирующую точку, которая рывками перемещалась к линии, обозначающей дорогу.

Объект уже был в пути. Саша посмотрел на часы. Операцию придется начинать немедленно. Повезло. Если бы Саша задержался в городе хотя бы на минуту, все могло сорваться.

Переключившись на другой режим обзора, он увидел, как пульсирующая точка медленно движется вдоль голубой дуги к зеленому пятну. Объект выехал со двора и едет к лесу. Саша тронулся с места, и «Москвич», плавно покачиваясь на неровной просеке и громыхая канистрами, покатился к дороге, которая виднелась впереди за соснами.

Ему пришлось подождать буквально две минуты. Слева показались фары. Саша различил черный силуэт генеральской «Волги» и резко подал свою машину вперед.

«Москвич» вылетел из просеки на дорогу прямо перед «Волгой» и сразу же остановился. Водитель «Волги» даже не успел нажать на тормоза. Раздался громкий хлопок, и Сашу вдавило в спинку сиденья. Он был готов к столкновению, успел сгруппироваться, поэтому не ушибся.

Сзади послышалась яростная ругань. Заскрипели, открываясь, перекошенные двери «Волги», и с обеих сторон к несуразному «Москвичу» кинулись ребята в камуфляже.

— Ты что натворил, урод! Эй, старик, вылезай! Чайник! Вылезай, разбираться будем!

— Да что вы, сынки... — жалобно протянул Саша, неловко выбираясь из «Москвича». — Я вас не заметил... вы же слева, у меня преимущество...

— Ми тэбе сычас такой прымущество зделим! — зарычал бородач в камуфляже, грубо хватая Сашу за воротник и вытягивая его наружу. — Квартира есть? За такой машын, как ты разбивал, два квартир продавать надо!

— Сынки, да вы что... — лепетал Саша, оглядываясь.

Все трое были здесь. Генерал остался у «Волги».

— Молчи! — рявкнул на Сашу и дернул его за воротник. — Из-за тебя машын разбили. Зачем ехал? Зачем дома не сидел? Ми тебе что, малчики, туда-суда кататься?

Он был на голову выше, чем Саша, и, наверное, раза в два шире. Поэтому Саше пришлось нелегко. Он приставил ствол к груди этого абрека, нажал на спуск и изо всех сил прижал его дрогнувшее тело к себе, чтобы он не упал сразу на землю. Прикрываясь обмякшим абреком, Саша выстрелил в оставшихся двоих. Они не успели схватиться за оружие.

В наступившей тишине было слышно только, как у одного из упавших булькает кровь в горле.

— Товарищ генерал, вы в порядке? — спросил Саша.

— Ну, здравствуй, старшина, — отозвался генерал. — Да, они знали, кого посылать за мной. Ну, стреляй, чего ждешь?

— Мы по своим не стреляем.

— Не мудри, старшина, исполняй приказ.

Саша посветил фонариком и подобрал свои гильзы, блеснувшие в палой листве.

— Времени мало, товарищ генерал. Уходить надо.

— Невозможно. Я все продумал, старшина. Нет вариантов. Достанут везде.

— А некого будет доставать, — весело проговорил Саша, подтаскивая убитого к «Волге». — Давайте-ка их усадим. Одного на ваше место. Вы пожертвуете своими часами? Что у вас еще есть? Кольцо и крест, правильно? Вас опознают, товарищ генерал. Мы уйдем, документы у меня есть. На просеке машина, в сумке деньги. Даже оружие у нас есть. Неужто не пробьемся, товарищ генерал?

— Эх, Сашка, Сашка, — генерал скинул пиджак и помог ему усадить трупы в «Волгу». — Уходи один. Одному легче уйти.

— Одному уходить незачем, — ответил Саша.

Сейчас он чувствовал себя так, как когда-то в горах. Славное было время. Забрасываемся, гасим тихо всех, уходим. И уводим с собой товарищей, худых, заросших, со следами пыток, но живых. Изнуряющий бросок через перевал, неожиданная стычка с «духами» и снова — в горы, в лес, и ожидание «вертушки»... А потом вдруг — Москва, и вокруг все свои, и асфальт под ногами, и чистая постель, и любимая женщина под боком... Славное было время. Ничего, все только начинается.

Саша отвязал от багажника «Москвича» пару канистр и положил их на смятый капот «Волги». Раскидал внутри салона зажигательные шашки, позаботившись, чтобы ни один из покойников не остался ими обделен. Трупы обгорят до полной невозможности идентификации. Но генеральские часы должны выдержать это испытание огнем.

Следствие установит, что генерал Соколов погиб в результате ДТП. Нелепое столкновение на лесной дороге, в сумерках. Водитель «Москвича» грубо нарушил правила, да еще вез несколько канистр бензина, явно ворованного. Неудивительно, что он сбежал с места происшествия. А вот в «Волге» все сгорели, не успев даже выбраться из машины. А если дотошный судмедэксперт и обнаружит в останках пару пуль незнакомого образца, то такому эксперту посоветуют не усложнять картину.

Он бросил спичку в лужицу разлившегося бензина и повернулся к генералу:

— Все нормально. Поздравляю, теперь вы такой же покойник, как и я.

Они зашагали по просеке. Высокое пламя за их спинами осветило лес.

— Лизу жалко, — сказал Соколов. — Она меня любила.

— Ничего, ничего, мы еще вернемся. Вот увидите, командир, все еще переменится, и мы вернемся. Вы к своей Лизе, а я к своему Петьке.

— Кстати, ведь он тут, неподалеку, — сказал генерал. — Я только что видел твою жену. Она живет на бывшей Улановской даче, у этого банкира, Колесника.

— Что? — Саша остановился. — Она живет здесь?

— Извини.

— На даче Уланова? Охрана есть?

— Такая же, как раньше. Сашка, даже не думай, — генерал взял его за плечо и строго посмотрел в глаза. — У нее новая жизнь.

— А я ничего и не думаю. Мне бы только ей передать кое-что.

Они остановились у «девятки», и оба одновременно оглянулись, чтобы в последний раз увидеть теплые огоньки в окнах коттеджей, где остались любимые люди.

— Куда теперь? — спросил Соколов.

— На Дон. К утру будем на месте, — Саша сел за руль и побарабанил пальцами по кожаной оплетке. — Товарищ генерал, разрешите на десять минут отлучиться? Я только одним глазом гляну. Если что не так, уезжайте без меня.

Он открыл свою сумку.

— Вот деньги, вот паспорт новый. Это вам. А остальное хочу Петьке оставить.

— У них есть деньги, — мягко сказал Соколов. — Старшина, зачеркни и забудь.

— У них чужие деньги. Завтра банкира завалят, и они останутся ни с чем. Командир, вы же меня знаете. Я человек-невидимка.

— Добро. Двигай. Но я без тебя не поеду, — предупредил Соколов.

— Я мигом, — Саша перекинул сумку через плечо и побежал по просеке к поселку.

Пламя над горящими машинами уже оседало, окутываясь черным дымом. «Могут увидеть, — подумал Саша. Если они за мной следят, то пора бы их успокоить».

Он достал мобильник и нажал кнопку. После короткого, отрывистого гудка спокойный голос спросил:

— Ну как?

— Я исполнил, — доложил Саша. — Назовите адрес, где мои билеты и все прочее.

— Так, адрес... Вы сейчас где?

— Только что выехал с просеки, сейчас стою у шоссе, жду, когда машин будет поменьше. Куда мне сворачивать, налево или направо?

— Мы вам позвоним. Ждите звонка.

Он усмехнулся. Куда бы они ни приказали поворачивать, они с генералом поедут в противоположную сторону.

Но приказа не последовало.

Саша нажал клавишу отбоя. И в ту же секунду мощный взрыв заставил содрогнуться землю под его ногами. Он инстинктивно присел и оглянулся.

Там, где только что стояла «девятка», клубился черно-оранжевый шар неистового пламени...

46

У Нины все еще звучали в ушах Петькины слова «Полежи со мной, как в детстве...».

Как быстро растут дети, когда мы их не видим. Вот он и научился засыпать сам, без обязательной сказки на ночь, без колыбельной песенки про маленького пони, который бегает по кругу... Сын уже живет своей, отдельной жизнью. У него свои тайны. И не всеми своими тайнами он делится с мамой.

Наверное, он слишком часто думает о Саше, если уже видит его, словно наяву.

Нина ласково провела кончиками пальцев по бровям малыша, разглаживая тревожную складку, и Петька улыбнулся во сне, чмокнул губами и повернулся на другой бок. Заснул.

Она тихо прикрыла за собой дверь и спустилась в столовую. Михаил вопросительно посмотрел на нее, и Нина кивнула:

— Спит.

— Как думаешь, могу я включить музыку?

— Если это не духовой оркестр...

Он вставил диск и коснулся клавиши музыкального центра. Зазвучал мягкий джаз.

— Это наш с тобой любимчик. Кенни Джи. Может, потанцуем?

— Не могу, извини, — Нина опустилась в кресло у камина и улыбнулась, пытаясь скрыть неясную тревогу: — Устала я сегодня. Слишком много всего.

— Устала? Прекрасно. Отличный повод выпить.

Он наполнил бокалы вином цвета крови и сел на ковер у ее ног.

— Ты ничего не слышал? — спросила Нина, пригубив терпкое вино. — Когда я лежала наверху, кажется, неподалеку что-то взорвалось. Собаки бесятся.

— Да нет. Просто гром. И собаки волнуются перед грозой. — Он поднял бокал: — За нас.

— За то, чтобы больше никогда ни один негодяй не вторгся бы в нашу жизнь.

Михаил отпил немного и посмотрел бокал на свет, любуясь игрой рубинового жидкого пламени.

— Я сделаю все возможное, чтобы тебя как можно меньше беспокоили по поводу покушения и гибели киллера и этого журналюги. Но все-таки один или два допроса нам предстоят. Точнее, я бы сказал, одна или две беседы со следователем.

— Я понимаю.

— Это единственное, что мешает нам уехать завтра же. Но мы уедем дня через два. Обязательно уедем.

Нина устало прикрыла глаза ладонью. Ей не хотелось огорчать Михаила, но его слова причиняли ей боль.

— Пожалуйста, милый... — тихо, как можно мягче произнесла она. — Никогда не говори мне, что мы завтра же или дня через два куда-то уедем. Я очень тебя прошу.

Он погладил ее колени.

— Извини.

— Да нет, ничего страшного, у меня просто нервы расшатались.

— Знаешь, за что я люблю этот дом? — спросил Михаил, поворачиваясь лицом к огню. — За камин. Оказывается, я больше всего на свете люблю сидеть у костра. Просто смотреть на огонь. Шевелить угли. Слышать это потрескивание и следить за улетающими искрами. Это очень успокаивает.

Нина опустилась на ковер рядом с ним и прижалась щекой к его плечу.

— Не надо меня успокаивать. Мне нужно только время, чтобы все забыть.

— Ничего, милая, ничего, — он обнял ее за плечи. — Все пройдет, будет утро, и будет вечер, и будет долгая счастливая жизнь. Мы увидим небо в алмазах. И знаешь где? На одном острове в далеком восточном море. Там звезды яркие, и кажется, что до них можно дотянуться. Таких звезд нет на нашем юге, нет на юге Европы. Такие звезды есть только на этом острове. И море ночью там светится, и, если зачерпнуть его ладонями, кажется, в руках у тебя алмазы и золото...

Он наполнил бокалы.

— Выпьем за то, чтобы поскорее оказаться на этом острове.

— Вкусное вино, — сказала Нина, чтобы порадовать Михаила.

— О, такого в магазине не купишь. Нам привезли его из Грузии летом восемьдесят четвертого, целый грузовик. Представляешь, все эти годы оно пролежало здесь, в подвале. Правда, осталось всего несколько бутылок. Но и на том спасибо. Прежний хозяин дома никого не угощал этим вином. Сам пил, по очень большим праздникам.

— Вы были знакомы?

— Когда-то служили вместе. Потом часто пересекались то по службе, то по банковским делам, — уклончиво ответил Михаил. — Вино-то прекрасное, но имеет один существенный недостаток. Оно разжигает аппетит. Слушай, Ниночка! Какой же я идиот! Мне же передали настоящий эстонский окорок! Еще три дня назад! И мы пьем вино без него! А он спокойно висит себе в подвале!

— Ты хочешь? Сиди, сиди, не вставай. Я сейчас принесу.

— Найдешь? Он прямо у входа.

Нина быстро спустилась по лестнице, открыла дверь в подвал и включила свет.

Здесь было прохладно и тесно. На стеллажах вдоль стены, в ромбовидных гнездах, лежали бутылки. Напротив на полках стояли коробки и банки, а под низкими сводами потолка с натянутого троса свисали подвешенные гирлянды лука, чеснока, каких-то трав. Висел там и небольшой окорок.

Нина приподнялась на носках, чтобы снять его с крюка, и вдруг услышала за спиной легкий скрип двери.

Она оглянулась.

Сдавленный возглас вырвался из ее груди, и Нина в ужасе прижала ладонь к губам.

На пороге стоял ее Саша.

Живой. Бледный, похудевший, с седой бородой до самых глаз. Саша...

— Здравствуй, Нинуля, — прошептал он, прикладывая палец к губам.

Не в силах пошевелиться, Нина прижалась спиной к стенке. Саша глядел на нее, улыбаясь.

— Ты только не пугайся так, — прошептал он. — Я не из могилы. И я не привидение. Нинуля, я все знаю. Все понимаю. Ты соберись, Нинуля, успокойся.

Он хотел погладить ее по щеке, и она в ужасе прикрылась окороком, который сжимала в руках.

— Не трогай меня!

— Тихо, тихо. Не дай Бог, кто услышит...

Саша оглянулся на открытую дверь. Сверху послышался голос Михаила:

— Нина! Ниночка! Тебе помочь?

Нина вздрогнула.

— Иди к нему, — шепнул Саша, отступив за полки. — Я жду тебя здесь. Как освободишься, загляни.

— Уходи, — едва совладав с дрожащими губами, попросила Нина. — Умоляю тебя. Уходи.

Он покачал головой:

— Не могу. Мне нужна помощь. Мне нужна твоя помощь, Нинуля. Иди. И возвращайся.

Саша отступил еще дальше и сел на коробку в углу подвала. Под ногами у него стояла спортивная сумка.

Голос Михаила приближался:

— Нина, да что там у тебя?

Саша, держа палец у губ, глазами показал ей на выключатель. Нина выключила свет, перешагнула через порог — и столкнулась с Михаилом.

— Ниночка, почему ты в темноте? Что случилось?

Она прижалась к нему, обхватив рукой, и развернула спиной к подвалу, увлекая за собой наверх.

— Миша... Мишенька... мне так плохо вдруг стало... Я, кажется, потеряла сознание на какое-то время... Пришла в себя, и ты как раз идешь. Пойдем, милый. Пойдем.

Тяжело опираясь на его руку, она поднялась по лестнице. Больше всего на свете она боялась, что Михаил захочет еще чего-нибудь поискать в своем подвале.

Странно, но она не испытала никакого удивления, увидев Сашу живым. Ужас? Да, тошнотворный, леденящий ужас. Но никакого удивления. Словно всегда знала, что это может случиться...

— Ты устала, — ласково говорил Михаил. — Перенервничала. Ложись-ка ты спать, невестушка.

— Да... я устала. А ты? Ты хочешь спать?

— Нет. Если ты ляжешь, я еще поработаю.

— Нет-нет. Никакой работы! Я буду с тобой. Я тебя никуда не пущу.

— Да я никуда и не иду, — он засмеялся, обнимая Нину. — О, голубушка! Да ты дрожишь. Что ты там увидела, в подвале? Мышку?

Она попыталась беззаботно рассмеяться:

— Нет, не мышку... Что-то накатило... Давай скорее ляжем спать. Ты не будешь обо мне плохо думать, если я что-то скажу?

— Скажи.

Она прижалась губами к его уху и шепнула:

— Хочу тебя...

— Ой, как я плохо буду думать... ой, какой кошмар... — промурлыкал Михаил, подхватывая Нину на руки.

Так, на руках, он донес ее до спальни и бережно опустил в постель. И, стоя рядом с кроватью на коленях, жадно припал к ее губам. Его сильная рука властно легла на ее грудь, раздвинула полы халата, скользнула по животу и ниже...

— Иди скорее ко мне, — шептала она, срывая с него рубашку. — Скорее, скорее... Я так хочу тебя.

Нина не позволила ему ласкать себя, и сама набросилась на него, тяжело дыша и постанывая, хотя и не ощущала ни малейшего возбуждения. Ей надо было загонять его так, чтобы он заснул покрепче. И она вспомнила все, что вытворяла когда-то с Сашей, когда они по молодости лет насмотрелись подпольной видеопродукции.

Поначалу Михаил подчинялся ей с легким удивлением, но постепенно его охватило пламя страсти. Он уже ничего не спрашивал и не прислушивался к ней. Его движения стали настойчивыми, быстрыми, почти грубыми. Он вскрикивал от удовольствия, когда Нина садилась на него сверху и вдруг откидывалась назад, спиной к его ногам, и он сам переворачивал ее своими сильными руками так, как хотелось его телу... Наконец, он затрепетал под ней, выгнулся — и затих, разбросав руки в стороны...

— Я тебе ничего не сломал? — едва шевеля губами, спросил он, не открывая глаз. — Странно, что кровать уцелела после таких скачек...

— Спи...

— А поговорить... — он вяло улыбнулся и протянул к ней руку, пытаясь с закрытыми глазами отыскать ее грудь.

— Не надо... Спи... — она просто рухнула рядом с ним и зарылась пылающим лицом в подушку.

Он еще что-то пробормотал, уже во сне. Но когда она опустила ноги на пол, вдруг спросил:

— Что? Что ты?

Нина дотронулась до губ Михаила кончиками пальцев.

— Я — в душ. Спи, милый. Спи...

Он по-детски чмокнул губами и повернулся на бок.

Выйдя из ванной, Нина осторожно заглянула в приоткрытую дверь. Михаил лежал на боку, обняв подушку, и тихонько похрапывал.

Она шагнула по ковровой дорожке и вдруг увидела, что дверь в Петькиной комнате раскрыта.

Неясная тень виднелась в проеме на фоне светлых занавесок. Там, в детской, стоял Саша.

Нина подошла ближе. Ее душил гнев. «Что ты делаешь здесь?» — чуть не закричала она. Но, увидев, с каким лицом Саша смотрит на сына, застыла рядом с ним.

Саша повернулся к ней и бесшумно перешагнул порог. И тут в тишине прозвучал сонный, но отчетливый Петькин голосок:

— А помнишь, как ты ночью уезжал в Питер и со мной прощался?

Саша застыл, как будто окаменев. Медленно повернув голову, он произнес еле слышно:

— Помню.

Петька, не открывая глаз, проговорил:

— Я хочу, чтобы ты всегда мне снился.

Нина схватила Сашу за руку и с силой потянула, выводя его из детской. А сама шагнула к постели, поправила одеяло и поцеловала Петьку в лоб. Он улыбался во сне.

Она спустилась в подвал, и Саша бесшумно, как призрак, двигался за нею.

Внизу, пропустив его вперед, Нина затворила за собой дверь и только теперь смогла вздохнуть свободно.

— Уходи, — сказала она. — Зачем ты пришел? Уходи.

— Постой, Нинульчик, — Саша казался совершенно спокойным. — Я уйду, не бойся. Если ты мне поможешь.

Ее вдруг начало трясти, и она прижала ладони к губам, чтобы не разрыдаться:

— Этого не может быть... этого не может быть... Господи помилуй! Ты же был мертв... я же видела сама. Ты был мертвый! Это не ты!

Саша приподнял майку и показал ей свежие розовые рубцы на животе и между ребрами:

— Персты вложишь?

— Мама... мамочка... Зачем ты здесь? Зачем это? — она коснулась его бороды.

— Это маскарад. Извини, не было времени побриться. Так и знал, что ты испугаешься...

— Замолчи! Не смей! Замолчи!

Она все-таки разрыдалась. Но, как только Саша попытался ее обнять, отшатнулась и вытерла глаза.

— Говори, что тебе надо от нас?

Саша опустил руки и отвернулся. Он долго не отвечал, стоя с закрытыми глазами, словно пытался что-то вспомнить...

— Мне? От вас? Ничего, — взор его потух, и в голосе уже не было нежности. — Хочу оставить тебе немного денег на жизнь. И все. И уйду. Не волнуйся, уйду. Ты меня больше не увидишь.

— Нам не нужны бандитские деньги.

— Вот даже как... Понятно. Ну, не нужны, значит, бросишь их в камин. А теперь слушай. Ты слышишь меня?

Она кивнула, напуганная переменой, которая произошла у нее на глазах. Таким она его никогда не видела. И дело не в бороде или в шрамах. Сейчас перед ней стоял просто совсем чужой человек. «Это не Саша, — промелькнула спасительная мысль. — Саша умер. А вместо него сюда пришел двойник. Такое бывает. Конечно, это не Саша».

— Завтра ты должна достать машину. Ты вывезешь меня отсюда. Ты поняла?

— Я все сделаю, — кивнула она.

— Подвал запри. Буду ждать тебя тут. Не волнуйся, ничего не съем из ваших запасов. Только вот...

— Ну что еще?

— Знаешь, очень не хочется никого убивать. Если сюда войдет кто-то, кроме тебя...

Он распахнул пиджак, и Нина увидела рукоятку пистолета у него за поясом.

— Сюда никто не войдет, — пообещала она.

Она закрыла дверь и положила ключ в карман халата.

47

За завтраком Михаил был необычно весел, много шутил и даже напевал что-то. Однако его приподнятое настроение не передалось Нине и Петьке, которые сидели за столом с угрюмым и рассеянным видом.

— Вы что такие убитые? — удивился Михаил. — Петя, включи телевизор, а то сидим, как на похоронах.

Петя взялся за пульт, и на экране замелькали, сменяя друг друга, говорящие головы. По всем каналам шли либо новости, либо реклама, замаскированная под новости.

В столовую вошел Воронин, и Михаил пригласил его к столу:

— Привет. Садись, кофейку выпей. Еще есть десять минут.

Воронин помотал головой:

— Спасибо, я с собаками позавтракал.

— С кем? — изумился Михаил.

— Ну, то есть я хотел сказать, со старшиной, — смеясь, поправился Воронин. — Вы же знаете, он что себе готовит, то и собакам дает. Вот сегодня была гречка с тушенкой. Вкуснотища...

— Что, и кофе с собаками попил?

— Нет, до этого он еще не дошел. Кстати, вы слышали, ночью рвануло?

— Рвануло? Мы думали, гроза, — Михаил переглянулся с Ниной.

— А город подумал, ученья идут, — мрачно сказал Воронин. — Нет, Михаил Анатольевич. Это машина взорвалась. Авария была тут недалеко. Я сам не видел, туда никого не пускают. Но говорят, вроде сосед наш того... В общем, это генерала Соколова машина была. Так говорят.

— Что? — Михаил застыл с чашкой у губ.

Нина ахнула:

— Он же вчера вечером к нам заходил.

— Я тоже слышал, как взорвалось! — заявил Петька. — Даже стекла задрожали! Теперь нас по телевизору покажут! А пожарники приехали, дядя Воронин?

Нина сердито перебила его:

— Петя, ты поел. Иди одевайся.

Но малыш не привык так быстро сдаваться.

— Мама! Во-первых, дети тоже люди. Почему я не могу послушать? В-третьих, в детский сад я сегодня не иду. Лучше дома будем играть в прятки. Я спрячусь в подвале, а ты...

Нина хлопнула ладонью по столу:

— Быстро! Шагом марш одеваться!

Петька насупился и вышел из-за стола. Михаил удивленно покосился на Нину, но предпочел не комментировать ее педагогические приемы.

— Да вот же, — сказал Воронин, показывая пальцем на телевизор. — Вот уже и показывают.

На экране виднелась фотография Соколова в генеральском мундире. Михаил прибавил звук, и в столовой прозвучал голос диктора:

— ...противоречивые оценки. Но одно очевидно: катастрофы, в которых гибнут такие значительные люди, должны расследоваться с особым вниманием со стороны прокуратуры.

Картинка сменилась, уступив место репортажной съемке, сделанной на одной из московских улиц. У подъезда дома стояли две милицейские машины. Дюжие молодцы пронесли носилки с телом, упакованным в черный пластиковый мешок.

— Еще одно вчерашнее событие не могло не привлечь внимание службы криминальных новостей. В своей квартире был застрелен пенсионер Шепилов, более известный в определенных кругах под кличкой Шепель. Правоохранительные органы не отрицают его связи с уголовным миром. Неоднократно судимый Шепилов в последнее время вел вполне легальный бизнес на рынке нефтепродуктов. Однако, по оперативным данным, он продолжал контролировать ряд предприятий розничной торговли, пункты скупки цветных металлов и производство нелицензионных видеозаписей...

— Собаке собачья смерть, — равнодушно сказал Михаил, выключая телевизор. — Я точно знаю, что это он тогда... Помнишь? Я про медное днище.

— Вы про то, что Шепель вас заказывал? — уточнил Воронин, и Михаил укоризненно глянул на него.

Нина поняла, что ему не хотелось обсуждать эту тему при ней. Она встала, чтобы убрать со стола.

Но туповатый Воронин не уловил намека начальника и продолжал:

— Менты тоже знают, что это он вас заказывал. И что вы про это знаете, тоже знают.

— Ну и что?

— А то, что наверняка начнут под вас копать. Кому выгодна смерть Шепеля? Получается, вам. Месть и все такое. Газеты разнесут, вот шумиха-то поднимется. Да, кстати, о газетах. Доставили утреннюю почту, совсем забыл!

Он вынул из внутреннего кармана пиджака сложенную газету и распрямил ее на столе.

— Вот, полюбуйтесь. Нина Ивановна, это про вас.

С притворным удивлением Михаил воскликнул:

— Ну и дела! Что еще за новости? Нина, это ты или не ты?

Нина наклонилась над развернутой газетой и сразу увидела снимок в самом центре страницы. «Известная модель Нина Силакова снова готова покорять вершины высокой моды». Она быстро пробежала глазами статью.

— Вот врут-то... — возмутилась она. — Батюшки! Вот врут! Не жила я с Депардье! Я в Париже вообще не была! И у Терри Гильяма не снималась. Сумасшедший дом какой-то!

— Милая, это обычная технология рекламы. Представь реакцию людей, если написать: «известная модель Нина Силакова возвращается на подиум из рыбного магазина». Совсем другое дело — из Парижа, Токио, с Луны и Марса. Главное — эффект, имена, трескотня, типа китайского фейерверка. Это нормально. Люди должны увязывать твое имя с тем, что им приятно, с тем, чего бы они сами хотели. Пиар, одним словом.

— Самые лживые и подлые люди, которых я знала, были пиарщиками.

— Да плевать на их моральные качества. Нам с ними детей не крестить. Был бы результат. Главное, я тебе сказал, ты — не продавщица. Ты возвращаешься на подиум.

Он встал и подошел к зеркалу, завязывая галстук. Воронин тоже поднялся, поглядывая на часы.

— Совсем забыла, — спохватилась Нина. — Мне же нужна машина.

— Во сколько? Я пришлю водителя.

— Нет. Мне нужна моя машина. Она на штрафной стоянке в ГАИ. Может быть, мы как-нибудь сможем...

— Давно она там стоит? — спросил Михаил.

— С лета.

Воронин присвистнул. Михаил надел пиджак и, поворачиваясь перед зеркалом, одернул рукава.

— С лета? Разберемся. Напиши мне ее данные, я провентилирую этот вопрос. Нажмем кнопки, и через неделю будет у тебя машина.

— Через неделю? — Нина растерялась. — Но мне она нужна сейчас...

— А куда ты поедешь?

— У меня много дел. Хочу заехать в два магазина. Потом поеду в наше агентство. Поговорю. Потом...

— Все эти дела лучше делать с водителем. И в агентство тебе лучше приезжать с водителем. Это солидно. Хорошо, Ниночка, я пришлю тебе Володю.

Петька появился на пороге столовой, уже одетый. Брови насуплены, губы поджаты, кулаки спрятаны в карманах курточки.

— Я готов. А они все копаются. Долго вас ждать?

— Вылетаем по графику, — Михаил глянул на часы. — Минута в минуту. Ниночка, договорились, Володя будет через полчаса. И пожалуйста, если следователь позвонит, не отказывайся от встречи. Придется уделить ему немного времени. До вечера, душа моя.

Нина видела в окне, как они сели в «гелендваген», как машина выехала за ворота и усатый старшина задвинул тяжелый засов.

Она спустилась в подвал, захватив с собой из холодильника бутылку с минеральной водой.

Саша поднялся ей навстречу со своего ящика.

— За воду спасибо. Дома никого? Тогда сначала пусти-ка меня в туалет.

Он бесцеремонно отодвинул ее и поднялся по лестнице. Вернувшись, он снова уселся на ящик. Отпив глоток воды, поставил бутылку на пол у своей сумки.

— Когда будет машина?

— Не знаю. Будет.

— Чем раньше, тем лучше.

Его холодный тон возмутил Нину.

— Ты... ты... ты хоть что-нибудь знаешь? Обо мне, о Петьке. Что с нами было, ты знаешь? Как ты смеешь так говорить со мной! Я из-за тебя человека чуть не убила! Я в тюрьме из-за тебя сидела! Я чуть на самом деле с ума не сошла, пока сидела в психушке! А ты...

— Нинуль, не надо эмоций, — равнодушно произнес Саша, откинув голову к стене. — Лишнее это. Я все знаю. Тебе было очень плохо. Если ты думаешь, что я сам все это подстроил, то ты ошибаешься. Если я в чем-то и виноват, то только в том, что выжил. Хотя это случилось не по моей воле. Знаешь, что такое клиническая смерть? Это когда тебе очень хорошо и вот-вот станет еще лучше... Ты уже приподнялся над этим миром, уже паришь... Кайф. Но тут появляются злые тетки в зеленых халатах и запихивают тебя обратно в эту грязь. В эту кровь. В эту боль. Нинуль, я перед тобой ни в чем не виноват. Честно. Зря ты так.

— Ни в чем не виноват? — она чуть не задохнулась от гнева. — На вашем бандитском языке это называется «подстава». Ты меня подставил, Петьку подставил. Как теперь мой сын будет расти, когда все вокруг знают, что его отец был бандитом?

— Не был я бандитом, — Саша устало прикрыл глаза.

— Может быть, скажешь, что и не убивал никого?

Он молча пожал плечами. «А вдруг он сейчас скажет, что не убивал? — подумала Нина. — А вдруг все это — неправда? Кому тогда верить?»

Но он так ничего и не сказал.

48

Сообщив Михаилу о том, что она собирается заехать в свое модельное агентство, Нина и не думала этого делать. Даже если бы она и в самом деле решила снова работать манекенщицей, то и тогда обошлась бы без «Маркизы». Ни за какие коврижки она не станет обращаться к тем людям, которые так быстро и подло избавились от нее, да еще в такой тяжелый момент. Нет, что угодно, только не «Маркиза»...

Однако надо было где-то достать машину. Нина чувствовала, что все ее будущее сейчас висит на волоске. Если Сашу обнаружат... Он будет стрелять... Нет, об этом лучше не думать. Думать надо только об одном — где достать машину?

В конце концов она перешагнула через собственную гордость, преодолела отвращение и решила все-таки начать поиски с «Маркизы».

Когда банковский автомобиль остановился во дворе перед модельным агентством, Нина не сразу нашла в себе силы выйти из уютного и безопасного салона «вольво». Водитель Володя удивленно посмотрел на нее в зеркало.

— Что-то не так, Нина Ивановна? Вы передумали?

— Нет. Спасибо, Володя. Можете ехать.

— А я сегодня в вашем распоряжении. Спокойно делайте свои дела, я подожду.

На крыльце агентства стояли две женщины. Нина издалека узнала квадратную Пестрову в неизменном красном брючном костюме. А рядом прислонилась к перилам стройная девушка в джинсах и кожаной курточке. То была Варя. Увидев Нину, она приветливо помахала ей рукой. А Пестрова вдруг юркнула за дверь.

— Здравствуй. Ниночка. Отлично выглядишь.

— Представляю, — махнула рукой Нина. — Что это с нашим администратором? Как ветром сдуло.

Варя рассмеялась:

— Они всем агентством газету читают. Как порнуху какую-то, тайком.

— Какую газету?

— А ты не догадываешься? С твоей фотографией. Между прочим, классное платьице. Откуда, если не секрет?

— Не помню. Маркиза на месте?

— Ты что, хочешь сюда вернуться? — спросила Варя. — С ума сошла? Иди лучше к нам с Максом. А эти гадюки... Они же тебя съедят.

— Подавятся.

Дверь агентства распахнулась, и администратор Пестрова всплеснула руками:

— Нина! Ниночка! Как я рада! Снова к нам! Ниночка, почему вы так долго не появлялись!

— Наталья у себя? — спросила Нина.

— Ждет вас!

Нина зашла в кабинет Маркизы без стука и села в кресло, закинув ногу на ногу.

Маркиза спрятала газету в ящик стола и с любопытством оглядела Нину.

— Ну, здравствуй, Силакова. Успела пробежать статейку. Ничего статейка. Дорогая? Коммерческая тайна, не говори. Мужичка подцепила богатого, ладно. А куда это ты возвращаешься, я не поняла.

— К вам. Только еще не решила, кем. Пока, наверное, ведущей моделью.

— О-о! Какие новости, — протянула Маркиза. — А может, сразу на мое место?

— Может быть, — Нина равнодушно пожала плечами. — Но пока — ведущей моделью. Мне так удобнее.

Маркиза поправила бумаги на столе, заглянула в календарь, зачем-то перелистала ежедневник. После всех этих действий она сокрушенно развела руками:

— Очень жаль. Очень-очень жаль. Но пока я ничего не могу тебе предложить. Все расписано до конца года. Приходи весной, поговорим.

— Зачем же ждать до весны? — Нина достала свой новенький мобильник. — Все можно устроить за пять минут.

Она могла бы позвонить непосредственно Михаилу, но нарочно набрала номер приемной, чтобы Маркизе все стало ясно.

— Алло. Нефтемашбанк? Председателя правления Михаила Колесника. Нина Силакова. Михаил? Здравствуй, милый. Скажи, пожалуйста, тебе что-нибудь говорят такие названия, как АО «Транснефтепровод», ЗАО «Нефтяные сети Сибири»?

Скосив глаз, Нина увидела, что Маркиза нервно перебирает бумаги на столе, с запоздалой щепетильностью пряча все фирменные бланки в папку.

— Ага. Ты их кредитуешь. И много они должны? Я спрашиваю, потому что, как я помню, это учредители одного модельного агентства, чей директор очень хочет со мной работать. Хотела узнать, знаком ли ты с ними. Спасибо, милый. Целую тебя.

«Он будет думать, что я веду себя, как идиотка, — подумала Нина. — Мне еще придется от него выслушать нотацию за этот звонок. Ничего, ничего. Сейчас надо продавить эту мегеру».

По всей видимости, звонок произвел тот самый эффект, которого добивалась Нина.

Маркиза убрала, наконец, все документы со стола и раскрыла кожаную папку с расписаниями.

— Ну что же. Пожалуй, действительно, зачем нам ждать весны? — Она изобразила улыбку. — Я даже рада, что мы снова вместе. Взгляните, Нина, это расписание дефиле на следующую неделю. Может быть, вам что-то понравится?

Нина даже не глянула в подвинутую к ней папку.

— Может быть. Сейчас мне нужна машина. За машину расплачусь позже.

Маркиза озадаченно наклонила голову, пытаясь понять, шутит Нина или говорит серьезно.

— Машина? Какая машина?

— Любая, лишь бы ездила.

— Купить хочешь? Деньги нужны? Понимаю, — она откатилась на своем подвижном кресле и открыла сейф. — Посмотрим, сколько у меня... Три тысячи двести. Хватит на «Жигули». На. Иди покупай.

Ее рука с зажатыми пачками долларов повисла над столом. Но Нина покачала головой:

— Нет. Это долго. Машина мне нужна прямо сейчас.

Маркиза быстро убрала деньги обратно и с лязгом захлопнула сейф.

— Где я тебе возьму? У меня нет. Сама на такси езжу.

— Тогда — до свидания. — Нина без промедления направилась к двери.

Маркиза с непритворным испугом закричала ей вдогонку:

— Ниночка! Зачем обижаться? Я же не отказываю! Ниночка! А дефиле? Завтра, например, в двенадцать, у Лидии Соселии. Прекрасная возможность заявить себя.

— Позже. Потом. Когда-нибудь. Весной...

В коридоре Нина столкнулась с Варей.

— Ну что, договорилась? Вижу, что нет. — Варя захлопала в ладоши. — Ниночка, не ходи больше никуда. Думаешь, я зачем тут? Я девчонок присматриваю новых. Они сегодня опять соберутся, их опять пошлют. А я кого-нибудь подберу. Как меня тогда подобрали. А если девчонки узнают, что еще и ты с нами...

— У тебя есть машина? — перебила ее Нина.

— Только вчера поменяла. Покаталась на «гольфе» немножко, а вчера такую тачку получила! «Форд-скорпио», классная тачка.

Они вышли из агентства и остановились возле ярко-красного «форда».

— Ты не подумай ничего такого, — быстро говорила Варя. — У меня есть один знакомый, у него штук десять разных машин. Он мне дает покататься, чтобы я не тратила время. Это такой мужик классный...

— Дай мне его на один день.

— Кого? — опешила Варя. — Мужика?

— «Форд» этот. Можешь?

— Ну... как это?

— Мне машина нужна, — сказала Нина, держась за зеркало «форда», словно показывая, что она его уже не отдаст. — Очень нужна. Я тебе быстро верну, не волнуйся.

— Мне вообще-то ехать... — Варя встряхнула головой. — Тьфу ты! Что я несу! Нина, конечно! Я совсем, что ли, сука московская стала? Я ведь ничего не забыла. Как приехала сюда, как топталась у входа и как я к тебе пришла...

— Дашь машину?

Варя протянула ей ключи и достала из сумочки документы.

— Подожди. Сейчас доверенность напишу.

Нина отошла от нее к банковскому автомобилю. Володя поднял голову, оторвавшись от пухлого томика в мягкой обложке.

— Нина Ивановна? Освободились? Куда едем?

— Нет, пока никуда не едем. Я буду здесь еще долго. Вы свободны до вечера. Приезжайте за мной к шести... нет, к семи часам.

«А что, если он никуда не уедет? — испугалась Нина. — А что, если останется тут? Какая ему разница, где читать свой детектив!»

Но Володя небрежно забросил книжку в бардачок и быстро уехал со стоянки. Нина увидела, как «вольво» поворачивает за угол, и только после этого вернулась к Варе.

— Ниночка, все будет в порядке. Ты не переживай так. — Варя сочувственно погладила ее по плечу. — Ну, кому сейчас хорошо? Всем плохо. Но все как-то выкручиваются, верно? Когда подгонишь машину? Тебе удобно сюда, к шести? Успеешь к шести часам?

— Да. Удобно. Сюда. К шести.

Теперь, когда машина наконец была в ее распоряжении, Нина могла бы и расслабиться. Но нет, наоборот, напряжение сковывало ее все сильнее. И вместо того чтобы расцеловать свою спасительницу, Нина даже не поблагодарила ее.

До нее только сейчас дошло, что достать машину — это еще не все. Это только самое начало тех страданий, которые ей предстоят. Она действительно страдала из-за того, что ей приходилось обманывать Михаила. Одна маленькая ложь наслаивается на другую, потом еще слой вранья, и вот уже ты и сама не знаешь, где там правда, она даже не просвечивает под нагромождениями лжи... Но другого пути у Нины не было.

Он была уже на шоссе, когда ей позвонил следователь. Нина не сразу и вспомнила, кто такой этот Никитин.

— Да следователь я, мы с вами уже беседовали в госпитале. Вспомнили? Как вы себя чувствуете?

— Отвратительно.

— Ну, вы все-таки загляните ко мне на пару часов. Надо оформить кое-какие бумаги...

— Не сегодня.

— Простите, не понял?

— Сегодня не могу. Извините. До свидания.

Наверно, не стоило так разговаривать со следователем. Но Нина уже не могла говорить иначе. Она словно неслась на обезумевшем скакуне по самому краю пропасти и у нее не было времени на пустые разговоры...

Остановившись перед воротами коттеджа, она уже знала, как перехитрить усатого старшину, который караулил дачу. Только бы он был один, только бы не было во дворе никого из посторонних. А ведь такое вполне могло случиться. Взрыв на дороге, гибель генерала — все это обязательно привлечет сюда всяких там следователей, экспертов, да и журналисты слетятся, как мухи на мед...

Она посигналила, и старшина открыл ворота. Нина улыбнулась и помахала ему рукой, и он кивнул в ответ.

Она развернулась и поставила «форд» багажником вплотную к крыльцу.

— А я смотрю, что за гости? — извиняясь за задержку, сказал старшина. — Такой машины тут еще не было.

— Вы мне поможете? Хочу немного прибрать в доме.

— Да вроде не так давно прибирали, — старшина улыбался, но взгляд его оставался колючим. — Помогу, отчего же не помочь?

— Я вас позову, хорошо?

Нина залетела в дом и вихрем пронеслась по комнатам, срывая постельное белье, плед, скатерть, покрывало с тахты... С эти огромным ворохом она вернулась к машине и вывалила его в багажник, оставив крышку поднятой.

— Так-так, — она потерла подбородок, — еще одежду закину, пожалуй.

Вернувшись в дом, она быстро спустилась в подвал. Саша выглянул из-за полок:

— Ты на машине?

— Да. Сейчас я отвлеку охранника. Живо забирайся в багажник и прикройся там тряпками.

Он накинул на плечо ремень своей сумки.

— Спокойнее, Нинуля. Не суетись. Все будет нормально. В багажнике я доеду до леса. Там останови. Пересяду.

— Замолчи! Не надо мне советовать!

Он прижал палец к губам, и она, скрипнув зубами, пошла за охранником.

Старшина стоял у «форда», перебирая белье в багажнике.

— Давайте я пакет вам дам, — предложил он. — У меня где-то лежат такие большие полиэтиленовые мешки, как раз для прачечной.

— Не надо, я сама разберу, — сказала Нина, стараясь выглядеть совершенно спокойной. Саша прав, суетиться не надо. — Тут половина в стирку, половина в химчистку. Сама разберу. Вы мне лучше помогите холодильник переставить.

Старшина прошел за ней в кухню. Нина принялась было выкладывать из холодильника продукты, но он ее остановил:

— Двойная работа, Нина Ивановна. Покажите место, куда поставить. Я его и так сдвину, ничего не побью, не сомневайтесь.

— Так тяжело же...

— Эх, да разве это тяжело? Ну, куда?

Нина отодвинула стулья и показала в угол у плиты. Старшина усмехнулся:

— У старого хозяина он как раз тут и стоял. Вот, говорил я Михаилу Анатольевичу, что так удобнее. Так нет же, ему бы поближе к камину хотелось. Чтобы недалеко ходить. А что хозяйке готовить надо, он об этом не думал тогда. Да тогда и не было никакой хозяйки. Теперь-то совсем другое дело...

Так, приговаривая и поглядывая на Нину, он ловко переставил огромный холодильник, который подчинялся его медвежьим лапам, как пустая картонная коробка.

— А розетка тут есть? — запоздало поинтересовалась Нина, чтобы выиграть еще хотя бы минутку.

— Ясное дело, куда же она денется? Вот, пожалуйста. Все работает, и вам удобно, и места побольше стало.

— Спасибо. Хотите кофе?

— Потом как-нибудь, — старшина разгладил усы и одернул куртку.

Нина открыла воду и достала из ящика свежее полотенце.

— Ну, не хотите кофе, мойте руки и возвращайтесь к своим волкодавам.

Пока старшина мыл руки и рассказывал, чем отличаются азиатские овчарки от всех обычных собак, Нина напряженно прислушивалась, но так и не уловила ни единого звука. Ей было по-настоящему страшно — и за себя, и за Сашу, и особенно за старшину. Этот старый пограничник и не мог представить, как близко сейчас прошла его смерть...

Но все обошлось. Подходя к машине, Нина успела заметить, что под ворохом белья едва угадываются очертания человеческого тела.

Она захлопнула багажник и быстро выехала со двора. Остановилась Нина только на лесной дороге, не доезжая шоссе. Саша быстро перебрался на заднее сиденье.

— Теперь гони на Курский вокзал, — приказал он. — Будут проверки на дороге. Веди себя спокойно, документы у меня в порядке.

— У тебя всегда все в порядке, — сказала она.

— Да, почти всегда. А вот у тебя не очень.

— Это тебя не касается.

— Потом поговорим, — ответил он и за всю дорогу не проронил ни слова.

49

Михаил Колесник проснулся в прекрасном настроении. Оно не покидало его, пока он принимал душ и одевался, но уже за завтраком все переменилось.

Нина была мрачна и задумчива. Если она и улыбалась его шуткам, то улыбка получалась вымученной. И выглядела она неважно — круги под глазами, небрежно убранные волосы... Ему очень хотелось спросить, не заболела ли она, но при Петьке затевать такой разговор было неудобно.

Колесник заподозрил самое страшное — вчера ночью он не смог удовлетворить ее. Он оказался плохим любовником. Он заботился только о себе.

Именно такое обвинение когда-то бросила ему в лицо его бывшая жена. «Если мужчина в постели думает только о себе, то он вполне может обойтись без женщины», — язвительно добавила она. Конечно, у них были и другие причины для развода... Но Михаил до сих пор считал, что все можно было исправить, если бы он удовлетворял ее как мужчина. А так — она наставила ему рога, и не единожды, а потом вообще удрала в Англию со своим телепродюсером.

Да, он живо припомнил, что все начиналось именно вот с таких утренних загадок и нестыковок. Жена сидела за столом мрачнее тучи или вообще не выходила к завтраку... Кстати, завтрак он всегда готовил сам.

Нет, нет, нет! Нина не такая. Она не может быть такой, как все. Потому что она — единственная. Все еще можно исправить. Они уедут к теплому морю, и там у них все будет хорошо.

Почти убедив себя в этом, Михаил проводил Петьку до дверей детсада и даже познакомился там с Филиппом, лучшим Петькиным другом.

Вернувшись в машину, он заметил, что Воронин смотрит на него как-то странно.

— Есть новости, командир, — сказал тот. — Не хотел при пацане.

— На тему?

— На тему Нины Ивановны.

— Отставить, — сказал Михаил. — Это не твоя тема.

— Да я ничего такого, только вот... Этот маньяк, который в нее стрелял, он ведь ее знакомый. Фролов этот, Егор. Работал с ее мужем, в фонде ветеранском, под Шепелем который.

— Ну, я смотрю, ты уже сам свое расследование ведешь. Брат Воронин, кажется, у тебя слишком много свободного времени.

Михаил чувствовал, что Воронин относится к Нине с предубеждением, но не мог осуждать его за это. Во-первых, тот и не обязан любить невесту своего командира. Скорее, более естественным чувством тут была бы некоторая даже ревность. А во-вторых, у Воронина работа такая. Начальник охраны и должен относиться ко всем новым людям с предубеждением. Как говорится, подозреваются все.

Словно уловив в молчании начальника скрытое одобрение, Воронин продолжал рассуждать:

— И вот еще что. Все-таки странно, Михаил Анатольевич, что она так настаивала на собственной машине. На своих отдельных поездках.

Куда ей ездить-то? Тем более в одиночку, бесконтрольно. То есть в нашей системе безопасности появляется проблемная зона. Вот я к чему клоню.

Колесник достал телефон, собираясь куда-нибудь позвонить. Всем своим видом он хотел показать Воронину, что этот разговор его совершенно не интересует.

Но тот не унимался:

— А может быть, тут психология бабская. Типа — кольцо получила и в силе себя почувствовала? Норов уже может показывать? Или по старым знакомым хочет прокатиться?

Михаил не выдержал:

— Знаешь, как говорят? Жена Цезаря — вне подозрений.

— Да-а, — быстро ответил Воронин, — а вот еще говорят — на вдове жениться, что старые штаны надевать: не вошь, так гнида.

— Останови, — приказал Михаил водителю.

Не дожидаясь остановки машины, он повернулся к Воронину, сидевшему сзади.

— Открой дверь. Выходи. А теперь — пошел вон. Чтобы духу твоего не было!

Он видел в зеркале, как Воронин еще сделал несколько шагов, пытаясь догнать машину, как он растерянно остановился на дороге, разводя руками и что-то повторяя, а машины, сигналя, объезжали его.

Вот теперь настроение было испорчено окончательно, и, приехав в банк, Михаил первым делом отменил назначенную встречу с представителем пиар-агентства. Никаких переговоров, когда нет желания общаться.

Бывали минуты, когда Михаил старался держаться подальше от людей. В его положении это было не так и трудно. Всегда найдется другая работа — просмотр переписки, анализ информации, изучение новых предложений. А на обязательные мероприятия всегда можно отослать специально подготовленных заместителей. У Михаила Колесника был даже особый заместитель по пьянкам. Сам-то он почти не употреблял алкоголя, но с некоторыми партнерами невозможно было разговаривать без двух-трех литров «Немирова». Вот тут-то и появлялся «зам по водке», который мог пить хоть всю ночь, и при этом не засыпал, не дрался и не нес околесицу. Бесценный кадр.

«А не пора ли мне обзавестись замом по сексу?» — мрачно усмехнулся Колесник, вспомнив свои утренние страхи.

Отставить фрейдизм. Начинаем работать с документами.

Закрывшись в своем кабинете, он долго просматривал электронную почту. Обменялся парой звонков с Таллинном и Тобольском. Потом погрузился в чтение сводки новостей. Михаил уже почти позабыл обо всех своих личных проблемах, но телефонный звонок Нины снова вывел его из равновесия.

«Что она там вытворяет, в этом своем агентстве? — с раздражением подумал он. — К чему эти дешевые приемы? Демонстрация силы? Ну да, а чему удивляться. Она сама предупреждала, что модельный бизнес — не самое чистое место на свете».

Не успел он положить трубку, как Изольда сообщила, что в приемной сидит Вазген, его партнер по экспортным операциям. Такого человека не следовало мариновать у порога, и Михаил сам вышел ему навстречу.

— Садись, дорогой, извини, что задержал.

— Ничего, дорогой, о чем разговор? — благодушно улыбаясь, вальяжный армянин устроился в кресле. — Таллинн тебе звонил? С таможней уладили?

— Ты сначала проект договора покажи, потом о таможне поговорим.

Вазген открыл свой серебристый кейс, но тут у него зазвонил мобильник. Он поднял трубку, свободной рукой перебирая в кейсе бумаги. Выбрал глянцевую папочку и положил ее на стол перед Колесником, а сам все кивал и кивал, не произнося ни звука, участвуя в разговоре исключительно в роли слушателя.

Михаил просмотрел проект договора и спросил:

— Что, жена звонила?

— Нет, дорогой, хуже.

— Значит, теща?

— Еще хуже. Слушай, мы свои люди, да. Вот скажи, что мне делать. Как ты скажешь, так и будет.

Что-то в голосе партнера насторожило Михаила, и он рассмеялся, чтобы скрыть тревогу.

— У тебя есть вообще знакомые манекенщицы? — смущенно улыбаясь, начал Вазген.

— Есть пара десятков, не больше.

— Тогда ты знаешь, какие они капризные, эти фифочки. Вот звонит мне директор модельного агентства, жалуется, что одна ее манекенщица опять капризничает, права качает, большим человеком прикрывается... Понимаешь, Миша, я бы не стал с тобой об этом разговаривать. Бабы, то-се...

Но я знаю директора этого агентства сорок пять лет. Она слова зря никогда не скажет.

— Как это «сорок пять лет»?

— Она моя сестра.

— И ты бы не стал со мной об этом разговаривать.

— Не стал бы.

— Вот и не разговаривай, — спокойно сказал Михаил, просматривая текст договора. — Ты пункт три-семь видел? Откуда взялись такие цифры? Они же нам всю малину испортят.

Он вернул бумагу Вазгену, и они занялись тем, что в школе называется «подгонять под ответ». Конечная сумма договора была согласована со всеми участниками, теперь оставалось вывести ее из многочисленных параметров сделки. В самый разгар их арифметических изысканий Михаила снова отвлекла секретарша:

— Михаил Анатольевич, в приемной сидит Воронин...

— Пусть не сидит. Он уволен. Пусть идет в кадры, решает свои вопросы. Это все?

— Нет, на линии Никитин.

— Какой еще Никитин?

— Следователь по особо важным делам.

— Соедини.

Михаил поднял трубку, а Вазген сосредоточенно разглядывал свой калькулятор.

— Слушаю вас, товарищ следователь. Жив-здоров. И в семье все нормально. Так. Так. Вот как? Я этого тоже не ожидал. Нет, вы знаете, повесткой все же не надо. Наверно, она заболела. Я с ней поговорю. Завтра она будет у вас. Не беспокойтесь. И вам всех благ.

Положив трубку, Михаил долго не мог вспомнить, о чем он только что спорил с Вазгеном.

— Миша, я все понял, — тактичный армянин собрал бумаги со стола. — Пускай мои юристы еще прошлифуют бумагу, им за это деньги платят.

Протягивая руку для прощания, Вазген добавил:

— Еще одно хочу сказать. У нас, знаешь, как говорят? Женские болезни догадками лечат.

С догадками-то у Михаила было все в порядке. Догадок было даже больше, чем хотелось бы. Он ходил по кабинету, нервно покусывая кончик карандаша. Вот и Нина, возможно, рассчитывает, что он сам обо всем догадается. А он — всего лишь мужчина. Грубое недогадливое существо. А она — женщина. Она, как лошадь, пуглива и спасается бегством. Нина, Нина, чего ты испугалась, от чего бежишь? Что ты делаешь со мной, Нина?

В поисках ответа он не придумал ничего лучше, как позвонить на дачу. Старшина был немногословен.

— Уехала в девять тридцать с Володей. Вернулась в одиннадцать сорок. На красном «форде». Забрала белье и снова уехала.

— На красном «форде»? Ты номер записал?

— Ясное дело.

— Диктуй... Так, спасибо, старшина.

Карандаш в его пальцах переломился, и Михаил в ярости швырнул обломки на пол. Она хотела машину? Она нашла себе машину. Сама, без него. Что дальше?

Он нажал кнопку селектора:

— Воронин там?

— Ждет, Михаил Анатольевич.

— Пусть заходит.

Воронин не зашел — вбежал в кабинет, чуть ли не падая на колени:

— Михаил Анатольевич! Прости!

— Ладно. Прощаю. Иди пробей мне этот номер.

— Есть! — Воронин молодцевато щелкнул каблуками.

«Что ты делаешь со мной, Нина, — с горечью думал Михаил. — Ты заставила меня натравить на тебя ищейку. Теперь каждый твой шаг будет известен. Ты будешь под колпаком у Воронина...»

Он вдруг вспомнил, как Бобровский говорил ему незадолго до смерти: «Вы у нас под колпаком, господин Колесник». Кажется, так. И еще что-то про женщин, которых они ему подкладывают. Кто это — они? Неужели это был не блеф, не пьяный бред? Неужели Нина может быть связана с его врагами? Допустить такое даже на миг казалось равносильным самоубийству.

Воронин вернулся быстро.

— Установил владельца. Семенинов. Хозяин ночного клуба и туристической фирмы. Кличка Дядя Сэм. Известный посредник между антикварами. Сам ничего не покупает, но все контакты идут через него. Серьезный человек.

— То есть бандит?

— Наоборот. Имеет хорошую крышу. Очень хорошую.

— Твои соображения?

Воронин почесал затылок.

— Э-э... Ну... Э-э...

— Понятно. — Михаил сел за свой стол и кивком пригласил Воронина присесть напротив, в кресло, которое только что занимал Вазген.

Теперь его партнером будет Воронин. Они связаны общим делом. Дело это грязное, но кто-то же должен разобраться со всей этой грязью...

Он взял новый карандаш и принялся чертить на листе бумаге кружочки, стрелочки и волнистые линии. Они ничего не обозначали, но помогали сосредоточиться.

— Итак, давай посмотрим, что мы имеем. Последние факты. Нина захотела поехать в город. Я дал ей водителя. Но она стала настаивать на собственной машине. Зачем, если с водителем удобнее и спокойнее? Ответ один — Нина хотела ездить одна, без человека, связанного со мной. Значит, она хотела сделать что-то или увидеться с кем-то, о чем я не должен был знать. Это первый факт.

Факт второй. Она оказалась близко знакома с этим Сэмом. Настолько, что взяла у него машину. Она не поехала к следователю, хотя мы договаривались об этом. Сослалась на нездоровье. Однако нездоровье не помешало ей поехать домой на машине этого Дяди Сэма. Хотя она знала, что мне это станет известно. Значит, была какая-то очень веская причина. Из дома она вынесла пледы и одеяла — якобы в химчистку. Слабовато для таких сложных действий. И почему нельзя было сделать это с водителем?

— А может, она еще что-то вынесла? — предположил бдительный Воронин. — Что-нибудь ценное, антикварное?

— Ну, это ты загнул... Предположить-то можно всякое. Например, наоборот. Не вывезла из дома, а привезла что-нибудь, а?

— Точно! — Воронин уважительно поцокал языком. — Ну, командир, вы насквозь видите. Надо срочно все проверить.

— Займись этим, но чтоб никто ничего не знал, — распорядился Михаил. — Дальше. Организуй сбор информации. Досье на Дядю Сэма. Все связи, финансовая история, конкретика по его крыше. И вот еще что. За Ниной — плотный контроль. С этой минуты я должен знать о каждом ее шаге.

50

Подъезжая к Курскому вокзалу, Нина спросила:

— Когда у тебя поезд отходит?

— Не сегодня, — ответил Саша. — Припаркуйся вон там. Иди к теткам, которые квартиры сдают. Снимешь хату на три дня.

— Мы так не договаривались. Я думала, что ты сегодня уедешь.

— Нинуля, ну какая тебе разница, когда я уеду?

Оставив машину между двумя закрытыми киосками, Нина пошла туда, где стояли мужчины и женщины с табличками, на которых было написано: «комната на ночь», «квартира» и даже «угол». Она остановилась у крайней тетки в болоньевом плаще и цветастом платке.

— Здрасьте. Где квартира?

— Рядышком, голубушка, рядышком, — зачастила тетка. — На Волочаевской. Шестой этаж, однокомнатная, вода горячая, холодная, мебель новая, постели три комплекта отглажено, клопов, тараканов нету, холодильник, телевизор. Все функционирует. Могу видаком дополнить, но это отдельно. Тридцатка гринов за ночь, с видаком-то. Останешься довольна. Пошли, посмотришь?

— Мне на три дня.

— И-и, милая. Живи хоть всю жизнь себе и людям на здоровье. С участковым у меня абсолютный консенсус, не побеспокоит. Оплату я предпочитаю вперед, жестко и безальтернативно. Ну что, идем?

Нина кивнула и пошла к машине. Тетка засеменила за ней, радостно тараторя на ходу:

— Сразу видно приличного человека. А то ходят и ходят, все выбирают, выбирают, потом торгуются, торгуются... А чего тут выбирать, чего торговаться? Квартира отличная, цена твердая. А они ходят, выкобениваются, сами не знают, чего им надо. Отель «Хилтон» им нужен, что ли, за тридцать-то гринов? Я люблю, когда человек четко и определенно формулирует задачу. Это я сейчас такой ерундой занимаюсь. Для денег. Вообще-то я физик твердого тела. Многие думают, что я шучу. Подразумеваю кое-что мужское под твердым телом. А я — физик. Теоретик. Ты мне веришь?

— Да-да. Вы физик-теоретик твердого мужского тела, — рассеянно ответила Нина, открывая дверцу «форда» перед теткой.

Та поздоровалась с Сашей, садясь в машину. Он молча кивнул ей в ответ. Наверное, его вид угнетающе подействовал на физика-теоретика, и тетка приумолкла и даже дорогу до своего дома показывала исключительно жестами.

Поднявшись с Ниной в квартиру, тетка снова обрела дар речи.

— Вот кухня, обрати внимание, прекрасный вид из окна, особенно на машину. Холодильник почти бесшумный. Обрати внимание, все функционирует. А ванная, ты посмотри, какая ванная...

Нина не успела выразить свой восторг по поводу функционирования ванной, потому что у нее зазвонил мобильник. Она услышала голос Михаила, и колени у нее предательски дрогнули.

— Здравствуй, Ниночка.

— Здравствуй, милый.

Хозяйка квартиры, увлеченная демонстрацией оборудования, включила воду на полную мощность. Струя с шумом ударила в ванну цвета слоновой кости, покрытую паутиной трещинок, как старинная амфора.

— Скажи мне, где ты находишься? — голос Михаила звучал ровно и холодно.

— Недалеко от Курского, Миша.

— Что ты там делаешь? Что за вода у тебя шумит?

— Вода? Это не у меня. Я в химчистке вещи сдаю, — моментально придумала Нина.

Она умоляюще поглядела на тетку и замахала ей рукой, и та выключила воду.

— Какие вещи? — так же ровно спросил Михаил. — При чем здесь вода? В какой химчистке? Где она находится?

— Пледы, одеяла... Я не знаю, на какой улице эта химчистка.

Нина перехватила сочувственный взгляд тетки-теоретика.

— Передай трубку приемщице, — спокойно попросил Михаил.

— Приемщице? Сейчас.

Нину вдруг охватила злость: «Что еще за проверки? Он что, следить за мной вздумал?»

Она отдала свой мобильник хозяйке квартиры:

— Объясните, пожалуйста, моему мужу, где находится ваша химчистка.

Та кивнула, зачем-то поправила прическу и заговорила сухим официальным тоном:

— Слушаю. Зачем от работы отвлекаете? Моя химчистка находится на Волочаевской улице. Если хотите приехать, берите такси, а то автобус идет в объезд, у нас тут ремонт дорожного покрытия, уже задолбали эти звонки, «как доехать» да «как доехать». Берите такси и говорите: «В химчистку на Волочаевской», а таксисты уже все тропинки тут знают. Вот так, и не отнимайте время, вас много, а я одна, меня заказчики ждут. Все, передаю трубку.

Благодарно улыбнувшись тетке, Нина снова взяла телефон.

— Тебе звонил следователь? — спросил Михаил.

— Следователь? Не помню. Да, звонил. Я не смогла пойти к нему. Я себя плохо чувствую. Я тебе вечером объясню. Мне неудобно сейчас говорить. До свидания, милый.

Она спрятала трубку, отключив ее.

— Муж?

— Муж. Спасибо вам.

— Не за что. Я же физик-теоретик твердого тела. Я привыкла смотреть в корень. Ну, так что, на сколько дней остаешься?

— Сейчас решим. Я не для себя снимаю, для родственника.

— Это бородатый, который в машине остался?

— Да. Сейчас я вернусь.

Она спустилась к Саше и сказала:

— Пойдем. Все готово. Быстрее, мне надо ехать. Меня уже ищут.

— Мне легче, — сказал он. — Меня уже никто не ищет.

Он уверенно пошел впереди нее, словно всегда знал этот адрес. В прихожей он огляделся и весело произнес:

— Апартаменты типа «хрущоба-люкс». Живут же люди! Горячая вода идет?

— Идет, голубчик, все идет, все функционирует, — внезапно оробев, отвечала хозяйка квартиры.

— Тридцать зеленых, говоришь? По-божески берешь, по-божески, — он протянул ей стодолларовую банкноту. — Денька три покувыркаемся. А на четвертый заходи. Может, продлим удовольствие. Сдачи не надо.

Тетка сунула деньги в карман и быстро выскочила из квартиры, забыв попрощаться.

Саша прошел в кухню, уселся за пустым столом, глянул в окно и задернул занавеску.

— Ну что же, Нинуля. Поговорим?

— О чем? — Нина прислонилась к косяку двери, сложив руки за спиной.

— О нас.

— Нет «нас». Есть ты, и есть мы с Петькой. У нас своя жизнь.

Всем своим видом она хотела показать, что не настроена на долгие разговоры. Она сделала все, что он просил, и ей пора ехать. Но что-то удерживало ее здесь. Наверное, в ней уже понемногу просыпались чувства, которые казались навсегда утраченными... Она видела, что Саша измотан. Он выглядел смертельно уставшим.

И голос его звучал глухо.

— Да, Нинуля, у вас своя жизнь. У вас. У Петьки, у тебя. И у Колесника.

— Это неважно. Есть кто-то в нашей жизни или нет, есть у него деньги или нет. Тебя это не касается. Наша жизнь с твоей не связана. Ты не можешь присутствовать в нашей жизни.

— Почему?

— Разве ты сам не понимаешь?

— Потому что я умер? Только поэтому?

— Нет. Не только поэтому, — она тяжело вздохнула, собираясь с силами. Ей было неимоверно трудно это сказать, но она все-таки сказала: — Потому что ты — убийца.

Саша, опустив голову, разглядывал свои скрещенные на столе руки.

— Нинуля, я все понимаю. Ты на сто процентов права. Живи, как знаешь. Но в том-то и беда, что ты ничего не знаешь. Ни обо мне, ни о своем банкире.

— Достаточно знаю. Я знаю, что он меня любит. Он спас меня, когда мне было очень плохо. А о тебе... Да, я не знала о тебе ничего. Но ты сам в этом виноват.

— Хочешь знать больше? — спросил он, не поднимая головы.

— Нет.

— Тогда просто послушай, что я тебе скажу. Послушай и забудь.

Он встал, огляделся, нашел чашку на полочке, тщательно промыл ее под струей воды. Потом достал из своей сумки бутылку вина и двумя ударами кулака выбил пробку.

— Хорошее вино у твоего банкира. Будешь?

Она отчаянно помотала головой. Ее начинала бить дрожь. Ей хотелось убежать отсюда, но она не могла оторваться от стены. Нина боялась, что, сделав шаг, она либо упадет, либо кинется к Саше, чтобы обнять его. Никогда прежде она не видела его таким — да он и не был таким... Когда-то она любила его... Жить без него не могла...

Но ведь смогла же. «Нет, в прошлое не вернуться, — поняла Нина. — А в новой жизни ему нет места».

— Ты никогда не спрашивала, чем я зарабатываю на жизнь. Сейчас ты думаешь, что я был бандитом, таким же, как Шепель или Егор. Но я не был бандитом. Я никого не грабил. Не выбивал денег из коммерсантов. Не отнимал у стариков квартиры. Не воровал нефть, не торговал наркотиками. Я просто продолжал служить в той же самой команде, в какой начинал свою службу. У нас менялось название, менялись начальники. Но команда оставалась одна и та же. Только вот ребят в ней становилось все меньше и меньше. А теперь, наверно, никого не останется...

— Ты говорил, что работаешь в фонде ветеранов, и я тебе верила.

— Да, я действительно в нем числился. И получал зарплату. И иногда ездил в командировки. Ты вот говоришь, я убийца. А в газетах писали, что я был киллером. Слово-то какое... У нас такая работа по-другому называется. Ликвидатор. Когда идет война, то некоторых врагов приходится именно ликвидировать. Тихо. Без лишних эмоций. Я ликвидатор. Я проводил приговор в исполнение. И не отправил на тот свет ни одного невиновного. Потому что, когда ликвидатора готовят, ему предоставляют сводку о приговоренном. Я всегда знал, за что конкретно приговорен мой объект. Об этой работе почти никто не знает. Никаких документов, никаких бумажек. И никто никогда о таких делах не рассказывает.

— Красивая сказка, — перебила его Нина. — Скажи еще, что Шепель был твоим командиром, да?

— Шепель был шестерка, кукла, марионетка. Он хотел только денег. И получил их. А власти у него никакой не было. Он присосался к фонду ветеранов, подмял его под себя. Думал, что мы просто несчастные пенсионеры. А нам было удобно под ним работать. Все эти бандюганы не боятся никакого суда, никакой тюрьмы. На самых злостных преступников работают самые лучшие адвокаты. Для закона они неуязвимы. Но не для пули. И когда Шепель приказывал убрать кого-то из уголовников, мы это исполняли. А когда хотел убить нормального человека, у него ничего не получалось. Всегда можно было предупредить об опасности, а потом уладить проблему мирным путем. Вот так мы и жили с Шепелем. Пока он меня не сдал ментам.

— А говоришь, что ты не бандит, — поддела его Нина. — Что за выражения — «ментам». Ты же говоришь, что сам мент.

— Я не мент. И не бандит. Нинуля, есть и другие организации. Может, выпьешь со мной?

— Нет.

— Очень вкусное вино.

— Знаю.

Саша кивнул, словно и не ожидал услышать ничего иного. Он наполнил свою чашку и снова заговорил:

— Я всю жизнь работал на государство. А оно меня кинуло, тогда, в 91-м. Я стал работать на новое государство. И оно тоже меня кинуло. Теперь меня нет. Саша Ветер мертв. Поэтому ты и слышишь всю эту совершенно секретную информацию.

Сначала я не знал, зачем они не добили меня. Я лежал в палате без окон, один, не знал, что думать. Обои были белые, пустые. Я сходил с ума. Со мной никто не говорил. Они лечили меня, делали уколы, ставили капельницы, снимали швы — молча. Не отвечали на вопросы. Я думал, что я — на том свете. Я не знаю, сколько это длилось. Месяц, два, три. Потом пришел человек и заговорил со мной. Хорошо заговорил, по-доброму. Я так обрадовался ему, Нина! Как родному. Он показал фотографии — тебя, Петьки. Я спрашивал, и он рассказывал о вас. А потом сказал — хочешь их увидеть? Хочешь быть с ними? А потом сказал — то, что сейчас с тобой, покажется тебе раем, если ты откажешься работать на нас. А если согласишься — вернешься к семье. Он сказал — слово офицера. Я согласился. И я отработал. Как договаривались. Я никого и ни в чем не обманул. Теперь я свободен. И никому не нужен. Я могу вернуться к семье. Но семьи больше нет.

Он поставил чашку и, отогнув занавеску, выглянул в окно.

— Мне пора ехать, — сказала Нина. — Не знаю, зачем ты мне все это рассказываешь. Это ничего не меняет. Убийство остается убийством. Кровь остается кровью. И я не хочу, чтобы мой сын знал об этом.

— Петька не только твой сын, — спокойно сказал Саша, продолжая разглядывать что-то за окном.

«Вот зачем он вернулся, — похолодев, подумала Нина. — Я ему не нужна. Он вернулся за Петькой».

— Нинуля, ты не хотела знать обо мне ничего такого, что тебя напрягало. А теперь ты меня же в этом винишь. Оказывается, я такой плохой, руки по локоть в крови... Ладно, проехали. Но у тебя может случиться то же самое во второй раз. Ты же о своем банкире знаешь еще меньше, чем обо мне.

— Можно подумать, ты знаешь больше! — с вызовом сказала Нина.

— Представь себе, знаю. Могу рассказать. Да сядь ты, в конце концов, не могу я на тебя снизу смотреть, Нинульчик.

Он улыбнулся. Первый раз за все это время.

Нина села напротив него за стол и скрестила руки так же, как и он.

— Зовут его Михаилом. Михаил Анатольевич Колесник. Возраст — сорок два года. Полковник. Политработник. Последнее место службы — Германия. Занимался выводом войск. Особые заслуги — выгодная распродажа военного имущества. За что и был принят в ряды новых русских. Сейчас работает на корпорацию Уланова. Сам генерал Уланов давно помер, но имя осталось. Корпорация скоро исчезнет. Ее уже расписали между собой другие корпорации, покруче. Колесник еще ничего не знает. Но может догадываться. В таком случае он постарается как можно быстрее жениться, чтобы перевести все свое состояние на частных лиц. Кроме того, постарается как можно чаще бывать за границей. Всех своих родственников он уже перебросил за кордон. Но на мать и сестру нельзя вешать слишком много. Кроме них, у него есть бывшая жена, которая тоже может претендовать на наследство. Поэтому ему надо срочно жениться, чтобы этой стерве ничего не досталось. В идеале надо жениться на женщине с ребенком. Он уже сделал тебе предложение? И предложил уехать?

Нина зажмурилась и сжала кулаки:

— Замолчи!

— У меня нет времени молчать. Тебе пора уходить. Поэтому дай мне закончить. Ты уже все поняла? Колесник — это группа риска. Он смертник. Когда его не станет, у тебя начнутся проблемы. Тебе придется вернуть все деньги, которые он тебе оставит. Эти люди умеют выбивать долги, так что лучше вернуть сразу. И тогда ты останешься на нуле. Вот как раз поэтому я и принес тебе вот эту сумку. Нинуля, возьми деньги. Пригодятся.

— Замолчи! Ты все врешь! Я не верю ни одному твоему слову! — закричала она.

Он долго смотрел ей в глаза, прежде чем ответить.

— Нинуля, разве я когда-нибудь тебя обманывал? Скрывать скрывал, не спорю. Но врать не врал. Михаил приговорен.

— Кем? Тобой?! Такими же, как ты? — Нина встала, с шумом отодвинув табурет. — У вас ничего не получится! Я уже спасла его однажды, спасу и еще раз! Все! Слышать тебя не хочу! Видеть тебя не хочу! Все, прощай! И больше никогда не появляйся!

Он тоже встал, загораживая ей выход:

— Нет, постой. Эти деньги — для Петьки.

— Нам не нужны твои деньги! — закричала она, не в силах больше сдерживаться, и разрыдалась.

Трясясь всем телом и прижимая ладони к лицу, она опустилась на пол. Слезы текли неудержимо, они капали сквозь пальцы на грязный линолеум пола... Нина рыдала так, словно у нее только что умерли все самые близкие люди... Да ведь так оно и было. Она только что похоронила свое будущее...

— Саша, Саша... Ну что же мне делать... — она подняла к нему заплаканное лицо.

Он стоял перед ней на коленях и ласково гладил по мокрой щеке.

— Нинуля, спокойно. Мы все начнем сначала. Соберись.

Когда она немного пришла в себя и умылась холодной водой, Саша сказал:

— Тебе и в самом деле пора ехать, Нинуля. Вот деньги. Возьми билеты в любой турфирме, на чартер Москва — Стамбул. Для меня — на ближайший. Для тебя и для Петьки — на следующий. И я вас там встречу.

Он протянул ей пачку долларов и паспорт.

— Меня теперь зовут Прохоренко Сергей Геннадьевич. Постарайся запомнить. Теперь тебе придется называть меня Сережей при посторонних.

Нина молча положила паспорт и деньги к себе в сумочку и, не прощаясь, ушла.

51

— Барсук, я Орлан. Вижу объект. Подъезжает к агентству. Выходит из «фордешника». Ее встречает телка. Высокая, в джинсах, коричневая косуха, волосы светлые, короткие.

— Что делают? — спросил Воронин в рацию.

— Ничего. Болтают. Поцеловались. Телка садится в «фордешник». Объект идет к «вольво». Есть,

Володя ее принял. Отъехали. Направляется в сторону шоссе. Сопровождать?

— Орлан, оставайся на месте. Принимаешь «форд» под контроль. Как понял?

— Понял, иду за «фордом».

Воронин выключил рацию и посмотрел на Михаила, ожидая дальнейших распоряжений.

— Зачем следить за «фордом»? — спросил Колесник.

— На всякий случай. И чтобы ребят не расхолаживать. А то застоялись. Пусть побегают, разомнутся.

Михаил Колесник уже и сам был не рад, что затеял слежку за Ниной. Воронин развернул бурную деятельность, подключив группу негласного наблюдения. Его радостное возбуждение было вполне объяснимо. Кроме того, что он мог еще раз доказать свою преданность, у его ребят появилась прекрасная возможность заработать неплохие премиальные.

— Все. Рабочий день окончен. Летим в детский сад, забираем Петьку и — домой, — распорядился Михаил. — Только надо Володю опередить, чтобы не столкнуться нос к носу.

— Есть, — Воронин быстро достал мобильник. — Володя? Поступила вводная. Не гнать. Понял? Найдешь подходящую пробку? Молодец.

Михаил представил, как будет нервничать Нина в пробке, торопясь забрать сына, и сердце его дрогнуло. Но он не стал звонить ей и предупреждать. Он был слишком зол на нее за все, что ему теперь придется делать.

Володя, видно, нашел очень хорошую пробку, потому что Нина приехала на дачу только тогда, когда Михаил с Петькой уже мыли посуду после ужина.

Вид у нее был виноватый.

— Здравствуйте, мои хорошие!

— Привет! — отозвался Петька, вытирая тарелку. — Но я с тобой, мама, разговаривать не хочу!

— Вот те раз! Что случилось?

— А где ты пропадаешь? Мы же с Михаилом волнуемся!

— Петенька, у меня были дела.

Она забрала у него тарелку и поставила ее в сетку.

— А ты, милый, тоже со мной не разговариваешь?

— Разговариваю. Но — сухо, — ответил он, снимая кухонный фартук.

Она прижалась к нему сзади:

— Какие вы у меня хозяйственные. Все чисто, просто сверкает. Не обижайтесь на меня. Я вас очень люблю. У меня был очень трудный день.

Не поддаваясь на ее ласку, Михаил взял Петьку за руку:

— Пойдем, брат, спать. Отбой. Ниночка, извини, не составлю тебе компанию. Что-то я сегодня устал. У меня тоже был трудный день.

Он сам уложил Петьку, сказав ему волшебное слово «Отбой». Потом устроился в кабинете, обложившись папками и включив компьютер. Михаил рассчитывал просидеть здесь до глубокой ночи, чтобы лечь, когда Нина уже заснет.

Но она сама пришла к нему.

— Ты сказал, что пошел спать...

— Вспомнил о делах. Ложись, не жди меня. Это надолго.

Нина стояла в дверях, не решаясь подойти к нему.

— Я хотела тебе сказать... я хотела попросить, чтобы ты не сердился. Я все-таки нашла машину и ездила сама. Это не потому, что я хотела показать характер, ты не думай. Это просто... так было надо.

— Зачем, Нина? — спросил он, не оборачиваясь.

— Я тебе не могу сказать. Просто — поверь мне.

Он пожал плечами:

— Это какие-то из пионерского лагеря ответы!

— Я ничего больше не могу сказать. Ты просто должен мне верить.

— А у кого ты взяла машину?

— О! У одной своей старой подруги. Очень хорошая и талантливая девочка. Она приехала из провинции, как и я, и я ей в свое время помогла. Она оказалась благодарной.

— А как ее зовут, эту девочку? — спросил он, следя за интонациями. — У нее, наверное, даже прозвище есть.

— Никакого прозвища. Ее зовут Варя.

Михаил повернулся к ней. Нина смотрела на него без тени смущения. «И глазом не моргнула, — подумал он. — Сказать ей, что я все знаю про этого Дядю Сэма? Нет, тогда придется объяснять, откуда информация. Не надо пока ничего объяснять. Рано или поздно она сама во всем признается».

— Да. — Он снова погрузился в чтение документов. — Я понимаю. Варя.

Нина все еще не уходила.

— Ты не сердишься на меня? — робко спросила она.

— Нет. Термин «сердиться» — это тоже из пионерского лагеря. Извини, мне надо еще поработать. Завтра важное совещание.

Он услышал, как ее шаги удаляются по коридору, и устало опустил голову на руки. «Нина, Нина, что ты со мной делаешь?»

Ночь он провел в кабинете, так и не решившись встретиться с Ниной в постели. Спал в кресле. Если, конечно, эти беспокойные часы можно было назвать сном...

К утру ему все было ясно. К черту все эти параноидальные подозрения. Все гораздо проще. Скорее всего у Нины просто есть любовник. Возможно, тот самый Сэм. И скорее всего Нина решила с ним порвать. Ей нужно время, чтобы все утрясти. Такие вещи не делаются за пять минут. Наверное, у них были достаточно серьезные отношения. Что ж, в таком случае не стоит ей мешать. Только бы не затянулся этот процесс прощания. Только бы она нашла в себе силы действительно расстаться, порвать раз и навсегда. Потому что Михаил не из тех, кто позволит снова наставлять ему рога...

Утром Нина выглядела просто великолепно. Свежая, энергичная, с тщательно уложенными волосами, она излучала скрытую силу и обаяние. Михаил невольно залюбовался ею.

Даже Петька не мог не заметить ее преображения.

— Красивая у меня мамка, — сказал он. — Она всем нравится.

— Да, красота — страшная сила, — кивнул Михаил.

Нина, явно польщенная, отмахнулась:

— До красоты еще далеко. Но приятно получать комплименты сразу от двух мужчин. Если вы уже сменили гнев на милость, то я, пожалуй, поеду в город вместе с вами.

— А если не сменили?

— Тогда поеду на электричке. Или верхом.

— У тебя какие-то дела в городе?

— Да. Много дел.

— Хотелось бы узнать. Если не секрет. Может быть, опять потребуется тяжелая артиллерия в лице Нефтемашбанка?

— Нет, милый, сегодня я справлюсь сама. Мне в агентстве сделали интересные предложения. Хочу обсудить их подробнее. Может быть, придется поездить по студиям, отметиться, напомнить о себе. В общем, куча дел.

Михаил вытер губы салфеткой и встал из-за стола.

— Тебя отвезет Воронин. Не забудь, тебе надо встретиться со следователем.

— Я постараюсь.

Он достал из портмоне деньги и положил на стол:

— Возьми. У тебя же совсем нет денег. Чтобы снова не пришлось одалживаться у старых знакомых. Я виноват, что не подумал об этом раньше.

— Спасибо, — ее улыбка погасла. — Но я ни у кого не одалживалась. С чего ты взял?

Не вдаваясь в объяснения, он повернулся и вышел из столовой.

«Нарядилась, накрасилась, — с раздражением думал Михаил, садясь в машину. — Для кого? Не для меня, во всяком случае. Для агентства? Ее и без макияжа там узнают. Чтобы обсуждать выгодные предложения, не нужно так укладывать волосы. И почему она не носит кольцо? Забыл спросить. Не надо ничего спрашивать. Не носит, чтобы ей не задавали лишних вопросов. Чтобы любовника не обидеть».

Он старался не накручивать себя, но тревожные мысли сами лезли в голову, разжигая в нем ревность и досаду.

Приехав в банк, он попросил секретаршу:

— Изольда Артуровна, с Ворониным меня соединять сразу же.

— А он уже звонил. Связывался со службой безопасности.

— Да? Тогда соедини-ка меня с ним поскорее.

Он закрылся в кабинете и схватился за трубку, как только раздался звонок.

— Командир, докладываю, — громко говорил Воронин, перекрывая шум движущейся машины. — Довез до агентства. Зашла на минуту, сразу вышла. Оглянулась, но я спрятался. Не заметила. Тормознула тачку и поехала отсюда.

— Куда?

— Пока еще едем.

— Докладывай о каждом контакте, понял? Что ты хотел от службы безопасности?

— Усиления. Мне бы еще пару хлопцев на какой-нибудь машине, частной, не от банка. Она может заметить нашу тачку.

— Разумно. Что от меня требуется?

— Да ничего, командир. Петр Иванович уже послал ребят на своей «пятерке», я с ними пересекусь на Волхонке.

— Понял. Действуй, полковник, — Михаил положил трубку.

Вот так. Все разговоры о выгодных предложениях были только предлогом, чтобы вырваться из дома. Нина, Нина, никуда ты не вырвешься.

— Совещание будем проводить? — деликатно осведомилась секретарша.

— Совещание? Да-да, конечно...

Кабинет заполнился людьми. Каждый знал свое место за длинным столом, и каждый знал, когда и о чем он должен говорить. Колеснику оставалось только молча кивнуть своему заместителю, чтобы совещание началось. Первым выступал начальник департамента экспортных операций. Михаил услышал только первые слова его доклада, но тут на его столе требовательно заморгала лампочка телефона, и он поднял трубку, жестом попросив докладчика не прерываться.

Воронин докладывал:

— Зашла в турфирму. Хотел прицепить к ней человека, но боюсь, что он засветится, а у меня народу мало. Что делать?

— Пробей пока эту фирму. Кто хозяин и так далее, — сказал Михаил негромко и положил трубку.

Докладчик, замолчав, смотрел на него.

— Продолжайте, продолжайте, — раздраженно махнул рукой Колесник. — Это по другому вопросу.

— Таким образом, сформировавшаяся тенденция вынуждает нас сделать однозначный вывод. Финансовые потоки должны быть незамедлительно перераспределены...

«Она пришла в турфирму, — повторил он про себя. — Наверно, ищет своего Сэма. Если его там нет, отправится к нему в ночной клуб? Что ж они,

12 - 8105 Авраменко

не могли встретиться на нейтральной территории? Неужели у них нет конспиративной квартиры для таких свиданий?»

Он уже не слушал выступающих, мрачно чертя кружочки и стрелочки на листе бумаги. Совещание подходило к концу, когда Воронин снова вышел на связь:

— Михаил Анатольевич, родной! Худшее подтверждается! Из турфирмы она поехала в адрес. Прямиком в адрес. Ребята из наружки довели ее до дома, засекли хату. Уже пробили квартирку, левая квартирка. Она ее сняла у тетки на Садовом, у Курского, тридцатка за день, расплатилась за три дня вперед.

— Значит, были деньги...

— И мужик там. И сейчас они там кувыркаются.

— Откуда это известно?

— Целую операцию ребята провели. Очень остроумно. Короче, рули сюда, будем ее за жопу брать.

— Придержи язык.

— Извиняюсь, командир! Это же я в азарте! Адрес: Волочаевская, 16. Мы ждем во дворе.

Михаил записал адрес, сломав два карандаша. Встал и направился к дверям. Он не сразу сообразил, что все в кабинете смотрят на него. Не оглядываясь, бросил:

— Продолжайте, пожалуйста, без меня.

Изольда Артуровна удивленно посмотрела на него.

— Машину, быстро, к пятому подъезду, — приказал он, на ходу набирая номер на мобильнике.

Сбегая по лестнице, он держал трубку у уха. Услышав голос Нины, почувствовал, как пересохло в горле.

— Дорогая, где ты сейчас?

— Здравствуй, милый. Я где? В агентстве.

— Долго там еще будешь?

— Да. Впрочем, не знаю.

— Почему у тебя такой испуганный голос? — спросил он.

— Почему испуганный? Нормальный голос.

— У тебя все нормально?

— Да-да, все нормально, не беспокойся. А почему ты звонишь?

— Соскучился.

— И я по тебе скучаю, милый.

Банковский «гелендваген» уже стоял у подъезда. Михаил скомандовал:

— По Садовому, к Курскому вокзалу. Волочаевская улица. Успеем за десять минут?

Водитель поправил галстук:

— Ну, если под вашу ответственность...

— Гони!

52

Всю ночь Нина думала о том, что рассказал ей Саша. Ей было стыдно за ту минутную слабость, когда она разрыдалась в его объятиях. Нет, прошлого не вернешь. А за будущее надо бороться.

Она верила, что в жизни не бывает ничего случайного. Все связано между собой. И за все приходится платить. Она жила с убийцей, и ей пришлось заплатить за это. И она расплатилась сполна.

Теперь у нее есть Михаил. Единственный, кто подал ей руку помощи. А теперь в помощи нуждается он сам, и неужели Нина бросит его в такой момент? Сейчас, когда Нина знала об опасности, грозившей Михаилу, она была готова на любые жертвы, чтобы отвести от него беду.

Что будет с ним, если она улетит с Сашей? Михаил пропадет без нее. Он никогда не поймет ее поступка, и это предательство надломит его. А надломленный человек уже не может бороться. Нет, решила она. Мы будем бороться вдвоем. И они ничего с нами не сделают. Какие бы силы ни стояли против нас, мы все равно сильнее, потому что мы вдвоем...

Когда она пришла к Саше, тот открыл дверь раньше, чем она коснулась кнопки звонка.

— За тобой никто не шел по дороге? Хвоста не заметила? — спросил он.

— Не заметила.

— Я смотрел в окно. Какие-то два парня вошли во двор сразу за тобой. Но куда они делись, я не видел. Ты одна в лифте поднималась?

— Конечно.

— Билеты принесла?

Она молча отдала ему паспорт, билет и остатки денег. Саша удивленно поднял на нее глаза:

— Деньги-то зачем отдаешь?

— Мне не надо денег. Я никуда не улетаю. Я остаюсь, Саша.

— Что?

— Наверно, я могла бы соврать тебе. Взять билеты для нас с Петькой, показать их тебе, сделать вид. Но я говорю правду. Из уважения к нашему прошлому, которого для тебя нет. Мы не летим. Мы бросаем тебя.

Он предостерегающе поднял палец и прильнул к дверному глазку. Было слышно, как подошел лифт. Саша на цыпочках отошел от двери и поманил Нину за собой. Они вошли в комнату, где Нина увидела несмятую постель и пистолет на столе.

Саша спрятал оружие за пояс и подошел к окну, глядя между штор.

— Значит, не летите? Значит, бросаешь меня?

— Ты просил помочь, я помогла. Теперь ты можешь исчезнуть из страны. И из нашей жизни.

— А Петька знает, что я исчезаю из вашей жизни?

— Ты считаешь, ему надо об этом знать?

— Не каждый год мальчик теряет отца.

Нина горько усмехнулась:

— У Пети получается — каждый. Сначала я врала ему, что ты жив, что уехал в Грецию, и у тебя все хорошо. Он знал, что ты умер, знал, что я вру, но делал вид, что верит мне. А теперь ты появился, живой, здоровый! Он снова обрел тебя! И ты ему скажешь, что мы расстаемся? Он же будет разрываться надвое. Пожалей его хотя бы сейчас.

— А мы с ним и не расстаемся.

Нина порывисто шагнула к нему, чтобы видеть его лицо.

— Что это значит? Что это значит? Мы расстаемся! Тебя нет в нашей жизни!

Саша покачал головой.

— Мы с тобой расстаемся. А мы с Петькой — нет.

Нина обессилено опустилась на стул.

— Ты не смеешь трогать ребенка.

— Смею. Он мой сын. Я и его люблю. Ты могла забыть меня, предать, завести себе другого. Ты в моей жизни — всего лишь женщина. А он — мой сын. И он будет со мной. А ты — если захочешь — присоединяйся. Этот самолет пока не улетел.

Она хотела развернуться и уйти, чтобы не продолжать этот бессмысленный спор. Но тут у нее зазвонил телефон. Узнав голос Михаила, Нина снова опустилась на стул. Ноги не держали ее. Она боялась, что вот-вот сорвется и закричит. Но все обошлось, она говорила спокойно.

Саша снова вышел в прихожую и долго стоял там, прислушиваясь.

— Мне пора уходить, — Нина шагнула в прихожую, но он схватил ее за руку.

— Тихо, Нинульчик. На площадке кто-то топчется. Пусть уйдут.

Они стояли друг против друга в полной тишине, неподвижно. На площадке раздавались чьи-то голоса.

— Переждем в кухне, — еле слышно прошептал Саша и увел ее за собой.

Они снова сели за стол, как вчера. Но на этот раз Нина чувствовала себя более уверенно.

— Вот видишь, — сказала она. — Что ты предлагаешь мне и Петьке? Всю жизнь прятаться? Ходить на цыпочках и шарахаться от каждой тени?

— Вам не придется прятаться, — ласково произнес он. — Вспомни, как мы с тобой мечтали о Греции. Нинуля, денег нам хватит. У нас будет жилье. Я куплю катер и буду возить туристов. Петька вырастет настоящим моряком. Когда подрастет, мы отдадим его в лучшую школу. У меня все продумано, до мелочей...

Он продолжал говорить своим тихим глуховатым голосом, расписывая их будущее житье. И все у него вырисовывалось складно и заманчиво, и Нина могла бы даже поверить ему — если бы только он во время рассказа не косился в сторону окна, тревожно поглядывая во двор.

— У тебя действительно все продумано, — сказала она, когда он умолк. — Я рада за тебя. Ты не пропадешь. Можешь спокойно улетать. А мы остаемся.

Он вздохнул и развел руками:

— Не убедил. Никогда не умел уговаривать. Может быть, с Петькой будет легче договориться, чем с тобой.

— Что ты собираешься делать?

— Встретиться с ним и рассказать ему, как обстоят дела.

— А то, что ты — киллер, ты ему тоже расскажешь?

— Да. Только сформулирую это иначе.

— Как не формулируй, мертвецов меньше не становится.

— Ты бы хотела, чтобы я в самом деле был мертв.

— Нет. Я бы хотела, чтобы ты был жив.

— Я жив. Давай будем вместе! Я же люблю тебя.

— Уже ничего не исправишь. Я прошу тебя об одном. Оставь нас. Уезжай.

Саша вдруг изменился в лице и вскочил, бесшумно отодвинув табуретку. Нина, оцепенев от ужаса, увидела, что он выхватил из-за пояса пистолет.

Он прижался к стене спиной и прислушался к чему-то, закрыв глаза. Потом поднял палец к губам и сказал:

— Спокойно. Не шевелись. У двери кто-то стоит.

53

Сидя на заднем сиденье джипа, Михаил смотрел в окно и ничего не видел. «Она совсем не умеет врать, — думал он. — Голос ее выдает. У нее очень грустный был голос. Наверно, тяжело расставаться. Но, если так тяжело, может быть, и не стоит расставаться с любовником? А, Нина? К чему такие драмы? Еще не поздно все переиграть. Ко всеобщему удовольствию. В сущности, ведь у нас с тобой ничего еще и не было. То есть у меня-то было, а у тебя... Кто я для тебя? Очередной влюбленный дурачок. Таких идиотов на твоем пути встретится еще немало».

Наверное, если бы она честно ему все рассказала, он мог бы и простить, и понять. Но Михаил Колесник не прощал обмана. Ложь, которую Нина нагромоздила между ними, превратилась в непробиваемую глухую стенку.

Во дворе дома на Волочаевской его встретил Воронин. Начальник охраны говорил, понизив голос, и постоянно поглядывал куда-то наверх.

— Сюда, сюда, командир, за дерево не заступайте, просматривается из их окон.

— Ты уже и окна знаешь?

— Все установлено в лучшем виде, — гордо ухмыльнулся Воронин. — Можем устроить видеонаблюдение из соседнего дома, я уже присмотрел подходящую квартирку. Старушка — наш кадр, за полтинник в сутки пустит хоть целую киносъемочную группу...

— Не надо наблюдения, — сказал Михаил. — Где квартира?

— Сюда, за мной.

— Стой, — приказал Колесник. — Я один пойду. Чтоб никто не дергался. Понял? Я иду один.

— Вам виднее, — неохотно уступил Воронин. — Шестой этаж, направо. Дверь с глазком.

Михаил поднялся на лифте. Стенки кабины были расписаны местными фанатами «Спартака», и Колесник внимательно прочитал все, что они думают о любимой команде. Лифт остановился, Михаил вышел и долго стоял перед дверью. У него не хватало духа нажать на кнопку звонка.

Проще всего было бы снова сесть в лифт и уехать отсюда. Сделать вид, что ничего не случилось. Всю жизнь делать вид, что ничего не знаешь. Возможно, так будет лучше для всех.

Возможно, он бы так и поступил. Но лифт завыл и уехал вниз. Все. Обратной дороги нет.

Он достал телефон и набрал ее номер.

— Нина, ты где? Ты еще не ушла из агентства?

— Алло? Да, милый. Нет, милый.

— Так «да» или «нет»?

Михаил усмехнулся и свободной рукой нажал кнопку дверного звонка.

— Я тебя не отрываю? — спросил он, нажимая на звонок снова и снова.

— Нет, ничего, — тревожно ответила она.

— А что там за шум у тебя в агентстве?

Он уже не убирал палец с кнопки.

— Шум? — ее голос сорвался, она чуть не плакала. — Я не слышу никакого шума...

Он услышал ее шаги за дверью и сказал в трубку:

— Открой, Нина. Открой, это я.

После бесконечно долгого ожидания дверь скрипнула и приоткрылась. За ней в узкой щели белело лицо Нины. Ее широко распахнутые глаза блестели и казались совершенно черными.

— Можно пройти? — спросил Михаил.

Она покачала головой. Но он резко потянул дверь на себя и вошел в прихожую. Нина схватила его за руки, удерживая изо всех сил, и закричала:

— Не ходи туда! Миша! Не надо.

— Почему? Я хочу посмотреть на твоего... — он запнулся, подыскивая подходящее слово. — На твоего сутенера. Он там?

— Да. Он там. Тебе не надо на него смотреть.

Она упиралась руками в его грудь и с мольбой повторяла:

— Не надо, Миша... не надо...

— Ты за кого боишься? За него?

Она ответила тихо, помертвевшим голосом:

— Да. За него.

Ярость ослепила Михаила. Его рука вскинулась сама собой, и он ударил Нину по щеке.

— Я не хочу тебя больше видеть, — сказал он, вытирая ладонь платком. — К Пете я заеду, и я все объясню ему сам. Твои вещи тебе привезут домой. Все.

Он спустился во двор. У подъезда стоял Воронин, нетерпеливо потирая руки.

— Ну, как, там они?

Михаил ничего не ответил, проходя мимо него к машине. Воронин побежал, обогнал и открыл перед ним дверцу.

— Зря, Михаил Анатольевич, ты нас не взял. Мы бы ему рыло отполировали бы.

Он еще что-то бубнил, явно огорченный тем, что операция закончилась так быстро и не так эффектно, как ожидалось. Михаил, глянув в зеркало, увидел, как из подъезда выбежала Нина. Она что-то кричала вслед отъезжающему «гелендвагену», вытянув руки.

— Поехали быстрее, дел много, — приказал Колесник водителю.

— Не огорчайся, Михаил Анатольевич, — сочувственно бубнил рядом Воронин. — Все они бляди, эти модели. Давно хотел тебе сказать. Найдешь себе еще...

— Знаешь, что, полковник... Приедем в банк, напиши заявление. Надо тебе в отпуск. Ты, похоже, сильно переутомился.

— Извините, командир, — осекся начальник охраны.

Вернувшись в банк, Михаил распорядился, проходя мимо Изольды:

— Ко мне не пускать, ни с кем не соединять. И чего-нибудь закусить.

— Простите?

— За-ку-сить, — произнес он по слогам.

«Давно у меня не было такого замечательного повода напиться», — подумал Михаил Колесник, наливая себе полный стакан.

54

Когда за Михаилом захлопнулась дверь, Нина еще несколько секунд стояла, застыв в прихожей.

Голос Саши вывел ее из оцепенения.

— Вот и ладно. Вот и определились. Ничего, Нинуля, ты его не вини, он сгоряча.

Не отвечая ему, Нина схватила свою сумочку и опрометью бросилась за Михаилом. Она не стала дожидаться лифта и скатилась по лестнице, перепрыгивая через ступеньки.

Но опоздала. Михаил уже сел в машину.

— Миша, родной, подожди! — отчаянно закричала она.

Но черный «гелендваген» уже выезжал со двора.

Убитая, она прислонилась к шершавой стене дома. Все кончилось. Она потеряла все, что у нее было...

Рядом с ней оказался Саша.

— Ты со мной? — спросил он.

Она отвернулась.

— Как знаешь, — прозвучал его голос, и он исчез.

Она могла бы долго стоять тут у стены. Но снова зазвонил телефон. Нина с надеждой схватилась за него, однако в трубке прозвучал чужой голос, злой и грубый.

— Майор Никитин. Гражданка Силакова, вы собираетесь давать показания?

— Собираюсь.

— Вас принудительно доставить или как?

— Нет, не надо меня принудительно. И кричать не надо. Я к вам приеду. Мне все равно. Да, могу прямо сейчас.

Она остановила такси и поехала на Петровку. Ей было все равно, куда ехать. И все равно с кем говорить. Она отвечала на вопросы следователя равнодушно и односложно.

В конце разговора следователь сказал, подписывая пропуск:

— Еще вопрос. Точнее, просьба. Сообщайте нам обо всех контактах, которые у вас будут возникать по линии вашего бывшего мужа. Без исключения.

Она посмотрела ему прямо в глаза.

— Я могу вам сообщить прямо сейчас об одном, самом главном контакте по линии моего бывшего мужа. Этот контакт состоится сразу после нашей встречи.

— Слушаю.

— Его зовут Петр Александрович. Фамилия — Силаков. Он наш сын. Я заберу его из детского сада и отвезу домой. И буду с ним контактировать. Сегодня, завтра и всю мою жизнь. Ни о каких других контактах по этой линии или по другой линии я вам сообщать не буду.

— Не любите нас. — Следователь почесал свою стильную бородку. — Ну что же. Горбатого могила исправит.

Прямо с Петровки Нина направилась в детский сад. Ей хотелось по дороге заглянуть в магазин и купить для Петьки что-нибудь, чтобы загладить свою вину. Она чувствовала, что сын обижается на нее, и, наверное, на то были причины. Однако, постояв у прилавка, она решила, что лучше будет, если мальчишка сам себе что-нибудь выберет. Пусть привыкает выбирать сам.

Она прошла через дворик детского сада, заглянула в группу, но не увидела Петьки среди детей. Воспитательница, читавшая вслух книгу, замолчала и изумленно уставилась на Нину. Все дети тоже смотрели на нее как-то странно.

— А где Петя? — растерялась Нина.

— Его папа забрал! Петю папа забрал! — загалдели малыши.

— Что? Ирина Борисовна, что тут творится?

Воспитательница, беспомощно прикрывая грудь раскрытой книгой, отступила к стене под взглядом Нины.

— Ой... Знаете, а его ваш муж уже взял... Полчаса назад... Петя так радовался... Они так обнимались... Петя сказал, что они улетают... Вот цветы, ваш муж оставил...

— Какой... муж? Кто? КТО?!!

— Ваш муж... покойный...

Нина кинулась к шкафчику в раздевалке и увидела, что Петька не оставил ничего. Он не собирается сюда возвращаться...

Она выбежала во двор, лихорадочно соображая, куда Саша мог увезти Петьку, и увидела, что у забора стоит черный «гелендваген».

Михаил, в обнимку с огромным плюшевым медведем, пошатываясь, шел через дворик. В свободной руке он держал пневматическую винтовку. Лицо его было бледно, и только на скулах пылал нездоровый румянец.

Нина, забыв обо всем, кинулась к нему. Брови Михаила удивленно приподнялись. Глаза смотрели в разные стороны. Он был не столько пьян, сколько изображал пьяного.

— Пардон, мадам. Мы знакомы?

Она схватила его за лацканы пиджака и с силой встряхнула:

— Миша! Мишенька! Он увез его! Он увез Петьку!

— Что такое, гражданка? Дайте пройти человеку... Да пустите вы меня, я щас милицию позову...

— Он увез Петьку! Саша Ветер! Он жив! Он здесь! Я его прятала, он звал нас с собой, за границу, я отказалась и тогда... и тогда... он увез Петьку!

Плюшевый медведь выскользнул из руки Михаила и упал на газон.

— Какой еще Саша Ветер?

— Мой муж!

Михаил вытер лоб платком и повесил игрушечную винтовку на плечо.

— Когда?

— Полчаса назад!

Нину колотила крупная дрожь, она больше не могла сказать ни слова, задыхаясь от волнения. Михаил трезвел на глазах. Он схватил ее за локоть и, шагая напролом через клумбу, потащил за собой к джипу.

— Спокойно. Все под контролем. За тридцать минут они далеко не уехали. Мы их найдем. Расскажи мне все по порядку.

Нина заговорила, прижимая руки к горлу:

— Он теперь не Саша, не Ветер. Он другой, он теперь Прохоренко. Сергей Прохоренко. Я сняла для него квартиру, там, где ты был. У него оружие. И я его прятала. Я не могла не помочь ему, понимаешь!

Он положил руку ей на колено и сжал его:

— Понимаю.

— И тебе не могла сказать. Если бы кто-то увидел его, он бы начал стрелять. Пистолет с глушителем. Его, кажется, хотят убить... Он дал мне деньги, велел взять билеты на чартер Москва — Стамбул, для нас троих, а я взяла только один, для него, и тогда он украл Петьку, он увез его... Прости меня, я тебя обманывала! Но я не могла сказать! Помоги мне, Миша!

Слезы душили ее, и она почти ничего не видела. Но лицо Михаила приблизилось к ее глазам, и оно было добрым. «Он понимает меня, он все понимает, — подумала Нина. — Ну как я могла врать ему! Он же все понимает!»

— Когда я пришел на Волочаевскую... Он был там? — спросил Михаил.

Нина кивнула.

— Простишь ли ты меня когда-нибудь... — тихо проговорил Михаил, вытирая платком ее лицо.

Она услышала, как он говорит по телефону:

— Изольда Артуровна. Всем в банке немедленно обзвонить все турагентства и авиакомпании. Узнать, куда, на какой рейс брал сегодня билеты мужчина на себя и на мальчика шести лет. Предположительно после часа дня. Всем и немедленно. Включая вас.

— Его фамилия теперь Прохоренко, — напомнила Нина.

— На это нельзя рассчитывать. Я думаю, у него теперь много фамилий. Если он не полетит за границу, мы его не найдем.

— Он полетит. Здесь его убьют. Он это понимает. Мне показалось, у него земля горит под ногами. Поэтому он прятался. Он пришел к нам в дом той же ночью... к тебе в дом.

— К нам в дом, — поправил Михаил, нежно погладив ее по щеке. — Проехали, Нина. Я был не прав. Во всем не прав. Прости меня.

— Он прятался в подвале. И все время уговаривал уехать с ним...

— Мы найдем их, найдем, Москва — маленький город, — он снова поднял телефон. — Оперативный дежурный? Примите заявление о похищении ребенка.

— Нет! — воскликнула Нина, теребя Михаила. — Нет! Не звони в милицию!

Он выключил телефон.

— Дорогая, так будет надежнее.

— Нет. Саша не сдастся. И его убьют.

Михаил ласково отвел с ее лица упавшую прядь волос. Нина перехватила его ладонь:

— Миша, Мишенька, милый, ну сделай что-нибудь...

Он наклонился к водителю:

— Езжай в сторону кольцевой. По кольцу проскочим к любому аэропорту. Сейчас будет информация. Изольда уже всех на уши поставила.

— Это она умеет, — отозвался водитель.

— Ниночка, ты помнишь, как он был одет? На всякий случай надо дать ориентировку нашим ребятам, пусть перекроют все каналы, встанут на всех дырках.

— Не помню я, ничего не помню... У него борода седая... У него Петька!

Михаил снова поднял трубку:

— Изольда, ну как? Пока ничего? Соедини с Ворониным. Полковник, слушай боевой приказ. Знаешь, через какие порты можно улететь за кордон? Погоди, не перечисляй. Так вот, поднимаешь на ноги всех своих орлов. Группами по двое. Рассылаешь по всем таким точкам. Объект поиска: мужчина лет тридцати-тридцати пяти, с ребенком. Да что я тебе-то говорю, ребенок — это Петька. Как понял? Вперед, полковник. Оружие? Брать. Да, все очень серьезно.

Он снова погладил Нину по щеке:

— Воронин найдет их. Ты же знаешь, что такое Воронин. Он черта лысого найдет, если я попрошу.

Нина вдруг представила, сколько людей по всей Москве сейчас помогают ей. Целая армия. Все эти секретарши, референты, клерки и менеджеры отложили в сторону свои важные дела и обзванивают билетные кассы. Все эти крепкие парни в строгих костюмах разлетелись по аэропортам, вглядываясь в каждого мужчину с ребенком. Все свое могущество Михаил направил на то, чтобы помочь ей. Вот она, корпорация. Неужели Саша ускользнет от такой сети?

Не ускользнул! Нина поняла это сразу, как только у Михаила зазвонил телефон.

— Да. Да, Изольда... так. Так. Как фамилия? Откуда вылет? Во сколько? — Михаил хлопнул водителя по плечу: — Гони в Шереметьево-1! Изольда Артуровна, быстро передайте информацию Воронину.

— Нашли? — спросила Нина.

— Только один мужчина взял сегодня билеты на себя и на сына. Цепляев Алексей Алексеевич. Сын — Никита. Рейс Москва — Варна. Вылет через два часа.

Никогда еще джип Михаила не ехал так медленно. Никогда еще на дорогах не было столько чужих машин, которые тащились куда-то. Нина готова была выпрыгнуть из «гелендвагена» и бежать по шоссе, чтобы поскорее оказаться рядом с Петькой.

И никогда еще в здании аэропорта не скапливалось столько пассажиров...

Воронин, как всегда, уже был на месте. Он подбежал к джипу и доложил:

— Люди расставлены. Все под контролем. Мышка не проскочит.

— Не мышку ловим, — серьезно сказал Михаил, оглядываясь.

Нина шла за ними. Ее взгляд выхватывал из толпы каждого ребенка. Каждая русая головка заставляла ее оборачиваться.

— Все стойки регистрации перекрыты, Михаил Анатольевич.

— Напрасно. Спугнуть можем, — озабоченно проговорил Михаил. — Давай-ка отзови народ. Пусть рассредоточатся и не маячат.

Нина отстала от них и остановилась у киоска. И вдруг, глядя сквозь стеклянные стенки, она увидела сына.

Петька был в какой-то новой курточке, серой, с капюшоном. Он облизывал чупа-чупс, с радостным возбуждением оглядываясь по сторонам. Нине показалось, что он тут совсем один. Она не сразу узнала Сашу в том мужчине, который шел рядом с Петькой. Саша был гладко выбрит, в темно-синем длинном плаще и дорогой шляпе. Он катил за собой фирменный чемодан на колесиках, а у Петьки за спиной висел рюкзачок, из которого торчали ласты.

— Миша... Миша... — позвала Нина, не слыша собственного голоса.

Но Михаил услышал. А может быть, и не услышал, а почувствовал что-то. Он оглянулся, перехватил взгляд Нины — и тоже увидел Петьку и Сашу.

— Нина, стой, — хрипло сказал он.

Но Нина уже шла к сыну, с трудом переставляя непослушные ноги.

— Папа, вот же мама! — прозвучал Петькин голосок. — А ты говорил, что она не придет! Мама, а где твои вещи?

Она встала рядом, и Петька ухватился за ее руку. Саша смотрел куда-то в сторону. Он улыбался, но от его взгляда Нину бросило в дрожь. Держа руки в карманах плаща, он повернулся навстречу Михаилу и тихо произнес:

— Скажи своим гаврошам, чтобы рассосались.

Михаил остановился и, не оглядываясь, махнул рукой куда-то в сторону. Саша, поведя глазами, кивнул:

— Вот так. Послушные у тебя бойцы. Класс. Приятно иметь дело с профессионалами. Нина, отойди с Петькой. На три шага.

Петька сам потянул Нину за собой. Она присела рядом с ним на корточки, и малыш радостно заговорил:

— Мама, я же знал, я же знал, что папа живой! Видишь? Мы с ним улетаем сегодня, а ты собирайся поскорее и тоже прилетай.

Она гладила его шелковистые волосы, и ничего не могла сказать. Все ее внимание сейчас было приковано к Саше. Тот стоял неподвижно и продолжал спокойно улыбаться. Обычный пассажир. Но глаза его не останавливались ни на миг, прощупывая каждый уголок вокруг, откуда могла исходить опасность.

— Так это ты мою бабу увел? — насмешливо спросил он.

— Нина будет со мной, — тихо, но твердо ответил Михаил. — И Петя будет со мной.

— Да? Кто это решил?

— Мы.

— Вы? А мы вот решили по-другому. Пойдем, Петька, пора сдавать багаж.

Саша шагнул в сторону, и Михаил схватил его за плечо:

— Ты никуда...

— Руку. Руку убери, — попросил Саша тихим вкрадчивым голосом, от которого у Нины все сжалось внутри.

Михаил отпустил его плечо и вытер пот со лба.

Саша медленно побрел к багажной стойке, катя за собой чемодан.

— Мама, видишь, какой у нас чемодан классный? — сказал Петька, вырываясь из рук Нины. — Ты себе тоже такой купи, хорошо?

Он вприпрыжку побежал за Сашей.

Нина попыталась встать и пошатнулась, теряя равновесие. Михаил подхватил ее и обнял за плечо, прижимая к себе.

— Петя! Сынок... — позвала Нина.

Петька остановился, оглянувшись на нее. Веселая улыбка на его мордашке сменилась удивлением. Он смотрел то на Нину, то на Сашу, который тоже остановился.

Михаил порывисто шагнул вперед, но Саша предостерегающе поднял руку:

— Стой, где стоишь.

Нина замерла, прижимаясь к Михаилу. Петька с недоумением оглядывался на взрослых, которые затеяли какую-то непонятную игру.

— Петя, все нормально, — сказал Саша. — Мама остается здесь. А мы с тобой уезжаем. Может быть, мама приедет к нам позже.

Нина воскликнула:

— Нет! Сынок...

— Петя, — властно произнес Саша. — Сейчас ты должен поступить, как мужчина. Ты должен выбрать, с кем ты будешь.

Петька растерянно спросил:

— Папа! Зачем нам ехать, если мама не может? Зачем? Можно же...

— Нет, нельзя, — покачал головой Саша. — давай сыграем в такую игру. Сейчас мы с мамой будем расходиться в разные стороны. Ты должен выбрать, к кому ты пойдешь. Нинуля, согласна? Он у нас большой и умный. Он сам может выбрать.

Нина кивнула, утирая слезы. Она была готова закричать на весь аэропорт, что у нее отнимают сына. Но темная фигура Саши наводила на нее смертельный ужас. Словно загипнотизированная звуками его голоса, она попятилась, отступая от Петьки.

Они отступали в разные стороны, и малыш оказался посредине.

Чувствуя на своем плече горячую руку Михаила, Нина шаг за шагом отдалялась от сына.

Петька вздохнул, покачал головой — и пошел в ее сторону.

Нина радостно протянула к нему руки, но вдруг Петька остановился, развернулся и со всех ног побежал к Саше.

Окаменев, она смотрела, как Саша вскинул сына на руках, прижал к себе и закружился на месте в радостном танце...

Понурив голову, она отвернулась от них и побрела к выходу. Михаил остался на месте:

— Нина, Нина, постой... — говорил он. — Постой, не уходи... Да стой же ты!

Она оттолкнула его руку и, ничего не видя за пеленой слез, зашагала прочь.

«Сама во всем виновата, сама, ты сама во всем виновата», — беззвучно повторяли ее губы.

— Мама, ну постой же ты! — вдруг позвал ее Петька.

Она остановилась, держась рукой за стеклянную стену. И увидела, что Саша стоит один, держа в руках Петькин рюкзачок с ластами.

А сам Петька стремительно шагает к ней и тянет за руку Михаила.

— Ну куда ты все убегаешь! Как маленькая!

Он подвел Михаила к ней и вложил его руку в ее ладонь. А сам повернулся к Саше и прокричал:

— Папка! На следующее лето — точно! Я к тебе приеду! Смотри! Ты обещал!

Саша медленно поднял ладонь и коснулся кончиками пальцев полей шляпы, словно отдавая честь...

Стеклянные двери раздвинулись, пропуская в здание аэропорта новых пассажиров. Шумная пестрая толпа окружила Нину, и она изо всех сил прижала к себе Петьку и Михаила, чтобы не потерять их. А когда толпа рассеялась и Нина снова оглянулась, то Саши уже нигде не было видно.

— Смотри, мама, смотри, самолет!

Петька вытянул руку, и Нина увидела взлетающий лайнер. Солнце играло на его белоснежных крыльях и блестело в иллюминаторах.

— Мы тоже на таком полетим? — спросил Петька.

— Обязательно. Когда-нибудь, сынок, когда-нибудь...

Михаил легко подхватил Петьку на руку, другой рукой обнял Нину:

— Дорогая, может быть, поужинаем в городе?

— Нет, — сказала она. — Домой. Скорее домой.

ЗАВЕЩАНИЕ ИМПЕРАТОРА

Первая книга из серии остросюжетных исторических детективных романов – «Тайна». Роман основан на реальном событии. Император Николай II вскрывает пакет с посланием, написанным сто лет назад императором Павлом, и, прочитав его, в ужасе бросает в огонь. Пытаясь проникнуть в тайну послания, главный герой романа сталкивается с противоборством очень могущественных сил... ТАЙНА является сквозным персонажем всех романов серии. Великая Тайна, берущая свое начало на заре нашей эры.

ДОКТОР Ф И ДРУГИЕ

Великое событие, волнующее человечество вот уже два тысячелетия, приоткрывает завесу над своей ТАЙНОЙ...

Действие романа «Доктор Ф. и другие» развивается в наши дни. Читатель встретится с потомками героев романа «Завещание императора». Судьбоносное решение предстоит принять им на пороге нового века.

На каждом шагу их ждут приключения – порой драматические, а порой способные вызвать улыбку.

По вопросу оптовой покупки книг
издательства «Гелеос» обращаться по адресу:
115093, г. Москва Партийный пер. д. 1, офис 20, 319
Тел.: (095) 235-94-00, факс: (095) 951-89-72
e-mail: zakaz@geleos.ru, market@geleos.ru

Книги нашего издательства можно заказать по почте.
Адрес: 115093, Москва, а/я 40, Книжный клуб «Читатель».

Оптовая и мелкооптовая торговля

Москва:
ЗАО «Читатель», Партийный переулок, 1, оф. 20, 319.
Тел.: (095) 235-94-00, факс: (095) 951-89-72
e-mail: zakaz@geleos.ru, market@geleos.ru

Книготорговая фирма «Столица-Сервис», Кетчерская ул., д. 7.
Тел.: 375-36-73, 375-24-33, 375-32-11,
e-mail: stolitsa@front.ru.

Санкт-Петербург: ООО «Северо-Западное Книготорговое Объединение».
Тел.: (812) 265-40-44, 265-40-76,
e-mail: books@szko.sp.ru

Новосибирск: ООО «Топ-книга».
Тел.: (3832) 36-10-26, 36-10-27,
e-mail: office@top-kniga.ru

Екатеринбург: Книготорговая фирма «Фактория-Книги».
Тел.: (3432) 74-54-05, 74-70-57, 74-44-23,
e-mail: leo@f-k.ur.ru

Краснодар: ЗАО «Когорта».
Тел.: (8612) 62-54-97, 62-20-11,
e-mail: kogorta@mail333.com

Украина: Книготорговая фирма «Визарди».
Тел.: (103-80-44) 418888-84-73,
e-mail: wizardy@inbook.ru

Израиль: Тель-Авив, ул. Хель-Аширион, 79.
Тел.: 03-6872261, факс: 03-6872279,
e-mail sputnic@zahav.net.il

Книги издательства «Гелеос» в Европе:
«Fa. Atlant». D-76185 Karlsruhe.
Тел.: +49(0) 721-183 12 12, +49(0) 721-183 12 13,
Факс: +49(0) 721-183 12 14,
e-mail: atlant.book@t-online.de
Internet: www.atlant-shop.com

Илья Авраменко,

Евгений Костюченко

НИНА

Редактор: *А.Никишин*
Художник: *Л. Григорян*
Технический редактор: *В. Ерофеев*
Корректор: *А. Федорова*

Общероссийский классификатор продукции ОК-005-93,
том 2; 953000 — книги, брошюры
Гигиеническое заключение
№ 77.99.14.953.П.12850.7.00 от 14.07.2000 г.

ЗАО «Издательский Дом ГЕЛЕОС»
115093, Москва, Партийный переулок, 1, оф. 20, 319.
Тел. (095) 235-9400. Тел/факс (095) 951-8972

Издательская лицензия № 065816 от 21 мая 1998 г.

Отпечатано в полном соответствии с качеством
предоставленных диапозитивов в Тульской типографии.
300600, г. Тула, пр. Ленина,109 .